エリア・スタディーズ 184

現代アメリカ社会を知るための63章【2020年代】

明石紀雄（監修）
大類久恵、落合明子、赤尾千波（編著）

明石書店

まえがき

『現代アメリカ社会を知るための63章【2020年代】』は、明石書店から出されているエリア・スタディーズ叢書中のアメリカ合衆国（以下、アメリカ）社会に関する書の4冊目となるものである。第1作『現代アメリカ社会を知るための60章』の刊行は1998年、第2作『21世紀アメリカ社会を知るための67章』の刊行は2002年であった。各書とも、現代アメリカ社会の政治・経済・文化等の諸側面に関する60以上の項目を選び、それぞれに関して、入手し得る資料を基に、専門的な視点から、正確かつ詳細な解説を試みた。2013年刊行の第3作『新時代アメリカ社会を知るための60章』においてもこの手法は踏襲され、同時多発テロ事件（2001年9月11日朝のイスラム過激派アルカイダによる4機の民間航空機乗っ取り、およびそれらによるワールドトレードセンター・ペンタゴンへの突入）以後、とくにリーマンショック（2008年9月15日の投資会社リーマン・ブラザーズ・ホールディングスの経営破綻に端を発した世界的金融危機）および黒人初の大統領バラク・オバマの再選（2012年11月6日）以後の動きを追った。これらの書籍を通して、わが国における現代アメリカについての理解と関心の広がりに、いささかの貢献を果たすことができたならば望外の喜びである。

本書の監修の作業を終え、現代アメリカ社会の変化が多方面にわたり、また早いことをあらためて感じている。選ばれた項目のいくつかについては、すでにその時点で歴史的役割を終えていたのではないか、ことさらに取り上げる必要はなかったのではないかという感が否めない。その反面、まだ評価が定まっていないものについて、短絡的に判断し、性急な結論を下してしまった場合もあったのではないかという反省の念がある。これらについては、版を改める機会があれば、より信頼できる資料に基づき、修正することが望まれる。このような反省点があるにもかかわらず、本書は単なる既刊本の改訂ではなく、現代アメリカ社会の政治・経済・文化についての最新の検証の集大成であると言えよう。

全体的に3つの大きな視点――基層的な情報、容易に目に見える事柄（主に文化的現象）、深層に起こっている事柄――からアメリカ社会を見直すという姿勢は、第1作から継続されている。それぞれの視点は細分化され、各章で幅広いテーマを扱うように心がけた。それでも、アメリカ社会の動きに関して十分に触れなかった分野がある。たとえば戦争に関する事柄である。アメリカは最近の30年間で、湾岸戦争（1991年1月17日～2月28日、イラクによるクウェート侵攻をきっかけにアメリカを中心とする多国籍軍が派遣され、イラクを空爆することにより始まった）、アフガニスタン紛争（2001年10月7日～現在、同時多発テロ事件を口実にアメリカが北大西洋条約機構加盟国と連携して、アフガニスタンに侵攻し、タリバンやアルカイダなどの武力集団との間に続く戦闘。ジョー・バイデン政権は21年4月、同年9月にアフガニスタンからの米軍撤退を公式に発表した）、イラク戦争（2003年3月20日～11年12月14日、イラク武装解除を目指した有志連合国による軍事介入、大量破壊兵器の発見を目指したが発見には至らなかった）という3つの戦争を戦った。反戦のムードが強かったベトナム戦争（1964年8月～75年4月）時と比べて、国内の反響はどうだったのか。湾岸戦争では出征兵士の留守宅に大切な人を待つことを表す「黄色いハンカチ」が掲げられるなど愛国主義の高まりが示されたが、戦後には多くの帰還兵がPTSD（心的外傷後ストレス障害）を発症したことが問題とされるに至った。これらも取り上げられるべき項目だったかも知れない。

第4作においては、当然「ドナルド・トランプ政権」の4年間がテーマとなるべきであったが、本書の準備・編集が始まった段階で、すでに同政権への批判が起こりつつあり、同政権は退けられ、「ポスト・トランプ」時代の到来が早い時点で意識された。

第一に、トランプ政権の特徴であった「アメリカ・ファースト（アメリカ第一主義）」は、次期政権によって覆されることが予測された。トランプ政権は、アメリカが創設にかかわった、もしくはその運営・継続において大きな役割を担ってきたいくつかの重要な国際組織や国際協約から離脱、あるいは離脱の意志を表明した。たとえば、環境問題を考えるパリ協定からの離脱、世界保健機関からの脱退、国連人権委員会からの脱退などである。また、メキシコとの国境に高い壁を構築すること、イスラム圏からの移民制限、非合法入国者の親子分断を容認する措置を遂行した。アメリカの「内向き」の姿勢が示された。しかしこれらの政策は、バイデン新政権により逐一覆された。

第二に、警察による黒人に対する暴力行為があきらかになり、それへの抗議（「ブラック・ライブズ・マター［BLM］」）が全国に広まった時、「法と秩序の維持」を優先させるとしたトランプ政権の対応は、問題の解決ではなく混迷を導いた。トランプ大統領は「略奪が始まれば銃撃も始まる」と述べ、抗議を鎮圧するための公権力の使用を正当化する姿勢をあきらかにした。しかし彼のこのような姿勢に対抗するように、「私は息ができない」という警察による暴力の犠牲者（ジョージ・フロイド）の言葉や、国歌演奏時に人種差別撤廃を訴えるために「片膝を着く」アスリートのポーズが広まった。本年開催の東京オリンピックにおいて、選手がこのような訴えを競技場で表すことは「政治的中立を謳った」オリンピック憲章に違反するものではないと判断され、容認されたことは注目に値する。

第三に、トランプは白人至上主義者であるかどうかが問われなければならない。２０２０年11月の大統領選挙において現職のトランプは多くの支持票を獲得したが、それ以上の支持を得た対立候補に敗れた。その結果を受け入れることができない人々は２０２１年1月6日、連邦議会議事堂に乱入した。トランプがそれを煽動したとの疑惑も生じ、弾劾裁判が開かれた（2月13日、連邦議会上院による無罪の評決）。しかし彼に対する疑惑は依然としてあり、彼のＳＮＳアカウントは停止を命じられた。

第四に、アメリカでは新型コロナウイルスの感染者は３４００万人を超え、死者も60万人を超えている（ジョンズ・ホプキンス大学集計などによる――『読売新聞』２０２１年7月23日朝刊）。かくも過大な犠牲が出たのは、トランプ政権の対応が不十分だったからであるという批判がある一方、トランプ支持者からは、ワクチン接種を含むバイデン政権の対応策への不信が示されている。

このようなことから、アメリカは「分断」しているように見える。二分化しているとの印象は拭えない。アメリカの依って立って来た政治理念や国家的理想がもはや成り立たないかに見え、アメリカの民主主義は脆弱そのものであるかのようである。しかし、よい方への変化の兆しもうかがえる。はじめての女性、そしてはじめてアフリカ系・アジア系の祖先（ルーツ）を持つ副大統領が誕生した。ジョージア州の二名の連邦上院議員が、アフリカ系とユダヤ系となったのも、歴史上はじめてのことである。新大統領は「私たちは互いを敵ではなく、隣人とみなすことができる」と、議事堂乱入事件後の就任式において謳った。アメリカが分裂して戦闘を交えた南北戦争の終焉を間近にして、エイブラハム・リンカンが第二次就任演説で述べた、「誰に対しても悪意を抱かず、慈悲の心で接し、われわれすべての国民の間に正しく永遠に続く平和を実現し、（中略）育む仕事を終えるべく全力を尽くそうではないか」（1865年3月4日）という言葉を彷彿とさせる。また2021年の就任式において、黒人女性詩人アマンダ・ゴーマン（17年にアメリカ議会図書館により全米青年桂冠詩人に選ばれた）は、「分断を終わらせよう。なぜなら私たちは未来を考えるから。それぞれのちがいに執着するのをやめなければならない」と訴えた。

アメリカはこれからどこに向かおうとするか。トランプ政権の4年間は現在のアメリカの分断を生んだ原因であるのか、それとも分断の結果であり、象徴であるのか。現在いくつかの州において、あきらかにアフリカ系アメリカ人やヒスパニック系住民にとって不利になるように投票の方法や選挙区の線引きを変える動きがある。たとえばジョージア州において、2021年3月法案が成立し、知事がそれに署名した。これに抗議し、アメリカ・プロ野球大リーグが今年のオールスターゲームをジョージア州アトランタからコロラド州デンバーに移したことは記憶に新しい（この試合はアフリカ系アメリカ人の野球スター、ハンク・アーロンの功績を称えるものであったことは皮肉である）。このような動きをより根本的に阻止するための法案（「【仮称】国民投票法」。合衆国下院法案第一号、同上院第一号）が、現在審議されている。バイデン政権は強くその成立を図っているが、予断は許されない。他方、本書でも触れられているように、南北戦争時の南部連合軍の旗のデザイン（X形十字に13の星を並べたもの、海軍や北バージニア軍が用いた）が、2001年ジョージア州、20年ミシシッピ州において否定される一方、南部連合軍に関連した銅像や記念碑が撤去されるなど、奴隷制や南北戦争後の人種隔離法は構造的人種主義を助長した体制であったという認識が広まっている。この動きがさらに広まって、第二次世界大戦時に転住を強制された日系アメリカ人への謝罪と、存命者全員に対して二万ドルの支払いを認めた事例に倣って（1988年市民自由法による）、奴隷制時代を通じてのアフリカ系アメリカ人への「差別待遇への賠償」が実現する時が来るかもしれない。さらに基層的な社会変化を表すものとして、性的指向・性自認における少数派に対する過去の差別に関して同様の「賠償」が考慮される時が来るかもしれない。このように激しく動く現代アメリカ社会を正しく「知るための」作業は、今後も続くことであろう。

2021年7月

監修者　明石紀雄

現代アメリカ社会を知るための63章【2020年代】

目次

I　基　層

Ⅱ　社会

Ⅲ 文化

凡例

○「アメリカ合衆国」は、原則として「アメリカ」と表記する。ただし、外交関係などを扱う章では、「米国」を用いる場合がある。また、市民権（国籍）を意味するときは、「アメリカ合衆国市民権」とした。

○「アフリカ系アメリカ人」は、原則として「黒人」と表記する。

○「アメリカ（ン）・インディアン」は、原則として「アメリカ先住民」あるいは「先住民」と表記する。

○ラテンアメリカ系の在米住民の呼称については、「ラティーノ」または「ヒスパニック」と表記する。

○市民としての基本的権利＝市民権を求めて、1950年代から60年代にかけて活発化した黒人による運動は、「市民権運動」と昨今の学術界では訳されることも多いが、本書では一般に普及している「公民権運動」と表記する。

○英語の原綴りは、団体名、会議名、法律名が邦訳語からは推測しづらい場合、もしくはアメリカを研究するうえで原語を知ることがとくに重要であると考えられる場合にのみ、邦訳語の後に（　）で示す。

○文学作品や映像作品などの作品名については、邦題がある場合にはそれを用いる。ない場合には筆者による邦訳語の後に原綴りを（　）で示す。

○参考資料欄において、インターネット上に掲載された新聞や雑誌などの記事が紙版の記事に準じる場合、あるいは一般的で検索が容易な場合は、ＵＲＬを省き、末尾に［電子版］と記載する。

○参考資料欄に載せたインターネット情報の最終確認日は、すべて２０２１年2月28日である。

○図版キャプションには撮影者などを示している。「*」を付したものはパブリック・ドメインである。

アメリカ合衆国地図

（本書に関連する地名などを記載）

カナダ
ニューハンプシャー
メーン
バーモント
コンコード
ボストン
マサチューセッツ
ニューヨーク
ロードアイランド
パリセイズパーク
ニューヨーク
コネチカット
ミネソタ
ミシガン
ミネアポリス
セントポール
ウィスコンシン
デトロイト
イーストランシング
ディアボーン
ロレイン
ペンシルベニア
ニュージャージー
アイオワ
シカゴ
インディアナ
オハイオ
ワシントン
デラウェア
イリノイ
ウエストバージニア
メリーランド
ミズーリ川
カホキア墳丘群
オハイオ川
リッチモンド
バージニア
ロアノーク
カンザス
セントルイス
ルイビル
ミズーリ
ケンタッキー
ノースカロライナ
大西洋
オクラホマ
テネシー
サウスカロライナ
アトランタ
チャールストン
アーカンソー
ミシシッピ川
ミシシッピ
ジョージア
アラバマ
ダラス
ルイジアナ
0
600km
ニューオリンズ
フロリダ
パークランド
バハマ
メキシコ湾
キューバ
カリブ海
ジャマイカ

シアトル
ワシントン
太平洋
オレゴン
モンタナ
ノース
ダコタ
サウス
ダコタ
アイダホ
ウインド・リバー
居留地
ワイオミング
ネブラスカ
ネバダ
サンフランシスコ
オークランド
コロラド
ユタ
アーカンソー川
カリフォルニア
グレンデール
ロサンゼルス
アーバイン
アリゾナ
アルカルデ
アルバカーキ
サンディエゴ
ティフアナ
ニューメキシコ
エルパソ
テキサス
北極海
アラスカ
メキシコ
アラスカ湾
カナダ
太平洋
0
600km
ハワイ
オアフ島
ホノルル
太平洋
0
200km
ハワイ島
ヒロ

I

基　層

Ⅰ 基層

1

2020年大統領選挙

★分断とコロナ禍での投票★

新型コロナウイルス感染症の影響下で行われた２０２０年11月の大統領選挙は、予備選挙の段階から一般投票をへて選挙人団による投票で次期大統領が公式に確定するまで、多くの面で異例の選挙となった。

２月から各州で実施された予備選挙において、共和党の大統領候補には現職大統領のドナルド・トランプが順当に勝ち上がり、同じく現職のマイク・ペンス副大統領を次期副大統領候補として指名した。他方、民主党の予備選挙では多数の候補者が乱立し激選となった。その顔ぶれも女性、黒人、ヒスパニック、史上初のアジア系や同性愛者など多彩であり、変容しつつあるアメリカの人口構成《第２章参照》と民主党の支持基盤を体現した形となった。２０１６年の民主党予備選挙でヒラリー・クリントン候補に肉薄した左派のバーニー・サンダース候補も高齢ながら健在だったが、今回は「トランプ現職候補に勝利できる中道の候補者」を求める傾向が民主党内で強まり、穏健派でオバマ政権の副大統領であったジョー・バイデン候補が民主党大統領候補の指名を勝ち取った。副大統領候補には、ジャマイカとインドからの移民の子であるカマラ・ハリスが史上はじめて

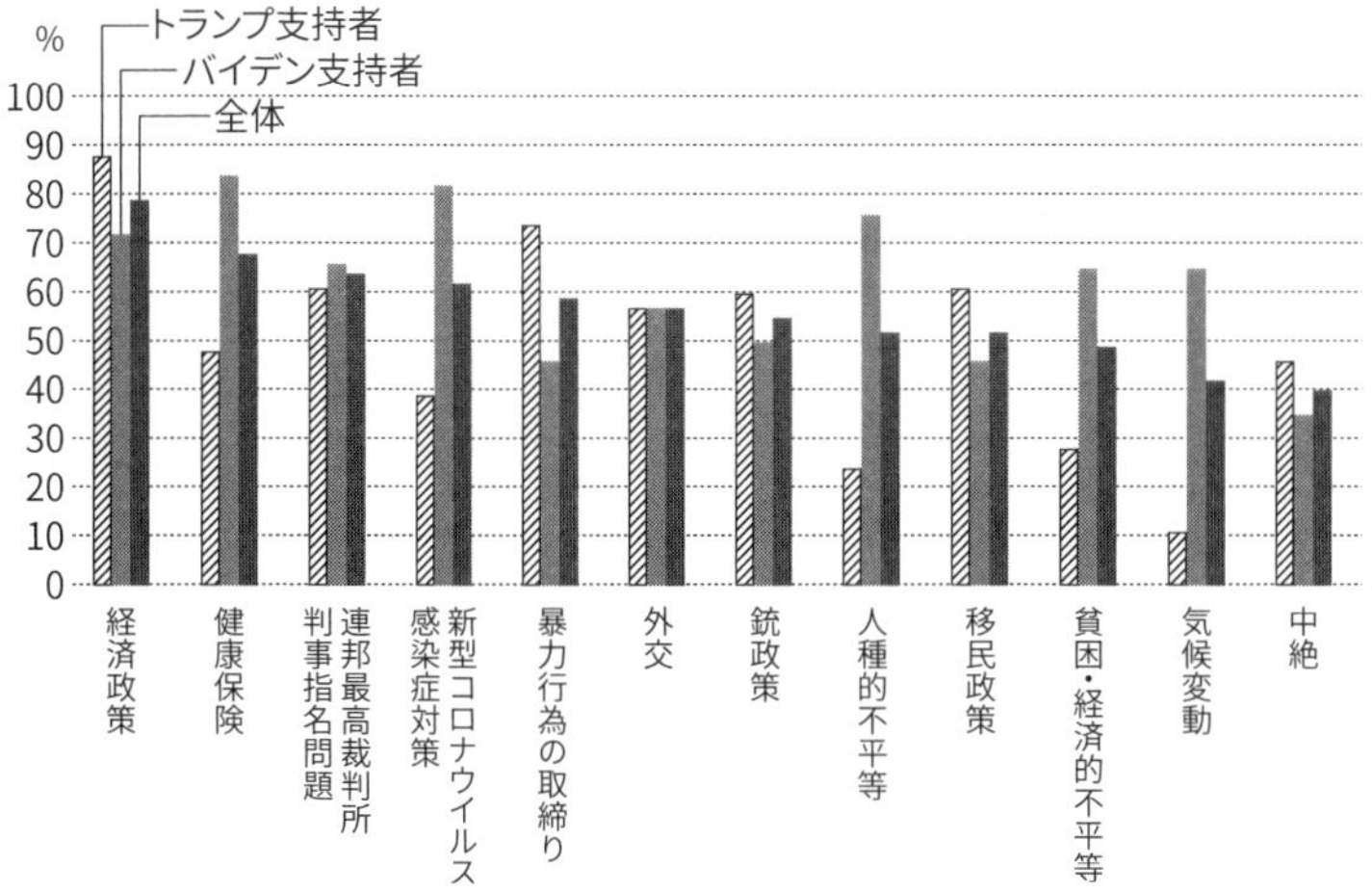

2020年大統領選挙において何を重要争点と考えるか（複数回答）
(Pew Research Center, "Election 2020," Aug 13, 2020. を基に筆者作成)

非白人女性としての指名を受けた。

11月の本選挙までの間、トランプ陣営とバイデン陣営との間で激しい選挙戦が繰り広げられた。アメリカ大統領選挙では伝統的に、経済・雇用、貧困、健康保険、移民、中絶、銃所持、気候変動、外交などの各問題が共和党と民主党の立場を分ける争点となってきたが、２０２０年にはそれらに加えて新型コロナウイルス感染症の急拡大に対する政府の対策や、各都市で発令された自宅待機令によって増大した失業補償・貧困問題が争点に加わり、いっそう激しい選挙戦となった。マスク着用の是非までもが政治争点化した。５月下旬以降、警官による黒人市民に対する不当な暴力や構造的人種主義への反発が、コロナ禍での社会的な影響と相まってブラック・ライブズ・マター運動《第32章参照》として高揚すると、人種差別や都市での破壊活動に対する政府の対策も大きな争点となった。さらに女性の地位向上に絶大な貢献をしてきたルース・ベイダー・ギンズバーグ連邦最高裁判所判事《第3章参照》が9月に逝去すると、その後任の指名をめぐっても両陣営の対立が高まった。

しかも、コロナ禍は大統領選挙のプロセスそのものにも多大な影響を及ぼした。トランプ政権の新型コロナウイルス感染症対策を厳しく批判する民主党は、11月の選挙にむけて感染拡大防止策の一環として有権者に郵便による投票を推奨した。バイデン陣営の選挙活動も、感染防止のためオンライン集会を中心とする抑制的なものとなった。一方、共和党のトランプ陣営は郵便投票が大規模な選挙不正の温床になるとして批判し、コロナ禍にもかかわらず大規模集会を何度も開催して現地での感染者数を増やしたばかりか、トランプ自身や家族、側近らも感染した。

11月3日の本選挙では、バイデン候補が一般投票の51・3%、8100万票あまりを獲得し、46・8%、7400万票あまりを獲得したトランプ現職候補を上回った。投票率は66・2%であった。これらのうち実に6500万票が郵便投票、3500万票が有権者本人の対面での期日前投票によるものであった。米大統領選挙では州ごとに一般投票の勝者を決め、その勝者が各州に割り当てられた選挙人を獲得していくが、ペンシルベニア、ミシガン、ウィスコンシン、アリゾナ、ジョージアの5州ではバイデン候補が僅差で上回り（うち3州では得票差1%未満）、選挙人538人の過半数を獲得して大統領選挙の結果は決したかと思われた。また各州とも郵便投票の集計に時間を要し、開票が進むにつれバイデン候補が得票を伸ばしたことも2020年選挙の特徴であった。

トランプ候補は「自分の地滑り的勝利だった」「バイデン陣営が選挙を盗んだ」と主張して一般投票での敗北を認めず、50を超える訴訟を起こして激戦州の再集計作業を求め、あるいは郵便投票の不正と無効化を主張した。激戦州や国土安全保障省の選挙管理担当者らが、選挙は不正なく行われたと声明を次々に発表するなか、根拠を欠くトランプの法廷闘争のほとんどは棄却もしくは敗北に終わった。さらに11月下旬には歴代の共和党政権の高官・議員らや米財界人らが政権移行の滞りに危機感を持ち、トランプ陣営に対して選挙結果の受け入れと平和的な政権交代を勧告する声明を出すに至った。他方、有権者の選挙結果への信頼度は割れた。選挙後の『ポリティコ』誌の調査によると、この選挙結果を信頼できるかどうかという質問に、民主党支持者の86％が信頼できると答えたのに対して、共和党支持者の間で信頼できると答えたのはわずか30％に留まった。

12月14日の選挙人団の投票でも、一般投票の結果通り306票対232票でバイデン候補が勝利した。そして2021年1月6日、連邦議会が選挙結果を承認する手続きを開始すると、トランプ大統領はホワイトハウス前に集結したトランプ支持の群衆を前に演説を行い、選挙人団による選挙結果を覆そうとしないペンス副大統領や共和党議員を非難した。そして「議事堂まで歩いて行こう……われわれの国を取り戻すためには強さを見せなければならない」と群衆をあおった。これに応じた群衆は議事堂に乱入、占拠して破壊行為に至り、犠牲者をも出すという異常事態を招き、首都ワシントンには非常事態宣言が出されるに至った。議会は8時間中断した後に再開され、翌7日にバイデン候補の勝利を正式に承認した。しかしトランプ大統領はこの事態の責任を問われて大統領任期の末期に下院議会によって弾劾され、退任後に弾劾裁判を受けることになった。

2020年アメリカ大統領選挙は、敗北した現職候補が選挙結果を受け入れず群衆の暴力をあおるという前代未聞の事態のなかで決着した。トランプ大統領によるこうした言動は、民主主義的プロセスを否定するものである。しかしこれは同時に、人種・民族的文化的に多様化が進みつつあるアメリカ社会において価値観や国のあり方をめぐる認識の分断が深まり、選挙戦を通じてその分断がさらに先鋭化した結果でもある。今後バイデン新政権がいかに選挙による傷を癒し社会的融和を実現できるかが、アメリカが直面する重い課題であると言えよう。

（伊藤裕子）

❖参考資料

"Poll: 70 Percent of Republicans Don't Think the Election was Free and Fair." *POLITICO*, November 9, 2020. [https://www.politico.com/news/2020/11/09/republicans-free-fair-elections-435488]

「アメリカ大統領選挙２０２０」ＮＨＫウェブサイト［https://www3.nhk.or.jp/news/special/presidential-election_2020/］

Ballotpedia [https://ballotpedia.org/Howie_Hawkins]

United States Elections Project [http://www.electproject.org/]

2

2020年国勢調査

★波乱のなかでの全人口集計★

合衆国憲法第一章第二条第三項に基づき、アメリカでは１７９０年以来10年に一度、国内の人口を数える国勢調査を実施してきた。出張などの短期滞在者を除く「すべての（外国人を含む）住民」を対象にした国勢調査は、国の人口や人種・エスニシティの属性、世帯の状況をあきらかにし、アメリカ社会の現状と変化を把握する手がかりとなってきた。国勢調査の主要な目的は、連邦下院議会に送る各州の議員数を決定することである。国勢調査の人口データに基づく州の人口に応じて、10年ごとに４３５の議員定数が各州に割り当てられてきた。また、調査結果は、選挙区を再編する際の根拠として利用されるとともに、連邦資金を各州に配分する際の指針にもなり、地域の医療、福祉、教育、公共事業などの予算策定にかかわるきわめて政治的な役割を果たしている。そのため各州では、「自分が数えられる」ことの重要性を住民に啓蒙するキャンペーンを事前に繰り広げ、調査に備えた。

２０２０年国勢調査は、かつてない大きな波乱のなかで実施されることになった。波乱のひとつは、アメリカ国内に甚大な被害をもたらした新型コロナウイルス感染症の影響であり、もうひとつは実施前から度重なった国勢調査へのドナルド・トランプ政権の介入であった。

トランプ政権は、2018年3月、20年国勢調査にアメリカ市民（国籍保持者）か否かを尋ねる質問を追加すると表明した。政権側は、市民権を有する有権者数を把握し人種的・民族的少数派の投票権を保護するためと主張したが、これに対し、質問の追加は政権の移民排斥政策の一環であり、大統領選挙で再選を狙うトランプと共和党を利するための政治操作であるとの批判が高まった。実際この質問が追加されれば、移民やその家族が不利益を恐れて回答を控え、移民が多い州において人口が過小に算出されることが懸念された。移民は民主党を支持する傾向にあるため、結果的に民主党優位の州の下院議席数が減少し、共和党に有利になる可能性が予想された。

こうした動きに反発して、移民を多く抱えるカリフォルニア州などの18州、ニューヨーク市などの15都市、そして全米市長会議が、政府を相手取って訴訟を起こした。2019年6月、連邦最高裁判所は、政権側が掲げた質問追加の理由の正当性に疑義を呈する判決を下し、結局、20年国勢調査は市民権の質問項目を含むことなく実施された。しかし、判決を不服とするトランプ政権の介入はその後も繰り返され、ただでさえコロナ禍で調査の遅れが生じていた調査の現場をさらに混乱させた。

2020年4月、調査開始とほぼ同時に感染拡大が深刻化したことを受けて、国勢調査局は当初の回答期限（7月末日）および未回答世帯の追跡調査終了日（8月11日）を10月末日まで延長することを決めた。それに伴い、算定結果の大統領への報告期日も法によって定められた12月末日から翌21年4月末日に変更されることとなった。

しかし2020年8月初め、トランプ政権は急遽この変更を覆した。当初の予定通り12月末までの算定結果報告を要求し、それに間に合わせるため調査延長の打ち切りを迫った。8月時点で4割近くの未回答世帯があり、早期に調査を終えれば、調査員の訪問や電話による追跡調査を必要とする低所得者や移民の多い地域の人口が過小報告される恐れがあった。人権団体や地方自治体が提訴したが、リベラル派のルース・ベイダー・ギンズバーグ判事死去により保守派が圧倒的多数となった連邦最高裁判所《第3章参照》は、下級審の判決を覆して調査期間短縮を承認し、国勢調査は10月15日に終了した。

データ集計・分析の過程もまた法廷闘争のただなかに置かれた。トランプは7月に大統領覚書に署名し、国勢調査に基づいて下院議席数を配分する際には集計した人口データから非合法移民《第13章参照》を排除するよう命じていた。11月の大統領選挙が終了し、政権交代があきらかになった後も、任期満了前に算定結果を受理し議席配分の決定に影響を及ぼそうとする試みは続いた。しかし、国勢調査の集計作業の遅れから結果報告のないまま政権が交代した2021年1月、この試みはジョー・バイデン新大統領が発した大統領令によって無効となった。

国勢調査局によれば、それでも回答率は99％を超え、なかでも自己回答率は67％で、前回調査の66.5％を超えたという。従来の郵送による回答に加えて、オンラインまたは電話での回答がはじめて可能になったことも回答率改善の一因とされる。

調査票には、2020年4月1日時点の世帯人数、一時的滞在者、住居形態、電話、氏名、性別、生年月日、エスニシティ、人種といった9項目の質問が設けられた。同居世帯員と世帯代表者との続柄も問われ、同性の配偶者、同性の未婚のパートナーがはじめて回答欄の選択肢に明記された。

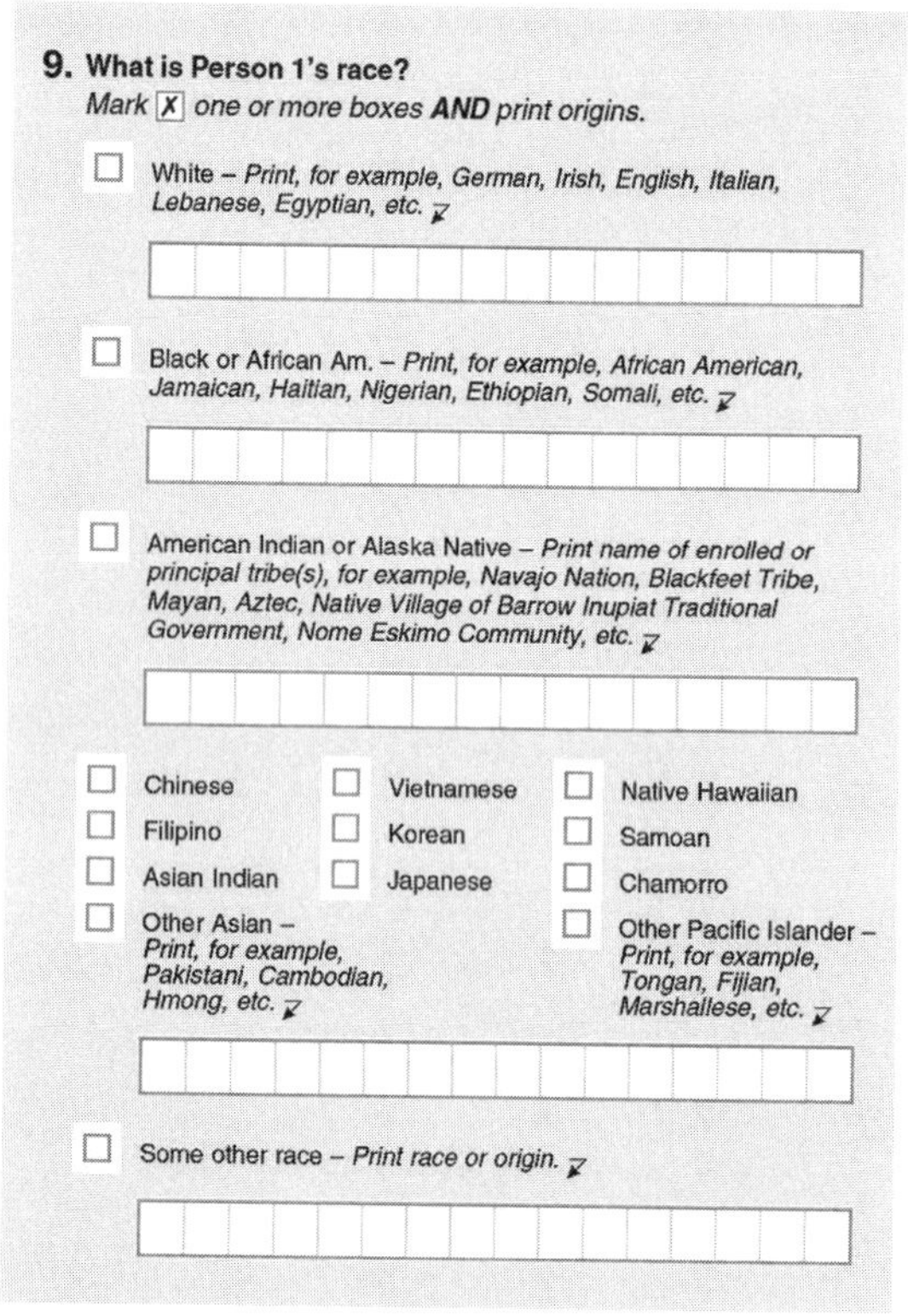
9. What is Person 1's race?
Mark ☒ *one or more boxes* ***AND*** *print origins.*

☐ White – *Print, for example, German, Irish, English, Italian, Lebanese, Egyptian, etc.*

☐ Black or African Am. – *Print, for example, African American, Jamaican, Haitian, Nigerian, Ethiopian, Somali, etc.*

☐ American Indian or Alaska Native – *Print name of enrolled or principal tribe(s), for example, Navajo Nation, Blackfeet Tribe, Mayan, Aztec, Native Village of Barrow Inupiat Traditional Government, Nome Eskimo Community, etc.*

☐ Chinese
☐ Filipino
☐ Asian Indian
☐ Other Asian – *Print, for example, Pakistani, Cambodian, Hmong, etc.*
☐ Vietnamese
☐ Korean
☐ Japanese
☐ Native Hawaiian
☐ Samoan
☐ Chamorro
☐ Other Pacific Islander – *Print, for example, Tongan, Fijian, Marshallese, etc.*

☐ Some other race – *Print race or origin.*

国勢調査票の人種に関する質問項目（U.S. Census Bureau*）

第1回調査以来重視されてきたのが人種項目である。２０２０年調査では10年前の調査同様、まず「ヒスパニック／ラティーノ／スペイン系」（ラテンアメリカ出身のスペイン語母語話者とその子孫）《第27章参照》に該当するか否かを問うエスニシティの調査に答え、その後、人種の質問に自己申告で回答する様式になっている。人種は、「白人」「黒人／アフリカ系アメリカ人」「アメリカ・インディアン／アラスカ先住民」「アジア系」「ハワイ先住民／太平洋諸島系」に分類され、「アジア系」については出自の国名、「ハワイ先住民／太平洋諸島系」は民族名を選択肢から回答する。２０００年調査以来、ふたつ以上の項目を選択できるようになり、いずれにも当てはまらない場合は「その他の人種」を選択できる。

　これまでエスニシティとして別項目で集計されてきたヒスパニックや、また行政管理予算局の基準によって「白人」として分類されてきた中東や北アフリカ出身者（ＭＥＮＡ）《第40章参照》の多くが、既存の人種カテゴリーに自己を同一化できず「その他の人種」を選ぶ傾向にあった。そのため、前回調査以来、人種区分の見直しが進められ、ヒスパニックとMENAをあらたな人種カテゴリーとして追加する計画が進んでいたが、今回の調査では見送りとなった。

２０２１年４月26日、国勢調査局は算定結果に基づいた州別人口をようやく公表した。それによれば、アメリカの総人口は３億３１４４万９２８１人。10年間で７・４％増加したが、１９１０年以降で２番目に低い増加率となった。調査の結果を踏まえ、テキサスが２議席、フロリダ、コロラド、モンタナ、ノースカロライナ、オレゴンがそれぞれ１議席下院議席数を増やし、逆に、人口増加率が縮小したカリフォルニア、ニューヨーク、イリノイ、ミシガン、オハイオ、ペンシルベニア、ウエストバージニアでは１議席を失うことになった。共和党が優勢なテキサス、ノースカロライナ、フロリダでの議席増が、また民主党が優勢なカリフォルニアやニューヨークの議席減が、22年の中間選挙にどのような影響を与えるか注目される。年齢、性別、人種・エスニシティに関する結果があきらかにされるのは21年夏とされており、国勢調査結果の詳細な分析が待たれる。

（宮井勢都子）

❖参考資料

菅（七戸）美弥『アメリカ・センサスと「人種」をめぐる境界――個票にみるマイノリティへの調査実態の歴史』勁草書房、２０２０年
２０２０年国勢調査ホームページ［https://2020census.gov/en.html］

3

連邦最高裁判所

★進む保守化傾向★

2020年9月18日、27年間にわたって連邦最高裁判所（以下「最高裁」）判事を務めたルース・ベイダー・ギンズバーグが87歳で逝去した。ギンズバーグは、リベラル派の象徴として国民的尊敬を集め、ここ数年はSNS上でも若者を中心に人気を博していた。一貫して女性やマイノリティの権利を擁護し、評決で少数派となった場合も鋭い反対意見を表明する姿勢が圧倒的な支持を受けたのである。18年には彼女を描いた伝記映画『ビリーブ　未来への大逆転』とドキュメンタリー映画『RBG　最強の85才』が公開され、高評価を得た。保守派優勢の最高裁事のなかでリベラルの強固な守り手だった彼女の後任人事は、アメリカ社会の進路を決める重大な岐路として、日本の新聞でさえ一面で取り上げるほどの議論の的となった。

最高裁判事の任命が注目されるのは、最高裁がアメリカ社会を二分する保守とリベラルの政治的な争点について判断を下す立場にあるからである。これまでも最高裁は、人種差別、人工妊娠中絶、同性婚、LGBTQ差別、銃規制などに関して、社会を変革するような重要な判断を行ってきた。たとえば、1954年のブラウン判決では公立学校における人種隔離を違憲とし《第21章参照》、人種差別撤廃運動への流れを作った。1973年にはロー判決によって人工妊娠中絶を女性の権利と認め《第4章参照》、2015年のオバーゲフェル対ホッジス判決では同性婚を認めた。とはいえ、これらリベラルな判決ばかりを下しているわけではない。2013年のシェルビー郡対ホルダー判決では、マイノリティの投票権を守る目的で州の投票に関する法律を連邦が監視することを定めた1965年投票権法を、事実上無効にする判断を示し、有権者ID法などマイノリティの投票を制限しかねない州法の制定を可能にした。

最高裁判事は9人で構成され、各判事はそれぞれの見識と価値観に基づいて票を投ずる。最高裁の決定は、参加した判事の過半数による。近年の傾向として、9人が一致した判断を下すことは少なく、賛成と反対が僅差で分かれることが多い。先に挙げた同性婚訴訟においても、投票権法の訴訟においても、判事たちの判断は多数派5、少数派4に割れた。9人の思想的な構成がリベラル、保守のどちらに傾くかによって、判決の傾向が左右されるため、判事の人選が政治的に重要となる。

最高裁判事は、大統領による指名の後に連邦議会上院による審査と過半数の承認をへて任命される。判事の任期は終身で、本人が引退を表明するか死去するまで続く。そのため数十年にわたって務める最高裁判事も多く、任期が最長で8年の大統領よりも長く影響力を持つ可能性が高い。時の大統領が誰を最高裁判事に指名するかが大きな注目を集めるゆえんである。

2020年の大統領選挙の直前に、トランプ大統領はギンズバーグの後任として保守派のエイミー・コニー・バレットを指名した。これに民主党は激しく抗議し、次期大統領が指名するべきだと主張した。実は16年の大統領選挙の際も、最高裁判事の指名承認をめぐる対立があった。同年2月に保守派のアントニン・スカリアが亡くなり、当時のオバマ大統領は穏健派のメリック・ガーランドを後任に指名したのだが、共和党が多数派の上院は、最高裁判事の任命は11月に行われる大統領選挙で選出された新大統領が行うべきだとして公聴会の審議を拒否した。そして、トランプが大統領就任後すぐに保守派のニール・ゴーサッチを指名し、民主党の激しい反発のなか、共和党優勢の上院が強引に承認したのである。大統領選挙の8ヵ月前のガーランドの指名を拒否しながら、38日前のバレットの指名に対しては即座に審議を認めた共和党の姿勢に、「偽善だ」という批判が集中したものの、今回も共和党多数の上院の承認により、バレットは115人目（女性としては5人目）の最高裁判事に就任した。

三権分立の原理に基づき、最高裁判事は行政府から独立した判断を下すべき存在である。しかし、「文化戦争」とも呼ばれる社会の分断が20世紀末に生じてからは、選任する大統領によって判事の政治的傾向がはっきり分かれるようになった。今世紀に入ってからの判事の構成はリベラル派4人、保守派5人で、保守派のひとりが中間派として時にリベラル派に同調することで、バランスが保たれていた。2018年にトランプが、引退するアンソニー・ケネディ（中間派）の後任として保守派のブレット・カバノーを指名すると《第37章参照》、最高裁の判決傾向の保守化が予想された。ところがその後は、予想に反してリベラル寄りの画期的な判決がいくつも下された。保守派の最高裁長官ジョン・ロバーツが、判例を尊重する姿勢から中間派の役割を果たしたからである。

2019年10月に始まった会期において、ロバーツがリベラル寄りの判断を下した重要な判決には、次のようなものがある。20年6月15日、最高裁は性的指向・性自認《第39章参照》に基づく解雇は

2018年連邦最高裁判所判事。前列中央にロバーツ長官、その右隣に故ギンズバーグ判事
(By Fred Schilling, Collection of the Supreme Court of the United States*)

違法であるという判決を下し、LGBTQの権利が守られた。同月18日には、幼少時に親に伴われてアメリカに入国した非合法移民に対する国外強制退去の延期措置（DACA）《第14章参照》を廃止するとしたトランプ大統領の決定を認めない判断を下した。これにより、オバマ政権時に作られた若い世代の移民救済制度は維持されることになった。また、同月29日には、人工妊娠中絶を行う医師に厳しい規制を課すルイジアナ州法を違憲とした。さらに、7月9日、検察官には捜査のためにトランプ大統領の納税記録を求める権利があることを7対2で認めた。この時は、トランプが指名したゴーサッチとカバノーも多数派に回った。このように20年に下された一連の判決は、トランプ

政権と保守派の思惑に反するものであった。

しかしギンズバーグからバレットへの交代で、９人の構成は、リベラル派３人、保守派６人となり、たとえロバーツがリベラル票を投じたとしても保守派優勢という状況が生じた。これまでのリベラルな判決が、今後覆される可能性が高まったとする見方が強い。

２０２０年に実施された世論調査によると、同性婚や人工妊娠中絶などの権利を認めるリベラルな最高裁判決の多くは、国民の過半数に支持されている。近年進行している最高裁判事の構成の保守化は民意をかならずしも反映していないという指摘もあるなか、民主党のジョー・バイデン政権下で最高裁がどのような判決を下すのか、さらには最高裁判事の交代があるのか、注目が集まっている。

（菱田幸子）

❖参考資料

阿川尚之『憲法で読むアメリカ現代史』ＮＴＴ出版、２０１７年
Ginsburg, Ruth Bader. *My Own Words*. New York: Simon & Schuster, 2016.
連邦最高裁判所ホームページ［https://www.supremecourt.gov/］

4

人工妊娠中絶

★ロー判決の行方★

「子どもを産むか産まないかの決断は、女性の人生、幸福と尊厳にとって核となるものです。それは女性が自らのために下さなければならない決断です。政府が女性に代わってその決断をコントロールするなら、その女性は自らの選択に責任を負う成熟した大人として扱われていないということです」。連邦最高裁判所判事を務めた故ルース・ベイダー・ギンズバーグ《第3章参照》は、1993年の連邦議会上院公聴会でこう語り、人工妊娠中絶（以下、中絶）をリプロダクティブ・ライツの問題として位置づけた。リプロダクティブ・ライツとは、妊娠・出産など性と生殖に関する権利のことで、当事者である女性に決定権があるとする。アメリカでは73年のロー対ウェイド裁判の連邦最高裁判決（以下、ロー判決）で、それまでは規制の対象とされてきた中絶が、女性の選択の権利としてはじめて認められた。しかしながら、この判決以来ほぼ半世紀にわたって、女性の身体を管理するのは本人か、それとも国家や州かということが、アメリカでもっとも激しく議論される政治的争点のひとつとなっている。

ロー判決を受けて、当時ほとんどの州に存在していた中絶規制法の大部分が無効となった。そして、中絶が女性の権利として合法化されたことに対し、激しい反対運動が起こった。カトリック教会やプロテスタントの福音派などのキリスト教保守が、そうした運動の中心である。中絶反対派は、人間の生命は受胎の瞬間から存在すると主張し、胎児の生命を重視するという意味で「プロライフ」と自称する。他方、ロー判決を支持する人々は、女性の身体に関する自己決定権を擁護する立場から自らを「プロチョイス」と呼ぶ。ロー判決の破棄を目指すプロライフ派と、死守しようとするプロチョイス派がそれぞれに組織を結成し、政治的対立が続いている。

プロライフ派は、中絶を規制するための努力を重ねてきた。連邦レベルでは、中絶を禁じる連邦法成立および憲法改正を目指したが、改正には連邦議会上下両院で3分の2以上の賛成が必要なために実質的な成果は得られていない。一方、州レベルでは、保守派が多数を占める州の議会で中絶を規制する州法を成立させてきた。こうした州の規制法に対しては、その合憲性を問う訴訟がプロチョイス派によって各地で起こされ、たいていの場合、下級審においてロー判決を根拠に州の規制法の施行が差し止められている。プロライフ派の真のねらいは、これらの判決について上訴し、再び連邦最高裁においてその合憲性を審議の俎上に載せることである。そのためプロライフ派は、連邦最高裁に保守派の判事を送り込む目的で、中絶に反対する大統領候補や上院議員候補を強力に後押ししてきた。また、一部の過激派によって暴力的な加害行為も行われた。全米中絶連合の統計では、1977年から2019年の間に、中絶医療機関の医師や関係者の殺害11件、殺人未遂26件、施設の爆破42件、放火189件、そのほかさまざまな形での嫌がらせや脅迫70万件以上が報告されている。

20世紀末に連邦最高裁の保守傾向が強まると、州による中絶規制が条件付きで認められるようになった。1992年のケイシー判決では、女性は中絶を選択する憲法上の権利を有するというロー判決の原則は残されたものの、女性への「不当な負担」にならない限りにおいては、州の中絶規制を合憲とする判断が下された。具体的には、中絶を希望する女性に対して出産奨励のカウンセリングをすること、手術までに一定の待機期間を設けることなどを義務づける規制要件が合憲とされた。

それ以来、女性の「不当な負担」にならないと称する州の中絶規制が次々と作り出された。近年の傾向として、中絶医療機関や医師に対して医学上不要の規制を課し、中絶の実施や施設の維持を阻むことを意図した法律が急増している。たとえば、テキサス州では、30マイル以内に患者の入院用の施設を確保することを中絶医に義務づけ、この規制によって州の中絶医療機関の半分が閉鎖に追い込まれた。全国的にも中絶を行える施設は激減した。CNNによると、1996年には全国に452あった中絶クリニックが2014年には272に減少し、ミズーリなど6州では州内に1施設のみとなった。中絶を受ける女性の75%を占める貧困・低所得層の人々にとって、遠方の中絶施設への移動や長い待機時間が大きな負担となっている。16年、連邦最高裁は先のテキサス州法を、女性が中絶を受ける機会を制限するものとして、違憲と判断したが、同年の大統領選挙でドナルド・トランプが当選すると、州法による中絶規制はむしろ勢いを増すことになった。

トランプは、中絶反対を明言し、中絶に反対する連邦最高裁判所判事の指名を確約してキリスト教保守の支持を取りつけた。実際、政権前半でふたりの保守派の判事を任命し、連邦最高裁は保守派優勢となった。これに勢いを得て、極端に厳しい中絶規制を課す州法がいくつも成立した。たとえば、2019年にアラバマ州で成立した州法は、性的暴行による妊娠であっても中絶を認めず、規制に

オハイオ州議会議事堂前で「心音法」に抗議するプロチョイス派の人々（2018年12月）(By Becker1999 from Grove City, OH, CC BY 2.0, via Wikimedia Commons)

違反した医師に対して最大99年の禁錮刑を科すものであった。また、オハイオ州など8州で、胎児の心拍が確認できる妊娠6週以降の中絶を禁止する「心音法」が成立した。6週までは妊娠に気づかない女性も多いため、事実上の全面禁止となる。これらの州法は、人権団体や中絶提供機関がロー判決に違反するとして提訴し、下級審ですべて差し止められた結果、施行には至らなかった。それでも厳しい州法が成立し続ける背景には、最終的には連邦最高裁に持ち込みロー判決を覆したいというプロライフ派の意図がある。

　その連邦最高裁は、２０２０年6月、16年に違憲としたテキサス州法と同じ内容のルイジアナ州法を、僅差で再び違憲と判断し、ロー判決はかろうじて守られた。しかし現在、プロチョイス派はかつてない危機感を抱いている。一貫して中絶合法化を支持してきたギンズバーグが20年9月に逝去し、中絶反対を表明しているエイミー・バレットが後任となったからである。

今日、保守的な地域では女性が中絶を受ける機会は事実上制限されている。それでもロー判決の是非が争われ続けるのは、これが中絶を女性の自己決定権の問題と位置づける判決だからである。複数の調査によると、中絶に対する世論はこの10年ほとんど変わらず、過半数のアメリカ人が一定の規制は必要としながらも中絶が合法であることを望んでおり、６割以上がロー判決を覆すことに反対している。女性のリプロダクティブ・ライツをめぐる政治のあり方と司法判断が問われている。

（菱田幸子）

❖参考資料

緒方房子『アメリカの中絶問題――出口なき論争』明石書店、２００６年
Holland, Jennifer L. “Abolishing Abortion: The History of the Pro-Life Movement in America.” *The American Historian* (2016) [https://www.oah.org/tah/issues/2016/november/abolishing-abortion-the-history-of-the-pro-life-movement-in-america/]
グッドマッカー研究所（リプロダクティブ・ヘルス・ライツについてのシンクタンク）ホームページ［https://www.guttmacher.org/geography/united-states#］

5

銃規制問題の現在

★権利を守りつついかに改革していくか★

銃社会と言われるアメリカでは2010年代に入っても銃をめぐる事件が増加傾向にあり、とくに社会的な影響も大きい銃乱射事件が続いている。近年においても、フロリダ州オーランドのナイトクラブで50人が死亡した16年のオーランド銃乱射事件、ネバダ州ラスベガスのホテルで無差別に銃を乱射して58人が亡くなった17年のラスベガス銃乱射事件、そしてフロリダ州パークランドの高校において、生徒と教職員17人が亡くなった18年のマージョリー・ストーンマン・ダグラス高校銃乱射事件と銃乱射事件は立て続けに起きている。さらに19年には、テキサス州エルパソのヒスパニックの人々でにぎわうウォルマートで22人が亡くなる銃乱射事件が起きた。こうした事件が起きる度に、アメリカでは銃規制の是非をめぐって議論がなされてきた。

2000年代のアメリカでは、銃規制を求める意見が銃を所持する権利を尊重する意見より若干多かったが、10年以降その差は拮抗している。世論は銃乱射事件が起きるといったんは銃規制に傾くが、それが厳しい銃規制の法案化へとつながる可能性は低い。たとえば16年8月のピュー研究所の調査によると、銃を所持する権利が重要であると答えた人は52％で、銃規制が重要と答えた人が46％であった。それが19年9月の調査では、銃を所持する権利が重要と答えた人は47％で、銃規制が重要と答えた人が53％と逆転した。これは、前述した17年のラスベガスの事件と18年のフロリダ州の高校での事件の影響が大きいと言えるだろう。しかし、ギャラップ社による銃にかかわる類似した調査では、より厳しい銃規制法を求める声と現状維持を望む声はピュー研究所と同様の割合だったが、20年10月の調査ではより厳しい銃規制を求める意見は減少している。このように、時間の経過とともに銃規制の法案化に対する支持は減少する傾向にある。

アメリカでは銃に対してなぜこのように意見が割れてしまうのだろうか。その理由はおもに以下の3つが考えられる。第一に、アメリカでは合衆国憲法修正第二条によって武器の所持を認められている点にある。憲法修正第二条では、「規律ある民兵は、自由な国家の安全にとって必要であるから、人民が武器を所有し、また携帯する権利はこれを侵してはならない」と規定されている。植民地時代のイギリス本国の圧政に反旗を翻し、民主主義を掲げて独立を武力で勝ち取ったアメリカにとって、武器の所持は歴史的に重要な権利として位置づけられてきた。この修正条項の存在が、これまでも銃規制の是非をめぐる議論で中核をなしていた。武器の所持が憲法で認められている以上、銃規制推進派は憲法に挑戦しなければならないのである。

第二に、銃規制反対派には、非常に大きな影響力を持つ全米ライフル協会（ＮＲＡ）の全面的な支援があるという要因が挙げられる。ＮＲＡは銃の愛好家や銃器販売業者によって１８７１年に創設されたが、現在では銃規制に反対する強力な政治団体という側面が強い。会員数は５００万人以上で、資金源として会員費のほかに銃産業界からの莫大な寄付があり、その豊富な資金を用いて銃規制に反対するロビー活動を積極的に行っている。とくに州と連邦の選挙で銃規制に反対する政治家への献金を通して、銃規制の動きを阻止している。NRAから支援を受ける政治家は共和党に多いが、民主党であっても銃規制に反対する場合はNRAから支持を受けている。潤沢な資金と長年のロビー活動の経験、そして幅広いネットワークがNRAの影響力の強さである。逆に、銃規制推進派にはNRAのような強力な団体が存在しないことも、銃規制反対派に有利な状況を作り出している要因でもある。

第三に、広大な国土を有するアメリカにおいて銃に関する意識には地域差があり、とくに都市と農村では銃に対する認識はかなり異なることがある。2017年7月のピュー研究所の調査によると、農村部に住む成人のうち46％が銃を所有しているのに対し、郊外に住む成人の28％、都市部ではさらに少ない19％が銃を所有していると答えている。これは、都市や郊外で生活する人が警察を呼んだ場合は、警察が早く到着する可能性が高いため、銃を所持する必要がないからだと考えられる。他方、農村部では警察を呼んでも到着するまでに時間がかかる場合が多く、銃を所持する必要性があると考えられ、自衛意識も高くなる。また地域によっては、狩猟文化が根づいていたり、野生動物の侵入に対する防衛策としても銃所持が浸透していたりする。こうした生活環境のちがいが、都市と農村の銃に対する認識のちがいとして現れていると言える。

また興味深いことに、先ほどのピュー研究所の調査によると、銃を所持している人は、銃を所有する権利と個人の自由とを結びつけて考える傾向が強いという。銃の所有者の74％が、銃を所有する権利を個人の自由としてとらえているのに対して、銃を所有していない人では35％にすぎない。さらにこの認識の広まりは銃の所有者の居住地によっても差があり、農村部では82％であるのに対して、都市部の銃所有者では59％であった。こうした地域差に由来する銃に対する認識のちがいが、銃規制の議論を困難にしている要因と言えるだろう。

銃規制の議論が硬直したなかで、現在では銃規制派と銃規制反対派の両者が妥協点を見つけて銃規制を進める新しい動きが出てきている。黒人女性のルーシー・マクバスは、２０１８年の連邦下院議員選挙において、共和党の重鎮ニュート・ギングリッチのかつての地盤であり、保守的なジョージア州第６区で銃改革派として民主党から立候補し、当選した。12年に彼女の息子ジョーダン・デイビスは、ガソリンスタンドで車の後部座席にいたところ、大音量で音楽をかけていたことを発端に隣に停車中の車の男と揉めて、銃で撃たれて亡くなった。マクバスはこの悲しい事件を契機に、政治の力で銃規制を推進するために政治家になった。彼女は銃の暴力を食い止めるには実効性の高い政策が重要であるとして、銃を持つべきではない人の手に銃が渡らないように、銃器販売店における身元調査を徹底することを主張している。

ルーシー・マクバス連邦下院議員（United States House of Representatives*）

彼女は憲法修正第二条を支持しており、銃愛好家やハンターの権利を侵害するのではなく、現実的な対策が必要だということを人々に理解してもらうことが大切だと訴えた。彼女の主張は銃を所持する権利を重視する人々の間でも一定の理解を得ており、それが２０２０年の選挙でも彼女が再選したことで証明された。今後の銃規制の議論においては、憲法修正第二条が定めた権利を守りつつも、いかに銃による犯罪を減らしていくかが重要になっていくだろう。

（武井 寛）

❖参考資料

鵜浦裕『現代アメリカのガン・ポリティクス』東信堂、２０１６年
西山隆行「アメリカにおける銃規制と利益集団政治」『甲南法学』56巻３・４号、２０１６年、79〜１１７頁
ホーズ、ジェニファー・ベリー（仁木めぐみ訳）『それでもあなたを「赦す」と言う――黒人差別が引き起こした教会銃乱射事件』亜紀書房、２０２０年

6

アメリカ先住民女性への暴力犯罪対策

★サバナ法とノット・インビジブル法の成立★

多くのマイノリティおよび女性が議席を得た2018年の中間選挙で、アメリカ先住民からも初の女性連邦議員が誕生した。ラグナ・プエブロ族のデブ・ハーランド（ニューメキシコ州）とホーチャンク族のシャリス・デービッズ（カンザス州）が民主党から出馬し、下院に当選したのである。先住民社会における女性の地位の復権の象徴と言われ、実際、先住民の女性を取り巻く危機的な状況を改善する取り組みの推進力ともなった。

その成果のひとつが、2020年10月に成立したサバナ法およびノット・インビジブル法と呼ばれる連邦法である。サバナ法は18年に一度不成立となった法案が再提出され、ノット・インビジブル法はサバナ法の内容を補完するものとしてハーランドによって今回あらたに提出された。下院には、ほかに2名の先住民議員、トム・コールとマークウェイン・マリン（ともに共和党、オクラホマ州）がいるが、両法案は彼らを含む上下両院の超党派議員たちの支持で成立した。両法は、連邦政府の各機関や部族政府がばらばらに行っている先住民の犯罪被害の情報収集を一元化し、対処するための共通のルールを作ることを目的としている。

デブ・ハーランド。バイデン政権で内務長官に就任（Franmarie Metzler*）

先住民女性は、ほかの人種・エスニック集団に比べて非常に高い割合で殺人・レイプなどの暴力犯罪の被害にあっていることが近年あきらかにされている。２０１２年の司法省の報告によると、複数の先住民居留地で、全国平均の10倍の割合で先住民女性が殺人事件の被害者になっている。また16年の報告では、先住民女性の半数以上が性的な暴力を経験したことがあり、ほかの統計集団の女性よりも2倍の割合でレイプもしくは性的暴行の被害者となっている。そして加害者の96％が非先住民であると報告されている。アメリカ全体では、レイプ加害者は被害者と同じ人種・エスニック集団であるケースが圧倒的に多いのに対して、先住民は例外であるという。

このような犯罪が多発する一因に、先住民居留地に適用される刑事司法制度の複雑さが挙げられる。居留地とは、歴史的に先住民部族の居住のために指定された区域のことであり、連邦や州とは別の自治権を持つが、居留地で起こった犯罪は、原則として連邦政府と部族政府が対処することになっている。その実情は、犯罪の種類や、被害者および加害者が先住民か非先住民か、犯行現場が居留地内か外かによって、連邦捜査局（ＦＢＩ）、州警察、部族警察のどの管轄になるかについて細かい決まりがあり、迅速な対応を困難にしている。とくに居留地の住民にとってもっとも身近な部族政府の権限は、さまざまな連邦法や連邦最高裁判所判決によって制限されてきており、その弊害は大きい。たとえば、部族検察は居留地で罪を犯した非先住民を起訴することを禁じられている。また、部族法廷が科すことのできる刑期は3年以内と制限されているため、殺人のような重大犯罪は連邦の管轄となる。捜査機関ごとに命令系統と手順が異なるため、その複雑さから捜査に至らないこともままあるという。しかも、連邦検察は、先住民が被害者となった犯罪について起訴する率が非常に低いという報告もある。つまり、先住民女性をレイプした犯人が非先住民であれば、起訴されること自体がまれなのである。また、犯人が先住民の場合も、部族法廷では重い刑罰を科すことができない。結果として、先住民女性に対する暴力犯罪はほとんど野放しとなり、同一人物によって同様の犯罪が繰り返され、コミュニティの安全が脅かされ続ける事態となっている。

2017年公開の映画『ウインド・リバー』は、先住民居留地における刑事司法の問題を描いている。ワイオミング州のウインド・リバー居留地で先住民の少女がレイプされた遺体となって見つかった。通報を受けた部族警察には殺人事件の捜査をする権限がなく、FBIの到着を待つしかない。FBIの捜査官1名が状況把握のために派遣されるが、検視によって被害少女はレイプ犯から逃げる途中で凍死したことが判明する。殺人事件ではないということになると、FBIは関与できなくなり、事件は、人員も予算も権限も制限された部族警察に一任される、つまり実質的には放置されることになる。映画では、熱意のある捜査官がFBI本部に知らせず部族警察とともに捜査を続行するというストーリーになっているが、現実にはこの管轄のあいまいさのために放置される事件が跡を絶たないのである。

先述の統計は、居留地に住む先住民女性にしか言及していないが、実は先住民の71%が居留地外の都市に居住しており、都市の先住民女性の殺害・行方不明事件も多発していることが、都市インディアン衛生協会の調査であきらかになった。同協会は「全米犯罪情報センター［FBI管理下のデータベース］」は、2016年に5712件の先住民女性と少女の行方不明を報告したが、米司法省の連邦行方不明者データベースには116件しか記録されていない」と、データの収集と集約に問題があることを指摘した。先住民女性の殺害や行方不明事件については、都市部に居住する先住民女性が統計に算入されないケースが多々あるために、実態がわからず、見すごされてきた。適切な対策を打つためには、正確な情報の集約が必要である。

2017年に殺害された先住民女性の名前を冠するサバナ法は、司法省の責任において、先住民の殺害・行方不明事件の情報を連邦のデータベースに集約すること、および事件に対処するためのガイドラインを各関係機関と共同で作成することを規定した。さらにノット・インビジブル法は、内務省インディアン局の責任者が、先住民に対する暴力犯罪防止にかかわる活動や補助金の調整を行うこと、内務省と司法省が共同で、連邦と部族の警察および関係諸機関、さらに州・地方警察との協力関係を築くことを命じている。

先住民、とくに女性の暴力犯罪被害は、司法制度の複雑さ、データの不足などによって長年にわたって放置されてきた。これは、社会制度そのものが差別的状況を生み出すいわゆる構造的な人種差別だと言える《第32章参照》。その状況を改善するには、まず部族政府の司法権の拡大が必要だと言われているが、部族警察の人員不足、予算不足もまた深刻である。サバナ法の成立により連邦による対策の端緒が開かれたものの、道のりは険しい。

（菱田幸子）

❖参考資料

鎌田遵『癒されぬアメリカ――先住民社会を生きる』集英社、２０１９年
Deer, Sarah. *The Beginning and End of Rape: Confronting Sexual Violence in Native America.* Minneapolis: University of Minnesota Press, 2015.
都市インディアン衛生協会ホームページ［https://www.uihi.org/］

7

オバマ大統領の広島訪問

★謝罪ではなく和解を求めて★

アメリカ大統領が被爆地を訪問し、日本国首相が真珠湾を訪問し、太平洋戦争（第二次世界大戦）におけるそれぞれ相手国の犠牲者を追悼することは、両国の間の友好関係の継続を望む者すべての長年の願いであった。そうした呼びかけは繰り返しなされた。しかし、一方において開戦のきっかけとなったできごと（日本海軍による奇襲攻撃）を「屈辱」とする記憶が、他方において戦争終結を促したかもしれないが同時に計り知れない惨禍をもたらした手段を用いたことの道義的責任を問う声があり、長らく実現には至らなかった。しかし、2016年にいずれもが実現した。バラク・オバマ大統領が同年5月27日広島に入り、広島平和記念資料館を訪れ、原爆死没者慰霊碑に献花し、被爆者と対面した。そして同年12月27日（日本時間28日）、安倍晋三首相が日本の首相としてはじめて真珠湾の「アリゾナ記念館」を訪問し、攻撃の犠牲者の霊を弔った。

オバマ大統領の広島訪問は感動を呼んだものであったが、アメリカおよび日本国内あるいは諸外国からの批判が予想されなかったわけではない。とくに日本においては、アメリカには原爆投下の責任があるとして、あらためて「謝罪」を求める声が起こることが予想されていた。これに呼応するかのように、アメリカにおいては、大統領の広島訪問が罪を認めることにつながるものであってはならないとされた。このほかに、一部のアジアの諸国が「日本は戦争の加害者であって被害者のような立場に立ってはならない」と主張することも想定された。

このような懸念があったにもかかわらず、オバマ大統領をめぐる政治状況が追い風となって、同大統領の広島訪問は実現したのである。

第一に、オバマを大統領候補に選出した民主党全国大会（２００８年８月）の党綱領には「核なき世界」の実現が謳われていた。オバマは当選し、翌年初めに就任した。就任後間もない同年４月、彼は欧州連合（ＥＵ）首脳との会談のためにチェコの首都プラハを訪れた際、核兵器のない世界の平和と安全を追求するためにアメリカが先頭に立つ決意があることを示す演説を行った。

今日、冷戦はなくなりましたが、何千もの兵器はそうではありません。世界的な核戦争の脅威は減りましたが、核攻撃のリスクは高まりました。……核保有国として、核兵器を使用したことがある唯一の核保有国として、アメリカは自ら働きかける道義的な責任を持っています。この努力は、アメリカ一国では成功させることはできませんが、リードし、始めることはできます。私は今日、明白に、信念を持って、アメリカが核なき世界の平和と安全保障を追求すると約束します。（筆者訳）

プラハでのこの演説が評価され、オバマ大統領は２００９年度ノーベル平和賞を授賞した。

第二に、高位のアメリカ合衆国政府関係者の広島訪問が次々となされ、日本において現職のアメリカ大統領の訪問の期待が高まっていた。まず、オバマが大統領選挙で勝利する3ヵ月ほど前の２００８年8月、ジョン・ルース駐日大使がアメリカ政府代表としてはじめて広島平和記念式典に出席した。ナンシー・ペロシ連邦議会下院議長も、同年9月に広島を訪問した。ルースに続き、キャロライン・ケネディ駐日大使が広島平和記念式典に14年・15年と続けて参加、さらに16年4月にはジョン・ケリー国務長官が広島を訪問し、原爆死没者慰霊碑に献花した。

２０１６年5月26日から27日にかけて、第42回先進国首脳会議（伊勢志摩サミット）が三重県志摩市の賢島《かしこじま》で開催されることとなり、オバマ大統領もこれに出席した。これに合わせて、それまでの３回の訪日で果たせなかった広島訪問が実現したのである。

5月27日、賢島を離れたオバマ大統領の一行は、中部国際空港を大統領専用機で出発、広島に向かう。午後5時25分、広島平和記念公園に到着すると、まず広島平和記念資料館を見学した。続いて、原爆死没者慰霊碑に献花し、オバマ大統領、安倍首相の順でステートメント（演説）を発表。日本原水爆被害者団体協議会（被団協）代表委員（坪井直ら）と対面した後、原爆ドームを見学した。午後6時14分、広島平和記念公園を離れるまで、分刻みのスケジュールを精力的にこなした。

オバマ大統領の「謝罪」ではなく、「和解」を願っての演説には、以下の言葉が含まれていた。

71年前の明るく晴れわたった朝、空から死が降ってきて世界は一変しました。閃光と炎の壁によって街が破壊され、人類が自らを破滅させる手段を手にしたことがはっきりと示されました。……科学によって人間は、海を越えて通信し、雲の上を飛び、病を治し、宇宙を理解することができるようになりました。しかし、こうした同じ発見をこれまで以上に効率的な殺人マシンに転用することもできます。現代の戦争はこの真実を教えてくれます。ヒロシマはこの真実を教えてくれます。人間社会に同等の進歩がないまま技術が進歩すれば、私たちは破滅するでしょう。原子の分裂を可能にした科学の革命には、倫理的な革命も必要なのです。……この地で世界は永遠に変わりました。今日広島の子どもたちは平和に暮らしています。尊いことです。それは守る価値のあるものであり、すべての子どもたちに広げる価値のあるものです。これは、私たちが選ぶ

（左から）安倍首相、オバマ大統領、岸田外相が原爆ドームを望む（出典：首相官邸ホームページ）

オバマ大統領、被爆者（森重昭）と抱き合う
(U.S. Embassy Tokyo from Japan, CC BY 2.0)

ことのできる未来です。広島と長崎が「核戦争の夜明け」ではなく、私たちが道徳的に目覚めることの始まりとして知られるようになる未来です。（筆者訳）

しかし、現実には広島訪問の際にも側近のひとりが核兵器発射のボタンを収めたカバンを抱え、非常事態に備えていた。２０１７年７月、国連総会で核兵器禁止条約が採択され、20年10月、発効の条件となる50番目の国が批准した（21年1月発効）が、核兵器保有国は一国も参加しておらず、日本も参加していない。実効性に課題は残り、「核なき世界」の実現はなお遠い。

（明石紀雄）

❖参考資料

松尾文夫『オバマ大統領がヒロシマに献花する日――相互献花外交が歴史和解の道をひらく』小学館、２００９年
「オバマ米大統領広島演説」『朝日新聞』２０１６年5月28日［電子版］

8

元大統領の役割

★慈善活動家・非公式の外交官★

2020年のアメリカ大統領選挙は、第45代ドナルド・トランプ大統領の4年間をどう評価するかをめぐって、近年でもとりわけ注目された選挙戦であった《第1章参照》。蓋を開けてみれば1億6000万人近くが投票し、投票率は66%を超える高水準であった。

今回の選挙戦で特徴的なことのひとつが、民主党のジョー・バイデン候補（現大統領）の応援にバラク・オバマ第44代大統領が精力的に参加していたことだ。バイデンはオバマ政権の副大統領で、両者は良好な関係を築いていたうえに、国民的な人気を誇るオバマ元大統領が選挙戦に関与することは理解できる。しかし、退任したばかりの大統領が現職大統領を批判し、選挙に積極的にかかわることは珍しいことであった。それだけ2020年の大統領選挙が民主党にとって重要な選挙であったとも言えるが、他方でオバマ以外に有権者を惹きつける有力な政治家がおらず、オバマに頼るしかない民主党の人材不足を露呈したとも言える。

ところで退任した大統領にはどのような特権があり、いかなる生活をしているのだろうか。退任した大統領の権利は、19

58年に元大統領法によって定められている。同法は、ハリー・S・トルーマン第33代大統領が退任後に経済的に困窮したことを受けて制定された。おもな権利としては、退任後の生活を賄う年金がある。年金はアメリカ合衆国法典第5編101項に基づき、閣僚の給料に相当する金額が毎月支払われる。2020年は年額で21万9200ドルと規定されており、月額1万8266ドルほど受け取っていることになる。また元大統領は、本人はもちろんのこと、配偶者や16歳未満の子どもに対して大統領を警護するシークレットサービスによる保護を受ける権利を終身有している。シークレットサービスの保護については、1994年の法律により97年1月1日以降に就任した大統領から終身保護を10年間に限定する改正が行われた。しかし、2012年にオバマ大統領（当時）が元大統領保護法に署名して、すべての元大統領を対象としたシークレットサービスによる終身保護が13年から復活した。ほかにも、元大統領の特権には、退任に伴う移行資金、あらたな事務所やスタッフの経費、医療や健康保険の提供なども含まれる。

大統領経験者は、在任中に自身が力を入れていた分野に関する慈善活動を引き続き精力的に行うことが多い。たとえば、ジミー・カーター第39代大統領は、国際紛争の平和的解決に向けた活動や人権に関連する問題について積極的に外交活動を行ってきた。また、ジョージ・H・W・ブッシュ第41代大統領は、さまざまな社会問題解決に向けて活動している非営利団体ポインツ・オブ・ライト財団を現役時代に自ら創設し、退任後も慈善活動に力を入れていた。2004年のスマトラ沖地震や05年のハリケーン・カトリーナの後は、ビル・クリントン第42代大統領と協力して、現地の救援活動を支援するための資金調達に尽力した。そしてジョージ・W・ブッシュ第43代大統領は、退役軍人たちの社

ジョージ・W・ブッシュ大統領図書館の完成式典に会した歴代大統領たち（左からカーター、クリントン、オバマ、ブッシュ）（2013年）（Pete Souza*）

会復帰を支援する慈善活動に取り組んでおり、17年には負傷した退役軍人の肖像画集を出版し、その売り上げの一部を退役軍人団体と自身の大統領図書館に寄付している。

退任した大統領が取り組む事業として代表的なものは、大統領図書館の建設である。大統領図書館とは、大統領が任期中に関与した職務に関する資料、各国要人との手紙や写真などを保管し、一般の人々に公開する施設のことである。また、大統領の任期中の事件やできごとに関連する写真やモノを展示する博物館も併設されている。大統領図書館は、1939年にフランクリン・D・ルーズベルト大統領が職務関連の書類や歴史的な資料の保護と管理を国立公文書館（NARA）に依頼したことに起源を持つ。その後ルーズベルトの構想を基調とした大統領図書館法が55年に成立し、78年の大統領記録法により大統領の文書は私物ではなく政府の公文書として、NARAの管轄のもとに大統領図書館で保管されることになった。

2021年の夏現在、NARAの管轄のもとには、こうした元大統領の大統領図書館は13館あり、多くは本人とゆかりの深い地域に建設されている。たとえば、ジョージ・W・ブッシュ大統領は、自宅があり、州知事も務めたテキサス州ダラス近郊のサザン・メソジスト大学の敷地内に建設した。

オバマの図書館は、国内初のデジタル化された大統領図書館であり（紙の記録は国立公文書記録管理局の別施設に保管）、すでにネット上で見ることができる。これとは別に、「オバマ大統領センター」が、イリノイ州シカゴに建設される（2021年中に着工予定）。この地は、オバマがコミュニティ・オーガナイザーとして過ごし、イリノイ州議会議員や連邦上院議員として長年生活していた場所である。非常に人気のあるオバマ大統領のセンターができることで、シカゴでは建設予定地のジャクソン・パーク付近のコミュニティの活性化が期待されている。なお、退任したばかりのトランプ前大統領の大統領図書館もすでにホームページが開設されていて、今後詳細があきらかにされるであろう。

退任した大統領は時には非公式の外交官のような仕事を任されることがある。大統領はその任期中に各国要人とさまざまな人脈を築いていくが、そのつながりが現職の大統領が直接交渉できない状況のもとに活きてくる。たとえば2009年の北朝鮮によるアメリカ人記者拘束事件などがそれにあたる。09年3月17日、アメリカ人記者ユナ・リーとローラ・リンは中朝国境近辺でドキュメンタリー番組を撮影していた際に、北朝鮮領内に入ったとして逮捕された。その後ふたりの記者は北朝鮮で裁判にかけられ、12年間の「労働強化刑」の有罪判決を受けた。ふたりの救出に向けてアメリカ政府も検討を始め、当時国務長官であったヒラリー・クリントン、元副大統領のアル・ゴア、北朝鮮と核開発問題で過去に協議した実績のある元大統領ジミー・カーターなどが救出に名乗りを上げた。しかし、水面下の交渉で北朝鮮側が求めていたのは、1994年に米朝枠組み合意を締結したビル・クリントン元大統領であった。当時のオバマ政権は北朝鮮とは交渉を行わない姿勢を示しており、政府としては直接行動しにくい状態であった。そのため、クリントン元大統領はあくまでも私的な訪問という形で北朝鮮へ赴き、金正日総書記と話し合った。その結果、8月5日に金総書記はふたりの記者に恩赦を与え、ふたりはクリントンとともにロサンゼルスに帰国した。この活動によりクリントンは称賛されたが、オバマ政権の外交政策に影響を与えないように、メディアの前では多くのことを語らなかった。

このように元大統領にはさまざまな役割が期待されているが、その多くが慈善活動や現職の大統領が直接行動しにくい場合の外交官のような仕事が多い。元大統領は自分の知名度を活かして社会問題に取り組み、時にはアメリカ国家全体にかかわる問題に対してもその影響力を発揮しているのである。

（武井 寛）

❖参考資料

グブス、ナンシー、マイケル・ダフィー（横山啓明訳）『プレジデント・クラブ――元大統領だけの秘密組織』柏書房、2013年
久保文明・砂田一郎・松岡泰・森脇俊雅『アメリカ政治【第3版】』有斐閣、2017年
砂田一郎『新版現代アメリカ政治――20世紀後半の政治社会変動』芦書房、1999年

9

反知性主義

★既存の権威への異議申し立て★

「アンチ・インテレクチュアル（反知性主義、反知性的）」という言葉が現代アメリカ社会を指して使われることがしばしばある。科学的・実証的データを踏まえるよりも、感覚や先入観を優先させて判断・行動の基準とする傾向が、とくに政治の世界において顕著に見られる時、この呼び方は有効のように思われる。

この言葉が広く用いられるきっかけとなったのは1952年の大統領選挙である。この年、共和党はドワイト・D・アイゼンハワーを、民主党はアドレー・スティーブンソンを擁立した。アイゼンハワーは第二次世界大戦における英雄であり、コロンビア大学学長を1期4年務めたが、政治経験は皆無であった。これに対し、スティーブンソンはアメリカ政界のエリートであった。プリンストン大学卒業およびノースウェスタン大学法科大学院修了という学歴、イリノイ州知事という経歴、祖父は第22代・第24代大統領スティーブン・グロバー・クリーブランド政権の副大統領という家系は、どれを取っても申し分のないもの――「エリート」――であった。アイゼンハワーの支持者たちは、スティーブンソンのことをしょせんは富と地位を象徴する者、「既存の権威《エスタブリッシュメント》」の代弁者にすぎないと批判し、スティーブンソンの容貌から「エッグヘッド(はげ頭)」と呼んだ。他方、アイゼンハワーの親しみやすさを強調し、彼こそ平均的国民の代表であると喧伝した。結果はアイゼンハワーの大差の勝利であった。「エッグヘッド」は以後揶揄《やゆ》的に「大衆の思想や感情から極端に隔たった姿勢」を指す言葉となり、翻って高慢さ、自らの力に対する過信と同義語にされた。スティーブンソンはけっしてこのような資質の人物ではなかったが、そのようなイメージは定着した。56年の大統領選挙において民主党は再度スティーブンソンを擁立したが、再びアイゼンハワーに敗れた。

　1952年の大統領選挙の意義をアメリカ史全体の脈絡において分析したなかに、歴史家リチャード・ホフスタッターがいた。彼は『アメリカの反知性主義』(1963年)のなかで、国民の間に不安が溜まり、秘密や陰謀についての幻想が膨らむ時期がアメリカ史を通して繰り返し起こったことを取り上げ、分析した。このような時、国民の間には「知的な生き方およびそれを代表するとされる人々に対する漠然とした憤りと疑惑」が生じ、そのような生き方の価値をつねに「極小化しようとする傾向」が顕著になり、「既存の権威に属する者」がしばしば攻撃の対象、スケープゴートにされたと彼は指摘した。このような傾向を彼は「アンチ・インテレクチュアル」と呼んだ。

アドレー・スティーブンソン
(Warren K. Leffler*)

　ホフスタッターはまた、「反知性主義」はアメリカ宗教史のなかでとくに顕著であったと指摘し、悲観的な神学よりも、楽観的なメッセージを説く福音主義の信仰が求められることがあったことに注目した。知識階級は一般に「否認され」、「知識のある者が［同時に］権力を持つという風潮に対する反発」が生じたと彼は解釈した。

宗教史家の森本あんりは、ホフスタッターの解釈を敷衍《ふえん》し、反知性主義は「社会の不健全さよりむしろ健全さを示す指標だった」と論じる。最初期の移民が持ち込んだピューリタニズム（カルバン派）は「極端な知性主義」に基づいていた。その反省から、18世紀半ばにジョナサン・エドワーズを中心とした信仰復興運動が起こった。さらに19世紀初めに、西部フロンティアを中心に第二次信仰復興運動（野外集会に代表される）が起こった。いずれも「神の前には、それぞれが同じように尊いひとりの人格である」という宗教的確信に根ざしたラディカルな平等感に端を発していたと森本は見る。

以上から「反知性主義」はもともとアメリカに生まれた概念で、政治的であれ宗教的であれ、特別の使命感に裏打ちされた「反権威主義」として理解できよう。しかし実際には「反知性主義・反知性的」という言葉は多義で、さまざまな意味に用いられてきた。肯定的であるよりも、否定的な意味合いが込められることが多い。

言い換えれば「反知性主義」は、「反知性」ではなく、「反知識人＝反既存の権威《エスタブリッシュメント》」ということになる。このことから、「反知性主義」は「ポピュリズム」と混同されることがある。「ポピュリズム」は「衆愚政治」「大衆迎合主義」と訳されるが、進歩的な動きを示すこともあった。19世紀後半に「ポピュリスト（人民）党」が現れ、累進所得税・大統領の任期制限・連邦上院議員の直接選挙などを求めた。その改革案の多くは革新主義に受け継がれ、後に法制化された。

他方、1940年代後半から50年代初めにかけて、共産主義者およびその疑いがある者に対する激しい告発と摘発が起こった。その運動を主導したウィスコンシン州選出の連邦上院議員ジョセフ・マッカーシーの名を取って「マッカーシー旋風」、「赤狩り」と呼ばれた。共産主義者およびその同調者に対する攻撃は以前からあったが、第二次世界大戦後の冷戦を背景に、より激しいものとなった。マッカーシーは52年2月のウエストバージニア州ウィーリングでの告発を皮切りに、アメリカ合衆国政府内およびマスメディア・映画関係者に共産主義への同調者が数多くいるとし、告発した。その影響はアメリカ陸軍関係者および諸外国（カナダ、イギリス、日本）にいる者にも及んだ。しかし、彼の挙げる数字は一貫性を欠き、具体的な証拠が示されることはなく、その信憑性は乏しく、54年12月上院において譴責《けんせき》決議がなされ、彼は失脚した。

2020年の大統領選挙において、現職の共和党ドナルド・トランプが示した一連の言動は「反知性的」ではなかったかが問われることがある。しかし、「反エッグヘッド」より、「大衆迎合的」な要素が多分にあったと見られても致し方ない。

（明石紀雄）

❖参考資料

ホフスタッター、リチャード（田村哲夫訳）『アメリカの反知性主義』みすず書房、2003年
宮崎正弘『トランプ熱狂、アメリカの「反知性主義」』海竜社、2016年
森本あんり『反知性主義――アメリカが生んだ「熱病」の正体』新潮社、2015年

Ⅰ 基層

10

パリ協定とアメリカ

★気候変動をめぐる危機からの脱却？★

2020年の大統領選挙《第1章参照》が行われた翌11月4日、世界第2位の温室効果ガス排出国（17年現在で地球全体の14・5％）アメリカ合衆国が「パリ協定」から離脱し、世界で唯一、同協定に参加していない国となった。この協定は15年12月にパリで開催された国連気候変動枠組み条約第21回締約国会議（COP21）で採択された気候変動への対応、すなわち20年以降の温室効果ガス排出削減等のために作られたあらたな国際的枠組みである。

その趣旨は、以下の通りである。まず、世界の平均気温上昇を産業革命以前に比べて摂氏2度未満に抑えることを世界共通の長期目標として努力する。また、すべての国が温室効果ガス排出の削減目標を5年ごとに提出・更新し、先進国が資金を提供する。これに加えて、途上国も自主的に資金を準備する。そして、二国間クレジット制度を含む「市場メカニズム」を活用する。さらに、バラク・オバマ政権下で、気候変動問題に関する米中協力が鮮明になったことにも留意しておく必要がある。

ドナルド・トランプ政権は、オバマ前政権に批判的で、発足時から環境保護関連の規制撤廃・緩和に力を注ぎ、石油、石炭などの新規開発や鉱山掘削拡大を図ってきた。これらの関連産業は2016年大統領選挙の勝敗を左右した中西部の閑村地帯に集中していたため、国内の「アメリカ第一主義」を掲げるトランプ大統領の再選戦略を象徴していると言われた。しかし、グリーン・エネルギー関連産業の雇用者数はすでに化石燃料分野の約3倍に達し、太陽エネルギー関連だけでも、全米で就業者数は炭鉱労働者の2倍以上にまで拡大していることから、戦略的効果には疑問符がついていた。

このトランプ大統領がパリ協定から離脱すると宣言したのは2017年6月で、その理由はパリ協定がアメリカに「不公平な経済的負担」を強いていることであった。これに対して、ゼネラル・エレクトリック、ゼネラル・モーターズ、ウォルマート、アップルなど大手企業25社の最高経営責任者が連名で大統領宛てに書簡を送り、「パリ協定は新規クリーン・エネルギー技術市場を拡大させ、多くの雇用創出と経済成長を促す原動力になる」として、協定残留を訴えた。さらに州・都市・地方自治体レベルでパリ協定を遵守しようとする動きも高まった。

なかでも注目を浴びたのが、全米最大規模の「私たちは（協定に）踏みとどまる（We Are Still In）」と呼ばれる組織である。全米各地の企業、投資家、市長、州知事、大学学長らのウェブサイトを通じた呼びかけによって結成されたもので、125都市、9州、902企業および投資会社、183大学を網羅し、賛同者の数は全米人口の約3分の1にあたる1億2000万人、経済規模も6兆2000億ドルに相当する巨大連合組織となった。「私たちの組織参加者は、アメリカ経済生産全体および全人口の半分を代表するものであり、パリ協定残留に対する圧倒的支持は国民の幅広い層に広がっている」と主張した。

さらに、パタゴニア、スノーピーク、コールマンなど全米のアウトドア・グッズ・メーカー130社で組織されるアウトドア工業協会も「気候変動はわが地球、人類、社会に深刻な影響を及ぼしており、それが、森林、河川、丘陵地帯など自然環境にもダメージを与えつつある」「トランプが正式にパリ協定離脱を発表したことは、アメリカ国民のアウトドア・リクリエーションと業界に対し災害をもたらす処方箋にほかならない」と強く非難した。

こうした国内政治の動きは、21世紀初頭のジョージ・W・ブッシュ政権下で拡大した「環境連邦主義（environmental federalism）」の延長線上にある「気候変動連邦主義（climate federalism）」として注目されている。つまり、国際的な環境問題に対して連邦・州・地方政府のそれぞれがどのような役割を担うべきなのか、という憲法論争とも言えよう。20世紀には連邦政府が環境保護の先導役を担ってきたが、21世紀になると連邦政府は規制緩和に移行したことから、賛否両論が巻き起こったのである。

トランプ政権発足以降、連邦政府が積極的な役割を放棄したため、気候変動に対処しようとする州や地方政府は、多くのあらたな課題に直面している。たとえば西部で拡大する山火事や南部を襲うハリケーンや洪水など、気候変動に伴ってより頻繁になると予測される深刻な災害への対応を、州や地方政府は求められているのである。新型コロナウイルス感染症が引き起こしたパンデミックへの対応によって、州や地方自治体の財政が圧迫され、気候変動の優先順位が低くなっている。いずれにせよ、自家用自動車のガス排出基準やエネルギー発電による温室効果ガスの州規制など、気候変動政策をめぐる議論が続いている。

この問題を単純化してみると、対照的な世界観の衝突と言えよう。つまり、環境保護よりも経済成長を優先するのか、それとも積極的な気候変動対策による持続可能な社会の実現を志向するのか、という対照的な世界観の衝突である。トランプ政権と比較して国際主義・平等主義が強いとされるジョー・バイデン政権下で、確実に変わりそうなのが環境・エネルギー政策である。事実、選挙公約で「パリ協定」への復帰を公約していた新しい大統領は、就任から数時間後に、パリ協定復帰を含む15件の大統領令に次々と署名した。

2015年のパリ協定（Arnaud Bouissou - MEDDE*）

たしかにバイデンは公約で、再生エネルギー関連などのインフラ整備への2兆ドル（約200兆円）の投資で雇用創出を目指す、としている。しかし、連邦議会上院で共和党と民主党の議席数が拮抗しているために、増税による財源確保は困難で、たとえば「炭素税」の導入といった法案も議会を通過しにくいだろう。他方、もしも再生エネルギーへの大幅なシフトで雇用を創出でき、共和党支持層も納得させることができれば、気候変動をめぐる状況が改善するかもしれない。さらに気候変動対策を旧オバマ政権時と同様に失速させないためには、民主党内で環境政策の優先順位を高く維持できるか否か、すばやく政策を実行に移せるかどうかが鍵を握ると言われている。

日本にとって気候変動は決して対岸の火事ではない、と国立環境研究所の亀山康子は警鐘を鳴らす。たとえば、温室効果ガス排出国第5位で資金提供の義務を負う日本も、海面上昇による環境難民の受け入れ責任を問われることになるだろう、というのである。パリ協定への復帰を含め、アメリカによる環境問題をめぐる国際協調がどう変化していくのか、なかでもあらたなリーダーシップを発揮することが予想される中国との関係性《第11章参照》を含めて、予断を許さないところである。

（小塩和人）

❖参考資料

亀山康子「画期的なパリ協定と米中両国の対応――非国家主体の活動に希望」『現代の理論（特集――気候変動から気候危機へ）』第48号、２０２０年、４～９頁
竹本和彦編『環境政策論講義――ＳＤＧｓ達成に向けて』東京大学出版会、２０２０年
Kameyama, Yasuko. *Climate Policy in Japan: From the 1980s to 2015*. London: Routledge, 2016.
「私たちは踏みとどまる」のホームページ［https://www.wearestillin.com/］

11

トランプ政権のアジア外交

―★「自由で開かれたインド太平洋」構想と特異な外交スタイル★―

ドナルド・トランプ政権のアジア政策は、「自由で開かれたインド太平洋（ＦＯＩＰ）」構想に代表される。連邦議会の超党派の支持を受けたこの構想は、インド太平洋地域をアメリカの安全保障と経済成長にとって「もっとも重要な地域」と位置づけ、５つの同盟国（日・韓・豪・比・タイ）との関係や日米豪印４ヵ国の防衛パートナーシップ（クワッド）を強化し、さらにその他周辺諸国との連携をも深めてアジア広域の安全保障を図るものである。また、国際法が遵守され、自由と民主主義の価値に基づき人権が尊重される市民社会が世界に拡大していくことを目指す。そして、そうしたグッド・ガバナンスのもとでの自由市場の維持や経済協力、サイバーセキュリティ面での協力などを謳っている。これは最近の中国の急速な軍事経済的台頭や、北朝鮮・ロシアからの安全保障上の脅威に対抗するための構想である。これによりアメリカは、自らのリーダーシップによるアジア太平洋地域の新たな秩序構築を図ると同時に、同盟国にも相応の負担を求めている。

しかしＦＯＩＰ構想に基づくアメリカのアジア外交は、トランプ大統領の独自の外交スタイルによって、時として歪められ、予想外の展開を見ることもあった。個人的な首脳外交を好み、個人的見解や他国首脳への個人攻撃をツイッターから次々に繰り出して注目を集めるトランプの外交スタイルは、「劇場型外交」と呼ばれることが多い。そしてかならずしも政策に精通しておらず、ホワイトハウスの公的な政策とは矛盾する方針をたびたびツイッターで発表して側近らを戸惑わせるなど、「予測不可能な二元外交」とも評された。

その最たる例は対北朝鮮外交であろう。北朝鮮は1990年代から核開発を続けてきたが、2017年には水爆実験と米本土に届く可能性のある大陸間弾道ミサイルの発射実験を行ったことで、米朝関係をいちじるしく悪化させた。アメリカ政府はこの「差し迫った安全保障上の脅威」に対して、北朝鮮に最大限の圧力をかけ、先制攻撃を含めた戦争準備を進めた。アメリカのある元高官によれば、当時、戦争の可能性は50%程度と考えられていたという。そのような緊張状態のなか、トランプ大統領はツイッターや国連演説で北朝鮮の金正恩《キム・ジョンウン》第一書記を「ちびのロケットマン」「いかれた若造」と罵り、「世界が見たことのない炎と怒り」に北朝鮮が直面すると威嚇するなど、国際社会の戦争への恐怖を高めた。

しかし翌2018年に入り金正恩がトランプ大統領に米朝首脳会談の開催を要請すると、事態は急展開した。「北朝鮮の完全で検証可能かつ不可逆的な非核化」を制裁解除の前提と考えるホワイトハウスの側近らは、首脳会談の実施が何も成果をもたらさず金を利するだけとみなして反対した。しかし同年6月、トランプ大統領は紆余曲折の後シンガポールでの史上初の米朝首脳会談に同意し、米韓合同軍事演習の一時中止を金に約束して米軍部に動揺を与えた。この後もトランプと金は27度にわたる親書の交換をへて交友関係を深め、翌19年2月にはベトナムのハノイでの2度目の会談、6月には南北朝鮮の軍事境界線上にある板門店《パンムンジョム》で電撃的な面会を行って世界を驚かせた。

トランプ大統領は「過去のどの大統領にもできなかったことを実現した」とたびたび自画自賛したが、米朝首脳会談が北朝鮮核問題に実質的な進展をもたらすことはなかった。むしろ「非核化」の定義や制裁解除の前提をめぐる米朝間の対立がいっそうあきらかになり、南北融和を重視する韓国とアメリカとの立場の相違も浮き彫りになった。

トランプ政権のアジア外交にとって最大の課題は中国との関係であろう。トランプ大統領は就任初年度の2017年までは中国の習近平国家主席との良好な関係を重視して「ひとつの中国」政策を堅持する姿勢を示した。そして中国の軍事拡大や国内の人権弾圧への批判を控え、習主席に対する敬意をたびたび表明して首脳同士の親密さをアピールし、中国の「一帯一路」構想への協力姿勢を示すなど、政治体制の相違を越えた米中連携が作られるかに思われた。

しかし、アメリカの巨額の対中貿易赤字を背景として2018年3月頃から米中間の制裁的追加関税措置の応酬が始まり、さながら貿易戦争の様相を呈していった。アメリカ政府は中国が「中国製造2025」政策のもとで知的財産権の侵害や外国企業への活動妨害といった攻撃的な通商活動を行っていることに対し、国際ルール違反であると強く非難した。また軍事面でもアメリカ政府は、中国の海洋への軍事基地建設や、サイバー空間・宇宙空間での台頭に脅威認識をいちじるしく高め、19年に「合衆国宇宙軍」を創設するに至った。18年10月のマイク・ペンス副大統領のハドソン研究所での演説は、中国政府の攻撃的な通商政策や外交軍事政策への批判に留まらず、中国の新疆《しんきょう》ウイグル自治区

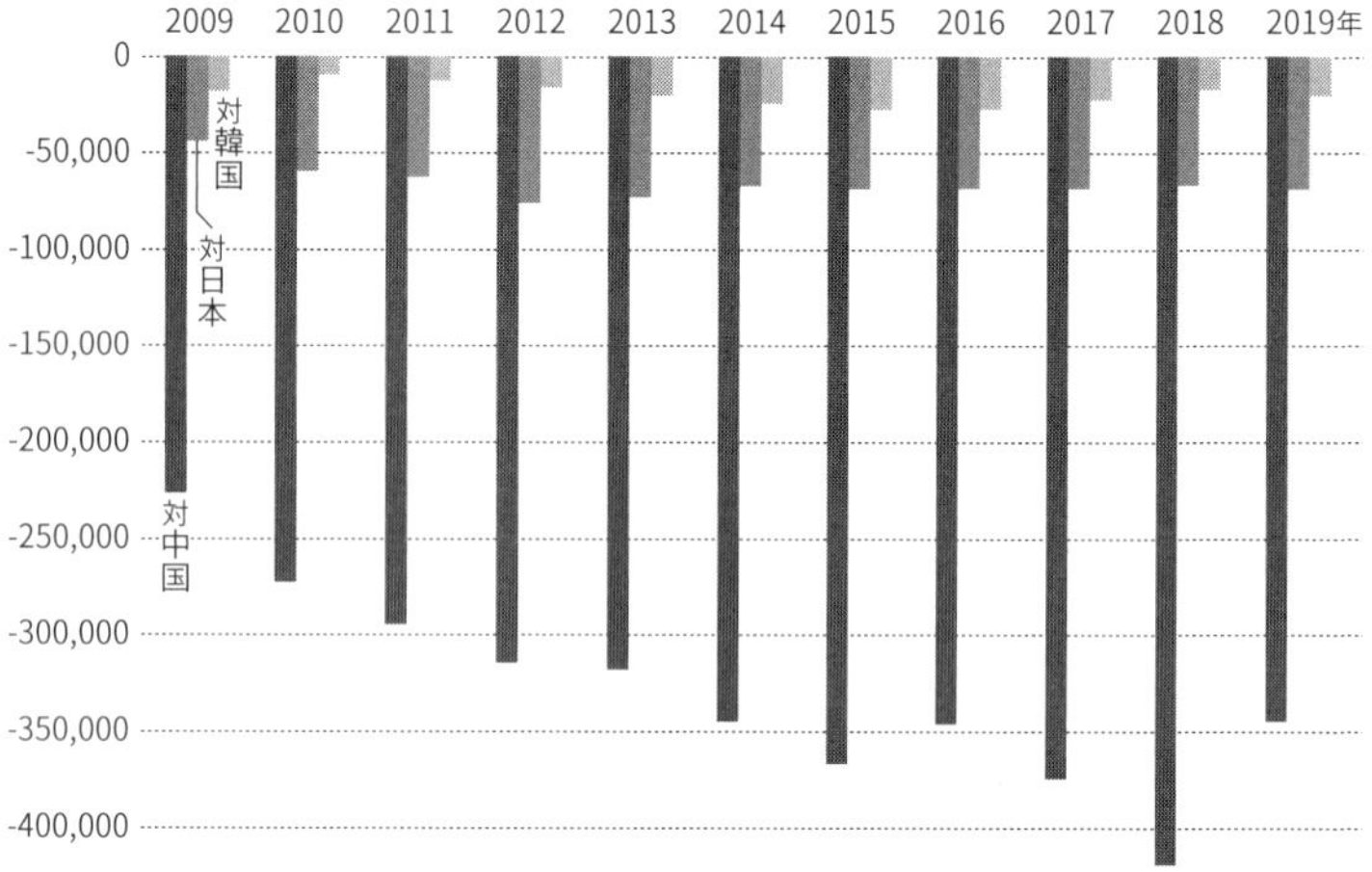

アメリカの対アジア貿易赤字（2009〜2019 年、単位：百万ドル）
（https://www.census.gov/foreign-trade/index.html を基に筆者作成）

や香港における人権弾圧や台湾問題、そして中国の在外機関を通じた思想活動にまで言及する全面的な中国批判として注目された。

２０２０年には米中対立はさらに先鋭化した。香港の民主化運動への中国当局の弾圧に対して、アメリカ議会は「香港自治法」を成立させて中国の香港弾圧への制裁措置を可能にし、中国の反発を招いた。また新型コロナウイルス感染症がアメリカ国内でいちじるしく拡大すると、トランプ大統領はその責任を一方的に中国に押し付ける攻撃的なツイートを繰り返して米中関係をさらに悪化させたが、そこには同年11月の大統領選挙を睨み、自らの政策的失敗への批判をかわす意図もあった。

以上のようなアジア情勢においてＦＯＩＰ構想上重視されたのは同盟諸国との連携である。しかしトランプ大統領は同盟の戦略的意義を十分認識していたとは言いがたく、日米同盟や米韓同盟をアメリカにとっての経済的な「負担」とみなし、とくに在韓米軍の撤退には何度も言及したほか、ＡＳＥＡＮとの関係は軽視しがちであった。

アジアのパワーバランスが大きく変動しつつある現在、北朝鮮核問題や中国の台頭といった国際秩序の変革の可能性をはらむアジア政策の舵取りは、ジョー・バイデン新政権下においても主要かつ困難な課題であり続けるだろう。

（伊藤裕子）

❖参考資料

青野利彦・倉科一希・宮田伊知郎編『現代アメリカ政治外交史――「アメリカの世紀」から「アメリカ第一主義」まで』ミネルヴァ書房、２０２０年
ボルトン、ジョン（梅原季哉監訳）『ジョン・ボルトン回顧録――トランプ大統領との４５３日』朝日新聞出版、２０２０年
松本はる香編著『〈米中新冷戦〉と中国外交――北東アジアのパワーポリティクス』白水社、２０２０年

Ⅰ 基層

12

トランプ政権と中東情勢

★オバマ中東外交の継承と否定★

アメリカの対中東外交は、バラク・オバマ政権からドナルド・トランプ政権へと移行するなかで大きくシフトした。とくにイランとイスラエルに対する政策には大きな転換が見られた。アフガニスタン、イラク、シリアへの軍事的関与の縮小を図った点では、両政権の方針には一貫性があったともみられるが、オバマ外交があくまで国際的枠組みを重視したのに対し、トランプ外交では「アメリカ第一主義」が強く打ち出された点で大きく異なった。

アメリカはイラン・イスラム革命後の在テヘラン・アメリカ大使館占拠事件以来、イランと国交断絶し、2002年にはジョージ・W・ブッシュ大統領がイラク、北朝鮮とともにイランを「悪の枢軸」と呼ぶなどして対立関係を続けてきた。しかしオバマ大統領は核開発を進めるイランとの間で対話と核軍縮を目指し、15年7月にはイランの核開発の縮小と査察受け入れの見返りとして国際社会が制裁を緩和する「包括的行動計画」(イラン核合意)を取り決めた。しかしトランプ政権は17年の発足当初から同合意を批判し、翌年5月には合意から離脱してイランへの制裁を再開した。これはイランと敵対するイスラエルや国内のキリスト教福音派に配慮した結果でもある。既存の国際的枠組みを一方的に反故にするアメリカの動きは諸外国から非難された。しかしこの合意がイランの核開発を完全に停止させるものではなく、不完全な体制であったことも事実であり、マイク・ポンペオ国務長官やジョン・ボルトン国家安全保障担当大統領補佐官など、当時の共和党保守強硬派の外交閣僚らの支持を得た政策でもあった。その後、アメリカを除く関係諸国の間で合意継続が確認されたが、19年5月からのアメリカの制裁に対抗してイランもミサイル開発や核開発を再開し始めて、合意そのものの意義が問われている。

一方、トランプ政権は露骨に親イスラエル政策を進めた。それをもっとも象徴するできごとは、トランプ政権がエルサレムをイスラエルの首都と認定し、駐イスラエル・アメリカ大使館をテルアビブからエルサレムに移転したことであろう。さらにトランプ大統領は、イスラエルが第3次中東戦争でシリアから奪ったゴラン高原のイスラエルへの帰属を認める宣言に署名し、パレスチナのヨルダン川西岸地区への入植拡大を再開することまで認めた。このような親イスラエル政策は、イスラエルとパレスチナの共存のための国際社会の長年の努力や合意をことごとくないがしろにするものである。しかも3つの宗教の聖地であり民族的に多様なエルサレムでアメリカが一方的にイスラエルを優遇したことは、アラブの人々の間に反米感情を高め過激組織を活発化させることになった。しかし他方ではアラブ諸国のなかにもイスラエルとの関係改善を望む国もある。トランプ政権が2020年後半にアラブ首長国連邦（UAE）、バーレーン、モロッコなどアラブ数ヵ国とイスラエルとの国交正常化を支援したことは評価に値するだろう。

アメリカの対イラン・イスラエル政策は、アメリカ国内のエスニシティの影響も多分に受けてきた。

オバマ政権の中東政策にはイラン系アメリカ人評議会の会長らの影響があった。トランプ政権では、トランプの娘婿でユダヤ系アメリカ人のジャレッド・クシュナー大統領上級顧問はイスラエル極右組織に献金するクシュナー財団の理事、駐イスラエル大使を務めたデイビッド・フリードマンはこの極右組織のリーダーでもあり、こうした人々がトランプ政権の親イスラエル政策を担ったと考えられる。

一方、アフガニスタン、イラク、シリアに対するアメリカの軍事関与は混迷を深めた。２０１９年12月に『ワシントン・ポスト』紙がウェブサイトで公開した「アフガニスタン・ペーパーズ」によると、01年の同時多発テロ事件以降、アメリカは19年までに９０００億ドル超の駐留経費と米兵約２４００人の犠牲を払ってもなおアフガニスタンへの米軍介入の出口を見出せずにいるという。同紙は「政府高官によって真実が語られていない」と、読者に警告する。オバマ大統領は14年までにアフガニスタンから米軍を全面撤退させる約束をしたものの、イスラム系反政府過激組織のタリバーンやアルカイダが勢力を回復させたため、翌年には全面撤退を一時凍結した。またイラクについては11年に米軍が撤退すると、14年頃からスンナ派を中心とする過激派組織「イラクとシリアのイスラム国」（ＩＳＩＳ）が勢力を拡大していった。そしてシリアでは、アメリカが支援する反体制民主化勢力と、ロシア、トルコ、イラン各国が支援するアサド政権、そしてＩＳＩＳをはじめとする多数の過激組織が勢力圏抗争を展開し、複雑な内戦状況を作り出している。こうした状況から、オバマ大統領による米軍撤退・縮小の判断が、反政府過激組織の勢力伸長とこれらの国々の不安定要因になったと批判されることが多い。

トランプ大統領はオバマ政権下での中東における軍事関与を批判し、巨額の軍事支出や米軍派遣を無駄とみなして米軍縮小の方針を打ち出した。トランプ政権は、2017年3月にシリアからの撤退を宣言したが、その翌月、アサド政権が化学兵器を使用したことへの制裁として、シリアのシャイラート基地へ50発以上のミサイル空爆を断行し、さらに翌18年にも英仏と合同で再度シリアの化学兵器関連施設を攻撃した。その後同年末には、シリアでの治安維持を担う国際的枠組みを無視してアメリカ単独の撤退を一方的に決定した。さらに20年2月にはトランプ政権はアフガニスタン政府を差し置いて反政府勢力タリバーンとの間で「アフガニスタン和平合意」を成立させて米軍縮小を進め、同年11月にはさらにアフガニスタンとイラクの駐留米軍を削減する大統領令を出した。しかし18年のジェイムズ・マティス国防長官の辞任や20年の連邦議会からの反対からもあきらかなように、政権や与党内部にも国際協調を無視することへの異論があった。

オバマ、トランプ両大統領による中東政策の背景には、長引く中東への軍事関与に対するアメリカ国民の不満や軍事コストの問題があった。しかしオバマ大統領が国際協調を維持しつつアメリカの負担を軽減しようとしたのに対し、トランプ大統領は「アメリカ第一主義」を掲げて損得勘定から米軍撤退を一方的に模索した。現地の治安や民主主義的政権の安定化よりも、2020年大統領選挙対策として米軍派兵の縮小を重視したのである。

原則や大義を欠き国内政治上の都合に左右されるトランプ大統領の中東政策は、国際的な合意や枠組みの崩壊をもたらし、難民、テロリズム、宗教対立をいっそう助長させたと言えるのではなかろうか。

（伊藤裕子）

❖参考資料

「焦点――中東のあらたな課題」『国際問題』671号、2018年〔電子版〕

Whitlock, Craig. "The Afghanistan Papers: A Secret History of the War." *Washington Post*, December 9, 2019.〔電子版〕

13

「国境の壁」と非合法移民

★「移民問題」の政治的利用に終始するアメリカ★

1993年、ビル・クリントン大統領が、カリフォルニア州サンディエゴとメキシコ側の町ティファアナの間の砂漠地帯に、直線で21キロの「国境の壁」の建設を命じた。背景には、89年の冷戦終結を機に国防費が削減され、軍需産業が盛んであった西海岸では失業者が続出し、弱い立場の移民がスケープゴート化したことがあった。政治の争点が「冷戦問題」から「移民問題」へと移行するなか、全米の国境地帯での年間越境逮捕者の半数（約45万人）を出すサンディエゴは、連邦政府の「万全な非合法越境者（入国許可書のない移民）対策」をアピールできる恰好の場であった。

翌1994年に「北米自由貿易協定（NAFTA）」が発効し、アメリカ産の安価なトウモロコシがメキシコの市場に出回った結果、大打撃を被った零細農家からは、職を求めた人々が非合法移民としてアメリカに殺到し、国境警備はお手上げ状態となった。そこで、国家的国境警備大事業「ゲートキーパー作戦」により、国境壁の建設とともに警備隊の増員とあらたな技術の導入が図られた。

1996年の「不法移民改革・移民責任法」制定で、追加予算が承認された。国境警備隊の配備や壁の厳重化を米墨国境全域に一斉に適用することは不可能に近かったため、焦点をサンディエゴやエルパソなどの国境沿いの大都市周辺に絞って、戦場さながらに赤外線暗視装置や振動センサーなどによる取締りが行われた。越境者は警備が手薄な山岳・砂漠地帯へとルートを変えたが、取締り以外による危険度が増し、暑さ・寒さ・水分欠乏で落命者が増加した。また、国境警備隊・自警団・密入国斡旋業者などに殺害される者もいた。

2001年同時多発テロ事件を機に現状の国境管理体制が批判され、ジョージ・W・ブッシュ政権は行政組織を再編し、国境管理業務全体を統括する国土安全保障省（DHS）を創設した。国境警備隊員の1万人規模の増強が承認され、交通機関による越境には国際旅行証が必携となる一方、市民の不安軽減のために国境壁の建設は継続された。司法省からDHSに移管された「移民帰化局」は、市民権・移民局（BCIS）と移民税関執行局（ICE）とに分化し、国境の安全保障が国土安全保障の一部とみなされるようになった。ICEは地方警察と連携して、非合法移民を勾留し強制送還する任務を負った。従来、連邦政府は非合法移民の退去を行政処分としてきたが、03年以降、DHS内の税関国境取締局（CBP）管轄下の国境警備隊による退去措置を刑事処分とし、非合法移民を刑事犯罪者として扱う方針を取った。ブッシュ政権の移民政策を継承したバラク・オバマ政権は、非合法移民のうち、とくに他の犯罪を犯した者を重点的に取り締まったため、国外退去者数はブッシュ政権を上回った。その背後には、ブッシュ政権からの包括的移民法改革構想への支持を共和党議員などからも引き出そうとするねらいがあった。

アメリカ政治学者の西山隆行によれば、同時多発テロ事件以降、武器を所持しない非合法越境者の取締りのために「国境地域の軍事化」が強化されたが、それにはふたつの側面があった。第一に、DHSの管轄下で潜在的テロリストからアメリカを守ることが国境警備隊の任務となり、警備隊員が軍事的訓練を受けるようになった。第二に、連邦議会が米軍に法執行機関（警察など）への支援を要請したことを受けて、軍は国境付近で軍事訓練をし、ハイテク装置の使用訓練の場として国境警備を活用した。さらに、国境警備のハイテク化は軍事産業にとってのビジネスチャンスの可能性を秘めていた。

　２００４年、越境者の死亡件数増加に伴い、カトリック、長老派、ユダヤ教などの宗教指導者たちが、「ノー・モア・デス（死者）」という移民支援団体を設立した。その一方で、06年には連邦政府による厳格な法執行状況を強調するねらいから、センサーと監視カメラ・システムによる「バーチャル・フェンス」を加えて１１２０キロの米墨国境フェンスの建設を目指す「安全フェンス法」が、超党派議員の賛成で成立した。これに対して、メキシコなどの中南米諸国は反発の声を上げた。

すでにある国境壁に蛇腹式鉄条網が取り付けられた現場（2019年2月4日、アリゾナ州ノガレス近くの米墨国境にて）(Robert Bushell*)

　また、サブプライム住宅ローン危機が発端の「大不況」（２００７～09年）による深刻な失業でメキシコ系移民の出超過が09年から見られ、在米非合法滞在者数がピーク時の1200万人から年間約30万人の割合で減少した。一方、14年には非合法越境者に占める非メキシコ人（おもに中米出身者）の数がはじめてメキシコ人の数を上回り、子どものみで越境を試みる者も12年頃から急増した。

ドナルド・トランプは2016年大統領選挙の公約として、国境で「非合法移民、麻薬の密輸や人身売買」を阻止する「偉大な壁」の建設を掲げた。しかし、密輸麻薬の多くは陸路でなく海路で持ち込まれるため、壁で阻止できるわけではない。また、18年8月の国務省発表の報告書は、「メキシコ国境からテロリストが不法入国している」とのトランプの指摘には信頼できる証拠がないとした。

ジョー・バイデン新大統領の誕生が確実視されるようになった2020年11月末頃には、DHSとCBPは全長724・2キロの国境壁建設というトランプの公約を年内に実現すべく躍起であった。11月16日時点で完成済みの壁は647キロで、そのうち一からの建設は約40キロにすぎず、残りは改築であった。そもそも、国境壁建設を選挙公約に掲げる構想は、トランプが非合法移民問題を忘れないように側近たちが14年に考案した「記憶術」と言われるが、選挙集会での有権者からの反響はよかった。しかし、メキシコ政府が壁の建設費の負担を拒否したため、トランプは19年、国防総省の予算を充てるべく国家非常事態宣言まで発令したが、新政権発足後の2月11日、同宣言は撤回され壁の建設は中止となった。それにしても、近年、おもに経済的な理由でメキシコからの非合法移民の流れが鈍化する一方で、本国の景気や治安の悪化で中米からの移民の流入が絶えないなか、国境の壁によって根本的な解決を図ろうとするのは見当ちがいであろう。

1990年代前半に超党派的な政治メッセージとして始まった国境の壁の建設計画は、2001年同時多発テロ事件を機に国土安全保障事業と結びつき、逆にトランプ政権下では大統領が移民問題を記憶しておくための単なる「合言葉」となってしまったのである。

（中川正紀）

❖参考資料

田原徳容『ルポ　不法移民とトランプの闘い――1100万人が潜む見えないアメリカ』光文社新書、2018年
西山隆行「移民政策と米墨国境問題――麻薬、不法移民とテロ対策」久保文明ほか編著『マイノリティが変えるアメリカ政治――多民族社会の現状と将来』NTT出版、2012年、5〜26頁
堀田佳男「国境の壁の真実――トランプもペロシも間違っている――壁建設で不法移民激減の事実、しかしテロや麻薬には限定的効果」『JB Press』2019年1月31日［https://jbpress.ismedia.jp/articles/-/55354］
村山祐介「World Now: 世界に続々できる壁、なぜ――『トランプの壁』をたどって考えた」『朝日新聞 Globe+』2017年10月1日号［電子版］
ラーマン、カレダ「トランプ公約の『国境の壁』建設、年内完成を急ぐ」『ニューズウィーク日本版』2020年11月30日15時30分［電子版］
Anderson, Stuart, 遠藤宗生編集「トランプの『国境の壁』計画はどこから生まれたのか」『フォーブスジャパン』2019年1月9日［電子版］
Cromer, Alisa. "Brief History: A Timeline of the U.S. Border Wall." *Worldstir*, January. 28, 2017. [https://www.worldstir.com/history-u-s-mexico-border-wall/]
「BS世界のドキュメンタリー　ハイテク化する国境（High Tech Borders）」（フランス Capa Presse, 2016年）NHK・BS1、2016年10月28日放送

14

DACA

★若年移民に対する国外強制退去延期措置の行方★

2020年6月18日、連邦最高裁判所は、ドナルド・トランプ政権が発足以来求めてきた、「若年移民に対する国外強制退去の延期措置（the Deferred Action on Childhood Arrivals［DACA］）」の撤廃を認めない判断を下した。その根拠として、同政権のDACA廃止の理由説明が「恣意的」かつ不十分で、連邦行政手続法に違反することを挙げた。

そもそも、DACAはバラク・オバマ政権の「苦肉の策」とも言える非合法移民対策であった。オバマは、ジョージ・W・ブッシュ政権の移民政策方針を引き継ぎ、非合法移民の合法化と国境取締り強化の両方を目指した。ふたつの性格を兼備した「包括的移民法」制定への国民と連邦議会の支持を得るため、オバマは前政権以上に非合法移民の取締りを重視し、とくに犯罪歴がある者の国外退去を優先させた《第13章参照》。しかし、選挙で有利に働くラティーノ《第27章参照》票の獲得をも狙うオバマの真意は、むしろ非合法移民の合法化にあったが、その実現可能性は低かった。そこで、オバマは国民の支持がより得やすい、限定された世代の救済策の実現に舵を切ることになる。

遡って、2001年同時多発テロ事件以降の国境警備の厳格化や07～08年の経済恐慌のために、非合法移民の新規流入者の減少と在米期間の長期化が顕著になり、非合法身分の子どもたちのアメリカ社会への統合という課題が生じた。早くも01年8月にふたりの民主党上院議員から連邦議会に「未成年の非合法移民のための開発・救済・教育（Development, Relief, and Education for Alien Minors〔DREAM〕）」、通称「ドリーム法案」が提出されていた。「16歳以前に入国した非合法移民で、犯罪歴がなく、2年以上大学で学ぶか軍に服役するという条件を満たした者は、永住権を申請できる」という規定であったが、その後、何度か提案されるも成立には至っていない。08年大統領予備選挙運動中に同法案支持を表明したオバマは、幼くして親に連れられ「非合法」という認識もなく入国し、優秀であってもそれ相応な就職がかなわず、本国強制送還の恐怖に日々怯える約80万人の若者たちの救済措置の成立を目指したが、10年12月、上院で反対派が多数となり実現への望みは絶たれた。ちなみに、「ドリーム法案」および後述のDACAの救済対象となり得る移民の若者を「ドリーマー」と呼ぶのが、今では一般的である。

一方、州レベルでは、カリフォルニア州で規定の一部が実現した。州内出身者向けの大学授業料割引の適用、各種民間奨学金申請の認可を含めた「カリフォルニア・ドリーム法」が、2011年に州議会で可決された。しかし、「非合法性」に起因する子どもたちの日常的な不安を解消するには、今後の連邦法の成立を待つしかない。

同法案への支持獲得のために、自ら非合法移民であることを告白しアメリカ社会の発展への自らの貢献を主張する「カミングアウト集会」が開催され、「子どもには罪はない」、「優秀な非合法移民を救おう」などの訴えがなされた。『ワシントン・ポスト』紙の記者で、ピューリッツァー賞受賞者

2017年9月5日、オクラホマシティの記者会見場で、DACAへの支持を唱える看板を持って議員に会わせるように要求するふたりの女児。「子どもたちの知る故郷はアメリカだけ。DACAを守れ」とある。（写真：AP／アフロ）

のホセ・アントニオ・バルガスは、こうした若者たちの姿に感銘を受け、自らもフィリピンから幼い頃渡米し、その後、非合法滞在者となったことを告白する記事を２０１１年６月22日の新聞に掲載し、支持を呼びかけた。

一方、再選を目指すオバマも、万策尽きたわけではなかった。２０１２年６月15日、今度は、議会の承認を要さない大統領令による「一時しのぎ的な措置」としてＤＡＣＡを実施した。次の条件を満たす非合法移民は、国外退去を２年間猶予され、アメリカでの合法的な居住および労働が許可されるという内容であった。①実施時点で31歳以下、②16歳の誕生日以前に入国、③07年６月15日以前から連続してアメリカに滞在、④在学中あるいは高等学校（あるいはそれと同等）を卒業・修了、または軍隊・沿岸警備隊を名誉除隊した者、⑤重大な犯罪歴がない、など。この時点で2年後の見通しはなかったが、結果的に14年に再申請が可能となり、12年8月15日の受付開始から15年3月の間に79・4万人が申請し、うち66・4万人が認可を受けた。

政権2期目の2014年11月20日には、オバマは大統領令によってDACAの適用範囲を拡大するふたつの方針を宣言した。ひとつが条件の緩和措置で、10年1月1日以前から連続してアメリカに滞在する者を対象に、年齢制限をなくし、有効期限を2年から3年にした。もうひとつが、市民権や永住権を持つ子の親にまで適用を広げる措置「アメリカ人および合法永住者の親に対する延長措置（DAPA）」であり、非合法の親が国外退去処分となった場合に家族が離散するのを防ぐためであった。両措置とも翌15年に申請受付開始の予定であったが、大統領令の濫用と議会権限の逸脱を理由に連邦議会下院の共和党議員を中心に反対が表明された。テキサス州ほか25州からも提訴があり、裁判所命令でふたつの措置は係争中は差し止めとなった。結局、連邦最高裁の判事の欠員問題が原因で、これらの拡大措置は実施できないままに終わった。

皮肉にも、DACAおよびその拡大措置計画の内容に関する誤解が中米諸国に広まり、2012年以降、「16歳未満で入国すれば非合法であっても合法化の道が開ける」と信じて、「親あるいは成人保護者に伴われていない未成年者」の拘束者が米墨国境で急増した。ここに、アメリカの移民法改革の動きに一喜一憂させられる中南米諸国の民衆の姿が垣間見える。

トランプ政権下の2017年9月、急遽、DACAの廃止を大統領が表明した。廃止の期限を18年3月に定め、トランプはさらに移民法改正による代替措置を講じるよう連邦議会に促した。もし期限までに議会での立法化がなければ約80万人の移民の若者が廃止の影響を受ける可能性が高かったが、今度は全米各地で廃止反対の訴訟が起こされ、期限の18年3月直前に突如、司法判断によりDACAの延長が決定したのであった。そして、20年6月、連邦最高裁がDACA廃止決定に違憲判決を下した。さらに、21年1月20日、大統領に就任したジョー・バイデンは、前政権からの「巻き戻し」を図るための措置の一環として、DACAを「維持・強化する」覚書に署名した。多数の「ドリーマー」を雇用するIT業界のグーグルとアップル《第15章参照》は、すぐさまこれを支持したのである。

（中川正紀）

❖参考資料
加藤洋子「変わる米墨間の人の移動とアメリカ――非合法移民とその児童を切り口に」『国際関係研究』（日本大学）第37巻第2号、2017年、1〜15頁
田原徳容『ルポ　不法移民とトランプの闘い――1100万人が潜む見えないアメリカ』光文社、2018年
賀川真理「カリフォルニア州におけるドリーム法の成立に関する一考察」久保文明ほか編著『マイノリティが変えるアメリカ政治――多民族社会の現状と将来』NTT出版、2012年、87〜106頁
西山隆行「移民政策と米墨国境問題――麻薬、不法移民とテロ対策」同右書、5〜26頁
北條ゆかり「在米ラティーノの影響力――求められる新しいラテンアメリカ・米国関係」後藤政子・山崎圭一編著『ラテンアメリカはどこへ行く』ミネルヴァ書房、2017年、134〜160頁
「ドキュメンタリーWAVE　激増する不法入国の子供たち〜揺れ動く米国移民政策の陰で〜」（NHK制作、NHK・BS1、2014年10月11日放送）

15

GAFA

★資本主義社会を象徴するIT企業の行く末は？★

ＧＡＦＡとは、アメリカのＩＴ企業のグーグル（Google）、アップル（Apple）、フェイスブック（Facebook）、アマゾン・ドット・コム（Amazon.com）の４社の頭文字を取った略称である。アメリカではビッグ・テック、テック・ジャイアンツ、フォー・ホースメン（四騎士）などとも呼ばれる。ネット上でプラットフォームなどを提供するＩＴ企業として成長し続け、市場動向、株価、情報のあり方などに大きく影響を与えるようになったため、まとめて呼ばれるようになった。プラットフォームとは、Ｂ to Ｃ（企業と消費者）、Ｂ to Ｂ（企業と企業）、Ｃ to Ｃ（個人と個人）などでやり取りされる情報、製品、システム、サービスなどを仲介する基盤である。

グーグルは、前身が１９９６年に創業し98年に現在の法人格を取得したが、あらゆる情報を「検索エンジン」を使って整理することと、人々が整理された情報を自由に活用し、より便利な生活を送れるようになることを目標にしてきた。検索エンジンの会社として出発したが、２０００年に広告ビジネスも始めた頃から急成長した。現在の親会社アルファベット社の20年の総売上高のうち、広告が全収入の約68％を占めている。

アップルは1976年の創業であるが、現在の主な収入源であるiPhone（2020年時点で売上の50・2％）を販売し始めたのは07年である。基本的にはハードウェアを作る会社で、魅力的なデバイスを提案しながら生活に革命を起こし、人々が自分らしく生きるための手助けを目標としてきた。

フェイスブックはSNSを2006年9月に一般開放し、人々がネット上でコミュニティを構築する手助けをし、世界のつながりを強めることを目指してきた。SNSとメッセンジャーアプリの会社だが、収益のほとんどは企業からの広告費（20年には収益の98％）であり、個人や企業にプラットフォームを無料で提供する代わりに個人情報などを取得し、その膨大なデータを利用して各個人に最適化された広告が出せることを売りにしている。06年にユーチューブ（YouTube）、12年にインスタグラム（Instagram）など、多数の新興企業を買収して事業を拡大させてきた。

アマゾンは、1995年にオンライン書店として出発したが、創業者のジェフ・ベゾスは、当初から書店に甘んじるつもりはなく、顧客の買い物のしやすさを追求し、さらなる購買意欲を高める工夫をすることで、事業を拡大した。近年は、ネットとリアル店舗の統合を目指して、リアル店舗界にも進出している。近年の主な収入源は、2020年現在業界1位のクラウドサービス「アマゾン・ウェブ・サービス（AWS）」で、売上高での割合は11・8％でも、営業利益率では約63％に上る。

これらの企業は、IT技術によって生活がより便利で質の高いものになることを夢見てまい進し、またそのための資金を得るために創意工夫を重ねてきた。現在も新たな技術研究や市場開拓には余念がない。4社は、サービスを拡充して便利な世のなかを作ることに貢献した結果、個人や企業から選ばれていると主張している。しかし近年、GAFAは世界的に独占禁止法抵触の疑いで捜査されている。グーグルは、2010年以降欧州委員会により欧州連合競争法違反で捜査され、すでに17年から3回罰金を科されているが、それを不服として20年現在も法廷闘争中である。なお、欧州委員会は20年12月、巨大IT企業の影響力を弱め、かつ違法コンテンツ排除を促進する目的で、デジタルサービス法とデジタル市場法の原案を発表した。日本政府も、18年12月に規制に向けた基本原則を策定し、20年5月に通称巨大IT規制法案を可決、21年2月に施行した。

アメリカでも、2011年から連邦取引委員会がグーグルについて反トラスト法（独占禁止法）違反の調査を始めていたが、本格的になったのは19年以降である。19年6月に連邦議会下院の司法委員会がGAFAの反トラスト法調査を始め、20年7月に公聴会を開催、10月6日に全450ページの調査報告書を出した。同委員会所属の共和党の議員は、同じ日に、ふたつの少数意見（一部の勧告についての超党派的解決法の提案と、多数派が取り上げなかったネット上の情報のバイアスと検閲を問題視する意見）を出した。

調査報告書が一番問題にしているのは圧倒的な寡占状態である。グーグルは、ウェブブラウザのグーグルクロームが世界のブラウザ市場で約70％を占め、グーグル検索はコンピュータでの検索の81％、スマホの94％で利用されている。アマゾンはeコマースで、アメリカだけでもシェアが40％以上である。また世界中の第三者出品者（アマゾンを利用してものを売る中小企業と個人）の37％はアマゾンのみで販売活動をしている。世界での有料会員数も2億人を超えた（2020年）。SNSとしてのフェイスブックは、19年12月時点で、月に1回以上の利用者が世界人口の約3分の1にあたる25億人を突破、アプリはアメリカのスマホ利用者の74％に利用されている。圧倒的な量の個人情報を握っていることになり、その影響力は甚大である《第42章参照》。アップルはiPhone利用率がアメリカでは約60%に達しており、iPhone用のアプリ作成者たちから販売手数料（販売額の30%）を取るビジネスモデルも功を奏し、18年8月には民間企業では世界初となる時価総額1兆ドル超えを達成した（20年8月には2兆ドルを超えた）。20年のコロナ禍は、社会全体のIT化を加速することになり、GAFAの寡占に拍車をかけた。

ネットの世界では勝者による総取りが起きやすい。ネット上では、あるサービスの利用者が多くなればなるほど利用者が得る便益が増していくため（ネットワーク効果）、先に多くの利用者を獲得した企業が有利で、後発企業は参入しにくい。しかし調査報告書によれば、寡占状態の理由はそれだけではない。グーグル、アップル、アマゾンは、ネット活動から得た他社に関するビッグデータを利用して、競合する製品やサービスを作り、自社を有利にするために競合企業のホームページや広告、製品が検索にかかりにくくするような妨害をしてきたとされる。また、アップルとグーグルは、ほかで商売ができない状態を作っておいて高額の手数料を取ったり、立場を利用して自社のアプリをスマホに標準装備させたりもした。GAFAには、ほかにも、便利な技術があれば企業ごと買収して自社サービスの向上に貢献させた。さらに、たとえばフェイスブックは、活動を抑止してユーザー流出を防ぐためだけに、将来競合しそうな有望な新興企業を買収したりもしてきたという。

グーグルについては、司法省が2020年10月20日、グーグル検索を排他的な契約によって標準装備させていることを理由に反トラスト法違反で提訴した。さらに12月17日に、38の州と地域も類似の訴訟を起こし、独占的な立場を利用して「垂直型検索ビジネス」を妨害したとした。また同年12月16日には、テキサスほか10州が、ネット広告市場での競争を妨げたことを理由に同社を提訴した。フェイスブックも、12月9日に独占禁止法違反（競合しそうな新興企業を買収して競争を妨げた）とプライバシーを軽視した広告事業で連邦取引委員会および46州と2地域から訴えられた。また、21年5月25日に、アマゾンも、外部企業を価格で拘束したとして首都ワシントン当局により訴えられた。

一連の提訴により、巨大ＩＴ企業に規制をかけるためには、現行の反トラスト法では不十分であることがあらためて露呈した。１９７０年代以降、連邦最高裁判所は「消費者の利益」を優先し、独占状態を大目に見てきた経緯がある。また80年代以降、アメリカ政府は、コンピュータ産業を経済をけん引するとみなして国策上支援し、90年代にマイクロソフト社を十分に規制しなかった。しかし、世のなかはそれから大きく変わった。かつては想像もできなかったほどネット社会とリアル社会の結びつきが強固になり、企業活動がネットに依存する傾向も強まった。そのような状況下で、プラットフォームを牛耳るＧＡＦＡのような巨大企業が決めたルール上で不利な営業活動を強いられるようになった多くの企業、プライバシーを守られなくなった個人が今、怒っている。敵に回す相手が多くなれば、ＧＡＦＡに吹く逆風も強くなる。

現在アメリカ政府は、ＧＡＦＡに制裁を加えるため、独占禁止法の改正や適用範囲変更も視野に入れて動き始めている。２０２１年６月11日、連邦議会下院の超党派議員たちがＧＡＦＡを標的に５つの独占禁止法改正案を提出した。提出者の一人には、少数意見をまとめた共和党議員も含む。またその４日後の15日、それまでも下院の司法委員会で19年３月から法律顧問を務め、先の報告書作成にも貢献していたリナ・カーンが、連邦議会上院で69対28（棄権３）で承認されたのち、米連邦取引委員会（ＦＴＣ）の委員長に就任した。カーンは、独占禁止法を専門とするミレニアル世代《第23章参照》

の法学者で、20年秋よりコロンビア大学法科大学院准教授を務める。21年3月にバイデン大統領にFTCの委員に指名されていた。17年にアマゾンの独占についての論文（反トラスト法見直しのきっかけを作る）で有名になったカーンは、当然GAFAに好意的でないことが予想されるが、この任命は、バイデン大統領がGAFAの解体や規制に本気であることを示している。また、共和党が50議席を占めるなかで69人から承認されたことも、両党派ともGAFAの寡占について何らかの対応をする必要性を感じていることを意味しているだろう。今後の動向は注視しなければならないが、今、リアル社会とネット社会が融合して生まれた新しい社会に沿った新ルールが望まれている。GAFAのありようは資本主義社会の実態を象徴しているとも言える。GAFAは、より便利な生活と利潤の追求を突き詰めたあげくに巨大になりすぎただけではないのか。資本主義社会における競争のあり方にあらためて関心が高まっている。

（西川裕子）

❖参考資料

小林弘人『After GAFA——分散化する世界の未来地図』KADOKAWA、2020年

田中道昭『GAFA×BATH——米中メガテックの競争戦略』日本経済新聞出版社、2019年

GAFAの四半期報告書（2019、2020年分）

U.S. House of Representatives. *Investigation of Competition in Digital Markets: Majority Staff Report and Recommendations*. Washington, DC: GPO, 2020. [https://judiciary.house.gov/uploadedfiles/competition_in_digital_markets.pdf]

16

ドラッグと人種をめぐる諸相

――★大麻規制の強化と緩和の狭間で翻弄されるマイノリティ★――

２０２０年11月３日、大統領選挙当日、開票速報とは別ににわかに注目を集めた報道がある。それは、ミシシッピ州が医療用大麻の合法化に南部ではじめて踏み切ったことに加え、アリゾナなどの４州が嗜好用大麻の合法化を決定した、という内容であった。これにより、医療用と嗜好用大麻を合法化した州（首都ワシントンを含む）はそれぞれ36と16を数えるに至った。

大麻合法化の問題に関しては、大統領選挙の候補者たちも自身の見解をこれまで公にしてきた。共和党のドナルド・トランプは、大麻の合法化や非犯罪化に対して否定的な立場を取り、薬物犯罪に対する取り締まりの強化と厳罰化を支持してきた。一方、民主党のジョー・バイデンは、成人による大麻使用の非犯罪化、連邦レベルでの医療用大麻の合法化、さらには州独自の法律の制定や大麻関連の前科の取り消しに対しても理解を示してきた。

こうした見解の相違の背景には、人種によって彩られた、大麻をめぐる規制強化と緩和の歴史が存在する。

今から１００年前の１９２０年代には、大麻はメキシコ系や黒人などの非白人と結びつけられて認識されていた。当時の

『ニューヨーク・タイムズ』紙の見出しからも、その片鱗をうかがい知ることができる。「病院で6人を殺害――大麻で気が狂ったメキシコ人、肉切り包丁を手に暴れ回る」（25年2月21日付）。「メキシコ人家族が発狂　大麻を食して5人が卒倒」（27年7月6日付）。とはいえ、このような人種的要素を過分に含んだセンセーショナルな見出しとは裏腹に、当時大麻は規制当局の主たる関心事ではなかった。20年代は禁酒法（20～33年）やギャングの暗躍こそが社会問題の焦点だったのである。

そうしたなか、大麻を社会問題化することに成功し、規制強化の先鞭をつけた人物がいる。その人物こそが、連邦麻薬局（ＦＢＮ）で初代長官を務めたハリー・アンスリンガー（在任期間１９３０～62年）であった。当初、彼は禁酒法問題に取り組んでおり、大麻をめぐる問題にはさほど高い関心を寄せていなかった。方針の転換が見られるのは、禁酒法が撤廃された33年以降のことである。同法撤廃とそれに伴うギャングの退潮によって、彼の組織は閑職となることが懸念されたのである。そこで、彼は、メディアを積極的に活用し、大麻をさまざまな危険性や人種問題と結びつけて、その害悪を喧伝し始めたのであった。

たとえば、１９３０年代におけるアンスリンガーの言説からは、次のような人種的な偏見が読み取れる。「ミネソタ大学の有色人種学生が白人女子学生とパーティーの席で大麻を喫煙した。その際、人種的迫害に関する話をして、共感を得た。その結果はというと、妊娠である」。「大麻を吸うと黒人は白人並みに優れていると思い込む」。

こうした人種的なネガティブ・キャンペーンも相まって、大麻に関する規制は徐々に強化されていく。１９３７年に、大麻の取扱者に対する課税を認めた「マリファナ税法」が可決されたのを皮切りに、51年には、大麻に対する重罰化を規定した「ボグズ法」が制定されるに至る。

しかしながら、アンスリンガーが役職から退くと、大麻規制を緩和する動きも散見されるようになる。人権活動家のミシェル・アレクサンダーによれば、1960年代、大麻が白人の中産階級や大学生と関連づけられるようになると、その実害性を調査するための委員会が相次いで組織されたという。70年までに、包括的薬物乱用防止規制法は、大麻をその他の麻薬と区別するとともに、連邦の罰則を緩和した。20年前には黒人やラティーノと結びつけられ、恐れられていた大麻が、白人と結びついた瞬間、比較的無害なものに形を変えられたというのである。

そして、1990年代中葉を迎えると、本章冒頭で触れたように、医療用と嗜好用大麻を合法化する流れが加速していく。その際、合法化に踏み切った諸州において広く共有されていたのは、未成年の大麻使用を防止するという観点と、課税による税収の増大に対する期待であった。前者に関して、1996年と2016年に、医療用と嗜好用大麻をそれぞれ合法化したカリフォルニア州は、21歳以上の成人には1オンス（約28グラム）までの大麻所持と6株までの栽培を許可する一方で、未成年に大麻を販売した場合には厳罰に処する旨を規定している。加えて、未成年のなかでもとくに18歳未満の使用者に対しては、処罰より更生を重視するため、薬物カウンセリングを受け、社会奉仕活動に従事することを義務づけている。

また、税収に関して、大麻の販売やライセンスの申請などに課税しているコロラド州では、大麻の商業取引が始まった2014年の税収は約6700万ドルであったが、20年にその額は約3億8700万ドルへと増大している。同州では大麻事業で得られた税収の一部を、公立学校の予算に配分／充

大麻合法化の推進団体主催のイベントを告知するポスター（ウィスコンシン州マディソン）（2017年9月、筆者撮影）

当することも法律で規定されている。

一方、こうした事例と一線を画すのが、社会正義の実現に向けた大麻合法化論である。これは、人種的マイノリティが薬物捜査を不当に受けているとの前提から派生した議論である《第17章参照》。２０２０年に公表されたアメリカ自由人権協会（ＡＣＬＵ）の調査報告によれば、大麻の所持で黒人が逮捕される確率は、白人と比べて全米平均で3・64倍も高いという。こうした傾向は大麻を合法化した諸州においても例外ではない。16年に合法化に踏み切ったメーン州では、同確率が4倍に達している。この背景として、警察による人種に基づく見込み捜査の横行を指摘する声も多い。全米黒人地位向上協会（ＮＡＡＣＰ）のアリス・ハフマンもそのひとりである。彼女は、「大麻関連法の改革は公民権問題である」との認識から、合法化推進論を展開してきた。

バイデン政権が誕生したことで、合法化の流れは加速するとの見立てが新聞などの紙面上では大勢を占める。とはいえ、大麻を合法化した諸州においてでさえ、人種間の不均衡が存在する現状に鑑みるなら、合法化はそれを是正するための必要条件でこそあれ、十分条件ではないとも言える。1世紀以上の長きにわたり、大麻規制の強化と緩和の狭間で翻弄されてきたマイノリティの先行きは、依然楽観を許さないのである。

（吉岡宏祐）

❖参考資料

山本奈生「１９３０年代米国における大麻規制――ジャズ・モラルパニック・人種差別」『佛大社会学』44号、２０１９年、28〜43頁
Alexander, Michelle. *The New Jim Crow: Mass Incarceration in the Age of Colorblindness*. New York: The New Press, 2010.
Greytak, Emily. *A Tale of Two Countries: Racially Targeted Arrests in the Era of Marijuana Reform*. New York: American Civil Liberties Union, 2020. [https://www.aclu.org/report/tale-two-countries-racially-targeted-arrests-era-marijuana-reform]
Smith, Laura. "How a Racist Hate-monger Masterminded America's War on Drugs: Harry Anslinger Conflated Drug Use, Race, and Music to Criminalize Non-whiteness and Create a Prison-industrial Complex." *Timeline*, February 28, 2018.

17

大量投獄

★「法と秩序の維持」政策の大きな代償★

「大量投獄」が、アメリカの日常を表わす言葉のひとつとなって30年ほどが経過した。1980年に33万人であった連邦および州の刑務所の収監人口（1年以上の服役者数）は2009年にはピークに達し、162万人にまで膨れ上がった。暴力犯罪率は1990年頃を境に減少し続けていたにもかかわらず、薬物乱用などを厳しく処する「法と秩序の維持」政策が世論に支持され、厳罰化が進んだことが、収監人口激増の最大の要因である。

厳罰化を象徴するのが、判事と検察の裁量権を制限する目的で、1984年量刑改革法（連邦法）によって導入された強制的最低量刑と、前科の回数に応じて加重処罰を科す通称「三振即アウト法」である。たとえば、94年施行のカリフォルニア州の三振即アウト法では、重罪を3回犯すと自動的に懲役25年から無期の量刑となった。

収監人口に占める非白人の割合の高さも、大量投獄の特徴である。2010年末の時点で、1年以上の刑で収監中の受刑者にそれぞれの人種／エスニック集団が占めた割合は、白人（非ヒスパニック）が31・2％、黒人が36・9％、ヒスパニックが22・

３%であった（10年実施の国勢調査で各集団が全人口に占めた割合は、それぞれ63・7%、12・6%、16・3%）。

２０２０年に起きたジョージ・フロイド暴行死事件《第32章参照》では、白人警官による非白人に偏った検問や拘束に非難が集中したが、逮捕、拘留、起訴、裁判、受刑中の処遇、再審、仮釈放に至るあらゆる局面において、「超凶暴な野獣《スーパープレデター》」などと危険視される非白人、とくに黒人男性が不当に扱われてきた。また、黒人をはじめ非白人に多い低所得の被疑者が、保釈金を払えず長期間にわたり拘留され、適切な弁護を受けられないまま司法取引に応じてしまい、無実なのに有罪判決に甘んじたり、有罪の場合でも判例よりも重い量刑を受けたりするケースが跡を絶たない。つまり、黒人の収監率の高さは、個々人の犯罪性向よりも、長年にわたる構造的人種主義と貧困の負のスパイラルを多分に反映しているのである。

大量投獄に群がる「監獄ビジネス」も問題視されている。１９８０年代以降の新自由主義路線の民営化政策によって、企業が刑務所運営を担ったり、刑務所内で受刑者に超低賃金で労働させたりすることが可能となった。しかし、受刑者の更生よりも収益を優先するあり方に対しては、批判が絶えない。そうした監獄ビジネスの実態を、大量投獄の「からくり」も含めて炙り出したドキュメンタリー映画『13th——憲法修正第13条』（２０１６年）が、日本でもネットフリックスで公開された。

年々かさむ刑務所関連経費が財政を圧迫するなかで、21世紀に入ると改革の兆しも見え始める。２００５年に連邦最高裁判所が強制的最低量刑の柔軟な適用に合憲判断を下すと（ブッカー判決）、州レベルで三振即アウト法の基準が緩和されるなど、軽罰化が徐々に進んだ。連邦レベルでも、量刑の緩和と更生プログラムの強化を目的とするセカンド・チャンス法とファースト・ステップ法が、07年と

18年にそれぞれ成立した。

こうした改革もあって、2009年をピークに収監人口は減少局面に転じた。19年末時点の連邦および州の刑務所収監者は143万人と、09年と比べ11・4％減少した（男性では11・9％減、女性では4・9％減）。女性収監者数は19年の時点で11万人ほどにすぎないが、減少率の男女差について、今後の解明が待たれる。民間刑務所数も減少傾向にあるが、不要となった民間刑務所は非合法移民の収容施設として流用される場合が多い《第13章参照》。移民を犯罪者扱いする最近の傾向とともに、問題視されつつある。改革とは別に、20年春以降、千人単位で服役者の刑期を短縮し、出所させる州が続出した。過密状態の刑務所内における新型コロナウイルス感染症の拡大を防ぐための措置であった。

収監人口が減少傾向にあるとはいえ、実数と収監率（人口10万人あたりの刑務所・拘置所等の収監者数）の双方において、アメリカは世界でワースト1位の記録を更新中である。NGO団体「量刑プロジェクト」の試算によれば、現在の減少ペースでは、収監人口が半減するまでに70年以上かかるという。つまり、抜本的な大改革でもない限り、アメリカは当面の間「大量投獄国」であり続ける。

さらに、長期刑による収監者は増加傾向にある。これは、死刑廃止州の増加にもよるが、2016年時点で無期刑または懲役50年以上の受刑囚は21万人に上った。全刑務所収監者の約7人に1人（黒人収監者に限れば約5人に1人）が、長期刑に服していることになる。別の調査によれば、2006年の時点で、アメリカ在住女性の4人に1人（黒人女性に限れば約2・5人に1人）が、近親者が刑務所・拘置所などに収監中であったという。こうした家族が被る経済的・精神的な負担は計り知れない。

大量投獄の付随的な問題として、刑務所・拘置所などに収監中の者に加え、保護観察中・仮釈放

第17章
大量投獄

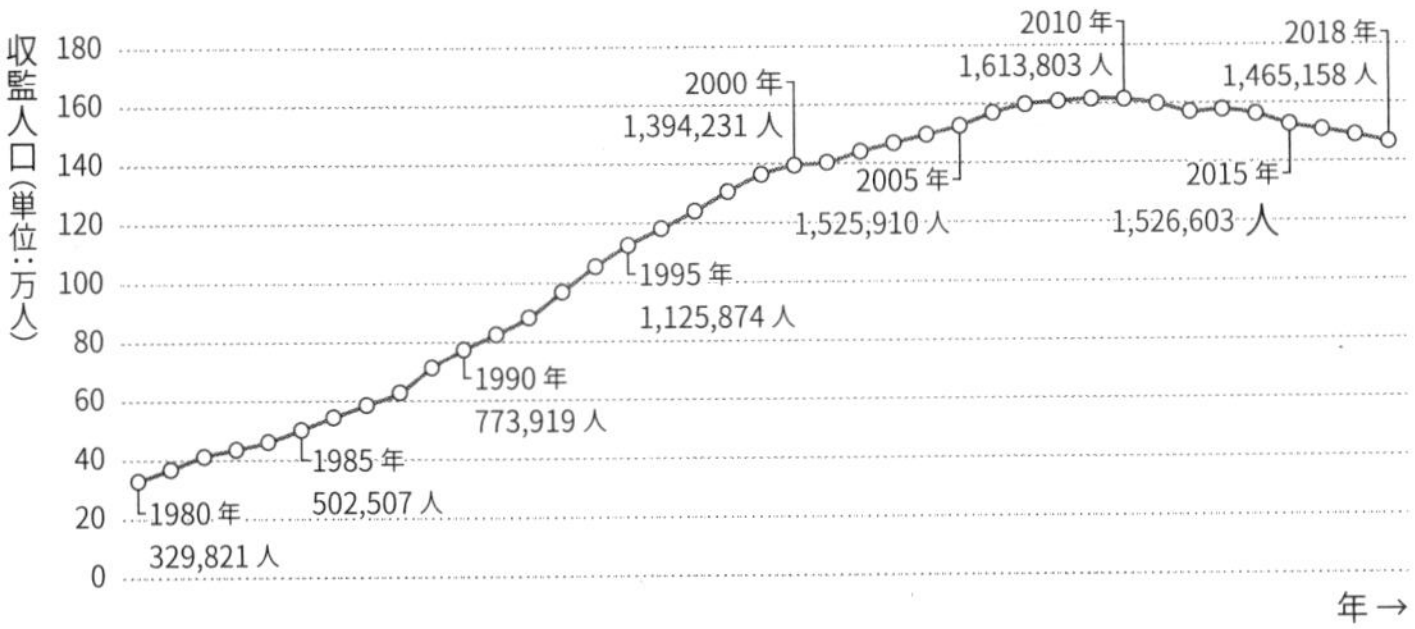

全米収監人口の推移（連邦および州の刑務所の収監者、1980〜2018年）
（司法統計局 "Prisoners under the Jurisdiction of State or Federal Correctional Authorities, December 31, 1978–2018" を基に筆者作成）

中の者や刑期満了者の投票権のはく奪がある。はく奪の規定は州ごとに異なるが、２０２０年の大統領選挙では、犯罪（歴）を理由に、５１７万人（有権者人口の２・３％）が投票権をはく奪され、うち１８１万人は黒人であった（黒人有権者人口の６・３％）。

他方、投票権を再付与する動きもある。２０１８年、フロリダ州では、一部の凶悪犯罪者を除く刑期満了者への投票権の再付与が、州民投票によって実現された。20年には、バージニア州などで州知事令を通じて、刑期満了者に投票権が再付与された。ただし、白人保守層を中心とした再付与反対派も攻勢に出ている。共和党が与党のフロリダ州議会は、前述した州民投票の可決後に、投票権の再付与に手数料を課し、ほかの罰金も含め、未納の刑期満了者には投票を認めない法律を、19年に可決した。

黒人の冤罪事件を数多く告発してきた弁護士ブライアン・スティーヴンソンは、著書『黒い司法』において、犯罪統計学では数としてしか扱われない人々の生の声を綴っている。そのうえで、司法の「真の基準」は、こうした「貧者や疎んじられ非難されている人々、受刑者、死刑囚が社会でどう扱われているか」に求められるべきだと訴える。

現在、各地で叫ばれる「黒人の命にも重きを」《第32章参照》は、多くの黒人を死に至らしめた警察組織に対する憤りであるとともに、さらに多くの人々を「社会的死」に追いやっている「大量投獄国アメリカ」に対する告発なのである。

（落合明子）

ブライアン・スティーヴンソン
(GabboT, CC BY-SA 2.0)

❖参考資料
スティーヴンソン、ブライアン（宮﨑真紀訳）『黒い司法――黒人死刑大国アメリカの冤罪と闘う』亜紀書房、2016年
司法統計局（BJS）のホームページ［https://www.bjs.gov/］
量刑プロジェクト（TSP）のホームページ［https://www.sentencingproject.org/］

18

アファーマティブ・アクション最新事情

——★多様なアジア系を「非受益者」として固定化できるのか★——

２０２０年11月、連邦控訴裁判所は、多様性を確保するためにハーバード大学が行ってきた人種などに基づく入試制度に対して合憲判断を下した。そのうえで、アファーマティブ・アクション（ＡＡ）の非受益者としてアジア系志願者が大学によって差別されているとした原告の訴えを退けた。こうした原告の主張から垣間見えるのは、多様性という大義のもと、その他の人種／エスニック・マイノリティの入学者数を増やすべく、高い学力や勤勉性を有するアジア系が公然と排除されているといった、いわゆる「逆差別」の議論の再現にほかならない。

原告は、「公平な入学を求める学生たち（ＳＦＦＡ）」という組織で、その構成員は「不公平なハーバード・オルグ」といったウェブサイトを通じて募集された匿名のアジア系の不合格者からなる。とはいえ、この組織を実質的に率いるのは、エドワード・ブラムという白人保守派の活動家である。彼は、過去20年間にわたり、肌の色を考慮しない「カラー・ブラインド」《第56章参照》の理念を徹底するべく、テキサス大学に対する反ＡＡ訴訟をはじめ、10件以上の法廷闘争を展開してきた経歴を持つ。こうしたことから、コロンビア大学社会学部教授のジェ

ハーバード大学構内の様子（2014年8月、筆者撮影）

ニファー・リーは、「ＡＡに抗う彼の闘いにおいて、アジア系はくさびを打ち込むための手駒として利用された」と批判し、原告であるＳＦＦＡの当事者としての適格性に疑問を呈している。

　ブラムが複数の訴訟を提起し得た背景には、保守派からの資金援助の存在がある。たとえば、２０１６年、ＳＦＦＡは、ドナーズ・トラストからの25万ドルを含む、総額１１０万ドルを調達している。同トラストは、寄付者の情報を秘匿し、「リバタリアンや保守派の寄付者の意思を守る」ことを目的に、１９９９年に設立された保守系の寄付者助言基金である。２０１８年11月の時点で、代表のローソン・ベーダーは、「アジア系アメリカ人に対する差別的な入試制度をめぐって繰り広げられている、ハーバード大学との法廷闘争にわれわれも関与する」旨を公言している。

　では、ここで争点となっているハーバード大学の入試制度とはどのようなものなのだろうか。同大学では、毎年１６００人の入学者を選抜するにあたり、以下の手続きを採用している。(a)リクルート活動、(b)願書の受理、(c)書類審査、(d)面接、(e)入試委員会への候補者の推薦、(f)入試委員会による入学者の最終決定の6段階である。このうち、(c)の書類審査では、入試事務局職員が以下6つの基準に従って評価を行う。(1)学業、(2)課外活動、(3)運動競技、(4)出身校への貢献度、(5)個人能力、(6)全情報を検討する総合評価である。とりわけ、この(6)の総合評価に関して、大学側は、志願者の人種などを考慮したうえで、「プラス要素」を付与する場合があることを認めている。

とはいえ、その対象者は人種/エスニック・マイノリティに限定されるわけではない。「ALDC」の総称で呼ばれる「運動選手、卒業生の親族や子息、入試事務局長が関心を寄せる志願者リストの掲載者（寄付者の親族や子息）、教職員の子息」も、これに該当する。しかも、ALDCは全志願者の5%を占めるにすぎないが、全合格者の約30%を構成する。加えて、ALDCの人種/エスニック・マイノリティの比率は、白人67・8%、アジア系11・4%、アフリカ系6%、ヒスパニック5・6%となっており、同制度が実質は「白人のためのAA」として機能しているとの指摘もある。

しかしながら、SFFAは、ALDCに対して異議を申し立ててはいない。SFFAの批判の矛先は、人種などに基づく選考基準によって、同大学が割当制のような「調整」をアジア系に対して行っている点に向けられている。この「調整」がアジア系志願者をAAの非受益者にしている、つまりあらたな「逆差別」を生んでいるとSFFAは訴えたのであった。これに対して、連邦控訴裁判所は、1980年から2019年の間に、アジア系の合格率が、3・4%から20・6%の間で変動していることを根拠に、原告の主張を退けたのである。

ところで、本裁判の過程において、当事者でない第三者として多くの団体や個人が自らの見解を審議に反映させるべく、アミカスブリーフと呼ばれる意見書を提出している。そのひとつに、アジア系の公民権団体や研究者らが連名で提出した意見書がある。同意見書は、東南アジア出身者や低所得家庭出身のアジア系が人種などに基づくAAの受益者となっている現状を強調することで大学側の主張を支持するとともに、アジア系の成功物語として喧伝される「モデル・マイノリティ神話」の「有害性」を指摘している。それによれば、「神話」は、アジア系内の多様性を隠蔽するばかりか、人種差別や白人優越主義を否定する材料として利用されてきたのだという。

実際、「神話」に対する反証は枚挙にいとまがない。たとえば、ピュー研究所が2018年に公表した調査結果は、アジア系がけっして一枚岩ではないことを物語っている。それによれば、学士以上の学位保持者の割合を出身国別で比較した場合、インド系は72％であるのに対し、ブータン系は９％に留まっている。また、平均世帯収入に関して言えば、インド系の10万ドルとビルマ系の３万６０００ドルとの間には大きな隔たりが存在し、貧困率についても、ビルマ系は35％、ブータン系は33％と高い数値を示している。さらに、雇用に関しても、大企業の重役に占めるアジア系の割合の低さから、女性の昇進を阻む「ガラスの天井」になぞらえて、「竹の天井」という表現もしばしば使われる。この点は、一部のアジア系が入学におけるAAに対して否定的であるものの、雇用におけるAAに対しては支持を表明するといったねじれを生み出す遠因ともなっている。

以上、民族・性別・出身地といったアジア系が内包する多様性に鑑みると、アジア系はAAの「受益者性」と「非受益者性」の両側面を持ち合わせた存在であると言える。とはいえ、昨今の反AA訴訟においては、アジア系を原告に据え、その「非受益者性」のみを強調する戦術が駆使されている。そこからは、ALDCに象徴される「白人のためのAA」を不問に付す一方で、「マイノリティのためのＡＡ」にくさびを打ち込もうとする保守派の策略も見え隠れする。つまりは、アジア系の存在が前景化され、保守派の思惑が後景化される構図にこそ本訴訟の外形的特徴がある。こうした訴訟モデルは、拡大の様相を呈している。ブラムが率いるＳＦＦＡが、ノースカロライナ大学やイェール大学を相手取り、同様の訴えを起こしている。保守派からの潤沢な資金援助を得て乱発される訴訟は、ＡＡやひいてはアジア系社会に今後どのような影響を及ぼすのだろうか。

（吉岡宏祐）

❖参考資料

川島正樹『アファーマティヴ・アクションの行方——過去と未来に向き合うアメリカ』名古屋大学出版会、２０１４年

Asian American Legal Defense and Education Fund et al. *Brief of Amici Curiae in Support of Defendant in Students for Fair Admissions, Inc. v. President and Fellows of Harvard College*. 2020, No. 19-2005.

Kochhar, Rakesh, and Anthony Cilluffo. "Income Inequality in the U.S. Is Rising Most Rapidly among Asians: Asians Displace Blacks as the Most Economically Divided Group in the U.S." Pew Research Center, July 12, 2018.［電子版］

Students for Fair Admissions, Inc. v. President and Fellows of Harvard College. 2020, No. 19-2005.

19

広がる「ニュース砂漠」

★新聞消滅が引き起こす情報格差★

「ニュース砂漠」という言葉が近年アメリカで広まっている。これは、地域のジャーナリズムの主翼を担う地元発行の新聞がまったく存在しない、または1紙しかない地域を指すもので、ノースカロライナ大学の調査チームが定義づけた言葉である。インターネットやスマートフォンの普及と広告収入の激減によって、2020年までの過去15年間に、全米の新聞総数の4分の1にあたる2100紙が廃刊に追い込まれた。コロナ禍のあおりを受けた20年の4月と5月の2ヵ月だけで、全米で少なくとも30紙が廃刊または他紙との合併によって消滅した。

アメリカで新聞の衰退がこれほどまでに加速している背景として、アメリカの新聞社が収入源の8割以上を広告に依存してきたことが挙げられる。これは新聞社の収入源をおもに販売に頼る日本の状況と異なる。このため、リーマンショック後の「大不況」の打撃を受けて広告収入が激減した2008年以降、アメリカの新聞業界は低迷してきた。これに、コロナ禍による経済危機が追討ちをかけたのである。

新聞は、情報を多くの人に伝達するマス・コミュニケーション（マスコミ）の媒体、すなわちマスメディアのひとつであり、

第19章

広がる「ニュース砂漠」

雑誌・テレビ・ラジオとともに4大媒体として機能してきた。近年ではこうした従来のマスメディアに、ウェブメディアやSNSが加わっている《第42章参照》。マスメディアのうち、ニュースを配信するジャーナリズムに求められるのは、正確性と速報性である。なかでも新聞は紙媒体ゆえの資料的価値を有するため、情報の信頼度がもっとも高い媒体とされている。

これまでに研究者やジャーナリストが指摘してきたのは、「地域の新聞がなくなると民主主義社会の健全性が損なわれる」という点だった。アメリカでは建国の時代から、健全な社会を維持するための役割が地域の新聞に期待されてきた。それというのも、地方紙には住民に積極的な政治参加を促し、専制を抑止する機能があるからである。さらに、アメリカは各州が強大な自治権を有する地方分権国家であることも、地域に根差したご意見番として地元紙の存在意義をいっそう高めている。

「ニュース砂漠」が引き起こす弊害として、たとえば人々の選挙への関心が低下することが挙げられる。選挙の際に、有権者は地元紙を通じて、候補者の所属政党のみならず、それぞれの主張や資質など候補者の詳細な情報を得ることができる。しかしながら地元紙が不在の場合、有権者は候補者個人の情報が十分に得られないことから、候補者の所属政党のみを判断材料にして投票せざるを得ない、あるいは投票そのものに無関心になる傾向が見られる。実際、「ニュース砂漠」となった地域では投票率が全米平均よりも低くなる場合が多いと指摘されている。地方紙の不在はこのように人々の政治参加を停滞させるうえに、地方自治における不正が糾弾されにくい状況を生むため、コミュニティを不健全化させる危険性をはらむ。

冒頭で言及したノースカロライナ大学の調査によれば、新聞不在地域は南部と中西部に集中し、これらの地域は全米平均よりも教育水準が低く、高齢者や貧困層の比率が高い。具体的に見てみると、「ニュース砂漠」の郡をもっとも多く抱えるのは、テキサス州とジョージア州で、これにバージニア州、ノースカロライナ州、テネシー州が続く。さらに、これらの州はいずれも新型コロナウイルスの感染者数が高水準で推移し、かつまた2020年の大統領選挙で接戦州となり、対立候補たちが政策をめぐって論戦を交わした地域を擁する《第1、22章参照》。皮肉なことに、「ニュース砂漠」に住む人々は、全米でもとくに地元の情報を必要とする人々だった。

さらに、これらの地域ではインターネットにアクセスできない層が比較的多い。これによって、インターネット上の情報を得てそれを活用できる人とできない人との格差、いわゆるデジタル・ディバイド（情報格差）《第42章参照》が生じている。そのために紙からデジタルへと媒体を変更したとしても利益が見込めず、デジタルへの移行を試みずに廃刊を余儀なくされる地元紙が多く、かつ営利事業としてあらたなメディアを再建することも困難となっている。こうした情報格差の問題とあいまって、コロナ禍とそれに伴う経済不振はニュース砂漠化現象を進行させ、都市部と地方との情報量の格差をますます押し広げることとなった。

この状況に危機感を持った研究者やジャーナリストが中心となり、地域の情報を住民に届けるユニークな試みを各地で展開している。そのひとつ、ミシガン州イーストランシング市のイーストランシング・インフォ（通称イーライ Eli）は、この地域のニュースを配信する新聞が不在となったことから、2014年にミシガン州立大学教員のアリス・ドレガーが非営利組織として立ち上げたニュース・メディアである。インターネットを介してニュースを配信する同組織は、市民参加型の報道を通じて市

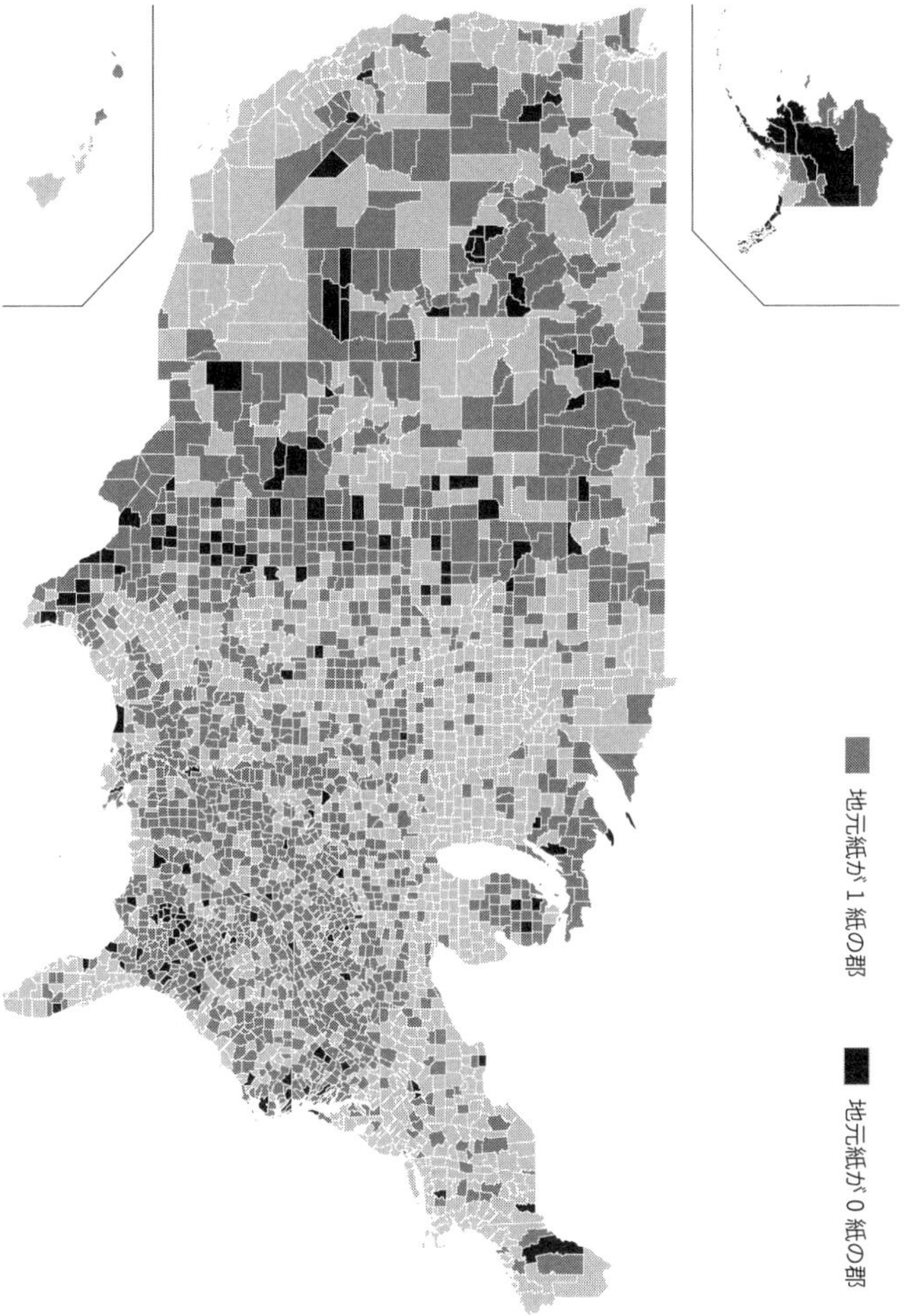

郡別に見た「ニュース砂漠」。225の郡に地元紙が存在せず、全国の郡の約半数にあたる1528郡には地元紙（ほとんどが週刊）が1紙しかない。（UNC Hussman School of Journalism and Media 作成の図を基に作成）

政の透明性を追求している。140人に上る市民記者は主婦、学生、定年退職した人などで、その大半は女性である。彼女たちの丹念な調査を踏まえた報道により、これまでに数々の行政の不正があきらかになった。

デジタル・ディバイドの問題は未解決であるものの、地方での情報過疎化を食い止めるべく、アメリカでは非営利組織によるニュース・メディアが次々と新設され、インターネット上でのニュース配信を中心とした地域報道活動が展開されている。日本でも、購読者数と広告収入の減少によって新聞業界は衰退しつつある。たとえば、コミュニティに密着した小規模な地方紙の廃刊が近年目立ち、全国紙や中規模以上の地方紙では、経費削減のために地方の支局を削減する方策が講じられている。これによって、原子力発電所の立地地域における常駐記者の不在といった問題が現実に起こっている。こうした日本の現状は、アメリカのニュース砂漠化現象を後追いしているように見える。そして、アメリカと同様にデジタル・ディバイドが進行する日本においても、いかにして地域報道の発展を促すかが重要な課題と言えるだろう。

（目黒志帆美）

❖参考資料

Sullivan, Margaret. *Ghosting the News: Local Journalism and the Crisis of American Democracy*. New York: Columbia Global Reports, 2020.

ノースカロライナ大学ハスマンスクール・オブ・ジャーナリズム・アンド・メディアによる調査報告［https://www.usnewsdeserts.com/］

20

地域密着型の公立大学

★窮地に立つ「偉大な平等推進装置」★

高等教育は「アメリカン・ドリーム」実現の「架け橋」であると、長年にわたり信じられてきた。事実、一部の人々の輝かしい成功物語だけではなく、大卒者は高卒者と比べて生涯賃金が高く、仕事や暮らし全般に対する満足度も高いという統計データからも、高等教育がよりよい生活を多くの人々にもたらしてきたことがうかがえる。

歴史を顧みれば、第二次世界大戦後には復員兵援護法（GIビル）がおもに白人男性の元兵士に対して、公民権運動など種々の解放運動をへた1970年代以降には一連のマイノリティ支援政策が人種／エスニック・マイノリティ、女性、障がい者などに対して、高等教育の門戸を大きく開いた。1940年から今日に至るまで、25歳以上の成人人口に大卒以上の者が占める割合は一貫して増加し続け、2019年には36％となった。

また、多様な人々が各地から集い、ともに学ぶ場である大学は、多文化主義の浸透にも寄与してきた。アメリカの高等教育機関が「偉大な平等推進装置（the Great Equalizer）」と呼ばれるゆえんがここにある。なかでも、公立大学（その大多数が州立大学）が果たしてきた役割は大きい。過去半世紀にわたり、大卒の証である学士号の約65％を、毎年授与してきたからである。

しかし、2000年代後半に起きた「大不況」の頃から、「大学の危機」が叫ばれるようになった。とくに深刻なのは、高騰する授業料捻出のために若者が陥る学資ローンの返済問題と、公立大学および小規模私立大学の財政問題である。学資ローンの負債総額は12年5月に1兆ドルの大台に乗り、20年10月には1・7兆ドルを超えた。こうした学費負担に加え、若年人口の微減に伴い、長年増加傾向にあった学部学生数は11年前後に減少局面に転じた。その結果、授業料収入の落ち込みと不況による各種助成金の削減というダブルパンチに見舞われ、閉校する大学も出た。4年制大学の総数（分校を含む）は13～14学年度の3039校をピークとして、18～19学年度には2703校にまで減少した。

このような苦境にあっても、公立大学が学士号を数多く授与してきたことは既述したが、なかでも注目すべきは地域密着型の公立大学（Regional Public University＝RP大学）である。ロバート・マクシーンらの定義によれば、RP大学とは、総合大学ではあるが学士課程に重点を置く中堅校で、かつカーネギー分類法（研究水準の指標）では「リサーチ2（R2）」以下に格づけされる公立大学のことである。2018～19学年度には、440校ほどあった。

公立大学と言えば、カリフォルニア大学バークレー校やミシガン大学などが日本ではよく知られているが、両校は「旗艦大学（Flagship University）」と呼ばれる大学に分類され、RP大学ではない。旗艦大学とは、各州の最高峰あるいは最古の公立大学のことで、その大多数がカーネギー分類法で最上位の「R1」に格づけされる。加えて、州によってはほかにも「R1」の公立大学（以下、R1大学）

が存在する場合もあり、旗艦大学とR1大学を合わせると、全米で100校ほどになる。こうした大学は総じて高度研究型大学であり、規模が大きく知名度も高い。しかしながら、2018～19学年度の旗艦大学とR1大学を合わせた学部学生数が360万人であったのに対して、RP大学の学部学生数は500万人以上であった。つまり、学士レベルに限れば、RP大学の方がより多くの学生を教育していることになる。

学生の内訳をみると、RP大学の「偉大な平等推進装置」としての役割がより明確になる。人種／エスニック・マイノリティや低所得世帯の出身者、そして「第一世代」と呼ばれる「家族ではじめての大学進学者」が、RP大学には多い。たとえば、2018～19学年度、五大湖周辺6州では、公立大学で学ぶ黒人の約7割、ヒスパニックの約6割がRP大学の学生であった。ペル奨学金（低所得世帯対象の連邦奨学金）の受給生が全学生に占める割合は、RP大学が29％、旗艦大学とR1大学が21％であった。さらにRP大学は、2年制大学から4年制大学への編入者の半数以上を受け入れているという。

RP大学のこうした特徴の背景として、旗艦大学やR1大学は入学基準が厳しい（最）難関校であるうえに、授業料も高額なことが挙げられる。つまり、これらの大学がグローバル競争に太刀打ちできるエリートの養成に力を注いできたのに対して、RP大学は、貧困や教育格差の悪循環のなかにあっても教育の力を信じて奮闘する人々に、高等教育の門戸を開いてきたと言える。たとえば、親世代よりも子世代が社会的に上昇するという「世代間の社会的流動性」がもっとも顕著なのは、RP大学の卒業生であるとする研究論文がある。

地域密着型の公立大学のひとつ、ウェスタン・ミシガン大学（筆者撮影）

　ＲＰ大学は、卒業生個々人に資するだけでなく、周辺地域にも貢献している。ＲＰ大学の前身は教員養成や職業訓練の高等教育機関である場合が多いため、ＲＰ大学は現在でも初等・中等学校の教員や医療福祉従事者を数多く輩出している。また、大学の存在自体が雇用を生み出し、とくに所在地が小都市や非都市の場合は、地域からの人口流出を抑制してきた。以上から、ＲＰ大学は地域社会の「執事《スチュワード》」と呼ばれたり、脚光を浴びる旗艦大学と対比して、水面下にあり人目に触れないが船には欠かせない「錨《アンカー》」にたとえられたりする。

　２０２０年以来、新型コロナウイルスの蔓延によって、ＲＰ大学はいっそう窮地に追い込まれている。旗艦大学とＲ１大学が比較的豊富な基金を有し、研究助成金を獲得しやすいのに対して、ＲＰ大学は公的助成金と授業料収入への依存度が高く、州財政の悪化と学生数の減少の直撃を受けているからである。その結果、教職員の新規採用の凍結や契約の不更新だけでは難局を乗り切れず、学部や専攻の廃止ばかりか、ＲＰ大学自体の統廃合の可能性が浮上している。

　格差是正と経済活性化のためにＲＰ大学が果たしてきた役割を考えると、その存亡が今後の地域社会に与える影響は計り知れない。マクシーンらによれば、ＲＰ大学がもっとも深刻な打撃を受けている地域は、オハイオ州を筆頭とした中西部であるという。同地域における２０２０年大統領選挙《第1章参照》の顛末を見ても、デマゴークに踊らされ、「オルタナティブ・ファクト」を妄信するようなポピュリズムの暴走を防ぎつつ、参加型民主主義を維持するには、高等教育の扉を広く開き続けることが何よりも重要であることは、あきらかである。

（落合明子）

❖参考資料

セリンゴ、ジェフリー・J（舩守美穂訳）『カレッジ（アン）バウンド――米国高等教育の現状と近未来のパノラマ』東信堂、２０１８年

Maxin, Robert, and Mark Muro. "Restoring Regional Public Universities for Recovery in the Great Lakes." Metropolitan Policy Program at Brookings. June, 2020. [https://www.brookings.edu/research/restoring-regional-public-universities-for-recovery-in-the-great-lakes/]

NBC News. "Colleges in Crisis, Pt. 1 to Pt. 6." August 4 and 19, 2020. [https://www.nbcnews.com/news/us-news/college-finances-crisis]

教育省所管の教育科学研究所（ＩＥＳ）のホームページ［https://ies.ed.gov/］

21

教育における再人種分離化

―★チャーター・スクールをめぐり対立する選択の自由と人種統合★―

1954年のブラウン判決において、連邦最高裁判所は、「人種分離した教育施設は本質的に不平等である」と述べ、公立学校の人種分離に対して全会一致で違憲判決を下した。翌55年のブラウンⅡ判決では、「十分に慎重な速度で」人種統合するよう命じた。それから65年あまりが経過した現在、人種やエスニシティを越えた統合は遅々として進んでいないばかりか、むしろ後退している感さえ否めない。とりわけ、こうした傾向は90年代以降、急増するチャーター・スクール（CS）においてより顕著である。

CSとは、学区や州の教育委員会などから「チャーター（設立認可）」を受けて設置された学校のことであり、財源は寄付や公的助成金によって賄われている。それゆえ、授業料の不徴収や入学者の無選抜といった特徴を有する。1992年にミネソタ州で最初の産声を上げて以来、急成長を遂げており、現在では全米45州と首都ワシントンにおいて約7500校が開校している。

誕生から四半世紀をへた今日では、その是非をめぐり対立が顕在化することもある。ドナルド・トランプを筆頭とする推

第21章

教育における再人種分離化

ブラウン判決の中心人物であるリンダ・ブラウンが通学していたカンザス州トピーカの旧モンロー小学校（2016年8月、筆者撮影）

進派は、硬直化した既存の公立学校に代わるあらたな選択肢として、CSへの支持を表明してきた。一方、ジョー・バイデンに代表される反対派は、公立学校に充てられるはずの予算の一部がCSの助成に充てられることを問題視し、CSに対する連邦助成金の廃止を掲げている。同じく反対派の全米黒人地位向上協会（NAACP）は、CSによって人種分離の再生産と多様性の喪失が助長され、異人種間の相互理解が阻害されている点を批判している。

実際、カリフォルニア大学の公民権プロジェクトが2010年に行った調査では、伝統的な公立学校に比べ、CSはより人種的に分離されているとの結果が示された。とくにマイノリティ生徒はその影響を強く受けており、14年を例に取るならば、CSに通う黒人の87％、ヒスパニックの79％は人種やエスニシティによって分離された学校に通っている。

とはいえ、CS運営の当事者から聞こえてくるのは、こうした現状を異口同音に容認ないし正当化する声である。たとえば、2016年にミネソタ州で開かれた公聴会において、黒人の割合が92%を占めるエクセル・アカデミーの校長は、生徒の意見を代読するにあたり、次のような証言を行っている。「もし、白人生徒を有色人が多数の学校に通わせ、反対に有色人の生徒を白人が多数の学校に通わせようとすれば、多くの点で道を誤ることになるでしょう」。また、全校生徒の94%がモン族で構成されるニュー・ミレニアム・アカデミーの校長も、意見を同じくする。「それぞれの文化集団は独自の文化を有する。モン族はとてもおとなしく、内向的で、あまり口数は多くない。それに対して、アフリカ系アメリカ人生徒は、社交的でよくしゃべる」と校長は説明する。これら発言からあきらかなのは、「文化」を語ってはいるものの、人種・エスニック集団を本質主義的に捉える思考が、人種分離されたCSの存在を下支えしている点である。

合わせて、こうした思考が浸透している制度的な背景として、CS自体が州や学区の人種統合プランの適用からそもそも免除されている点が挙げられる。教育の場において人種分離が進行する状況を是正すべく、2016年、ミネソタ州教育省は、この免除規定の削除と人種統合プランの立案を求めている。加えて、15年、7家族と非営利組織が原告となり、当該免除規定の削除を求め集団訴訟を提起している。原告の訴えは、地域の学校があまりにも人種分離されているため、有色人の子どもが「適切な」教育を受けることができないというものであった。

こうした動きに対して、CSの関係者は徹底抗戦の構えを見せている。その主張によれば、免除規定の削除によって、人種統合が強制されることとなり、その結果、学校選択の自由が奪われるというのである。そのうえで、人種分離が法的に強制されていたブラウン判決以前の時代とは違って、現在の親子には「選択肢」が与えられている点を強調し、「人種分離」という批判は該当しない、と反論している。

免除規定をめぐる論争以外にも、CSをめぐっては、公金の受給に関する問題も指摘されている。その際、争点となったのは、CSの創設を支援するべく、1995年に教育省内部に設立されたチャーター・スクール・プログラム（CSP）と呼ばれる助成制度であった。CSP創設時、連邦議会は、営利組織がCSPの給付金を直接受給することを禁じていた。しかしながら、ことCSに関して言うならば、営利と非営利組織との境界線は非常にあいまいであり、両者は名ばかりの区別となっている。たとえば、「公教育のためのネットワーク（NPE）」が刊行した報告書によれば、ミシガン州では、1995年からの10年間に、全CSの約80%が営利の管理会社によって直接運営されており、これらの営利組織は総額6460万ドルをCSPから受給していたという。この要因として挙げられるのは、監視体制の不備にほかならない。結局のところ、同期間、教育省は給付金の使途明細の提出を義務づけていなかったのである。

さらに、同報告書は、2006年から14年までの間にCSPから助成を受けた4829校のデータを精査したうえで、そのうちの実に37%の学校において給付金の「不正受給」や空費が発生していたことを指摘している。それによれば、給付金を受給していながら一度も開校しなかったCSが全体の11%（537校）に及び、給付金受給後に廃校した割合も26%（1240校）に上るという。NPEの算定では、これらの学校に投じられた連邦助成金の支給総額は約11億7000万ドルに達するという。

こうしたCSPに対する疑念の高まりを背景に、2020年、トランプ前大統領は、CSPの予算を凍結し、その代わりに宗教学校を含む私立学校の授業料に対する助成金として50億ドルを計上する予算案を突如提示した。本案は連邦議会で否決されたものの、学校選択制の大義のもと、公立学校が市場化と競争原理にさらされ得る可能性をあらためて露呈した。人種分離のみならず、第三者機関への監督責任の移譲、さらには監視体制の不備や給付金の「不正受給」にまで至る問題を抱えながらも急成長を遂げてきたＣＳは、バイデン政権においてどのような趨勢をたどるのだろうか。ブラウン判決以降、混迷をきわめる選択の自由と人種統合をめぐるアポリアは依然未解決のままである。

（吉岡宏祐）

❖参考資料

大桃敏行「学力格差是正に向けたアメリカ合衆国の取り組み――連邦教育政策の展開とチャーター・スクールの挑戦」『比較教育学研究』54号、２０１７年、１３５〜１４６頁

Burris, Carol. *Still Asleep at the Wheel: How the Federal Charter Schools Program Results in a Pileup of Fraud and Waste*. New York: Network for Public Education, 2020. [https://networkforpubliceducation.org/stillasleepatthewheel/]

Stancil, Will. "Charter Schools and School Desegregation Law." *Mitchell Hamline Law Review*, Vol. 44, No. 2 (2018), 455–509.

II

社　会

22

パンデミックと北米の歴史

★自国主義から国際協調へ?★

北米をパンデミックから救え。コロナ禍においてボードゲーム「パンデミック――ホットゾーン」が、カナダのZマンゲームズから全世界に向けて発売された。2020年5月下旬、まさに新型コロナウイルス感染症の大流行の真っ最中だ。「パンデミック」シリーズ発売開始10周年を迎えた18年から、2年をかけてマット・リーコックがゲームデザインを行い、小学生以上の2~4人で遊べるゲームに仕上げた。

大がかりな旧版「パンデミック――新たなる試練」を簡素化し、今回は舞台を北中米カリブ海地域に限定し、病原体を三種類に、プレーヤーの役割を四種類、調査基地はアメリカ疾病予防管理センター(CDC)本部のあるアトランタのみにし、「危機カード」を使って難易度を変更することも可能となった。より現実の世界に近い前作と比べ、病原体やプレーヤーの種類を減らした新作「ホットゾーン」は、その点でわかりやすいと好評を得た。

さて、このゲームを購入した人にとっても、2020年は自粛を余儀なくされ、平穏な生活からかけ離れた「新しい日常」の到来となった。文字通り晴天の霹靂である。購入者にとって、

第22章

パンデミックと北米の歴史

第二次世界大戦後のＳＡＲＳ《サーズ》やＭＥＲＳ《マーズ》、ジカ熱などのパンデミックは対岸の火事でしかなかった。しかし19年に端を発する新型コロナウイルス感染症は、政治外交や社会経済などに大きな影響を及ぼした。こうした脅威に対応する目的で、第一次世界大戦末期に流行したインフルエンザなどを振り返る試みが盛んになされている。

　そもそも世界史上、パンデミックを引き起こした感染症には、ウイルス感染症（たとえば天然痘、ポリオ、麻疹、風疹、インフルエンザ、ＡＩＤＳ）、細菌感染症（梅毒、ペスト、コレラ、結核、発疹チフス）、原虫感染症（マラリア）など、多様な病原体によるものがある。

　すでにパンデミックの政策対応を歴史的に分析する試みとしては、リチャード・ニューシュタットとアーネスト・メイの共著『ハーバード流歴史活用法――政策決定の成功と失敗』（１９９６年）がある。76年の豚型インフルエンザ騒ぎを第３章「類似した事例から生まれる非合理性」で取り上げ、歴史的類推に惑わされるな、事実と推測を区別せよ、時間の流れのなかに位置づけよ、と説いていた。しかし、こうした冷静な政策分析とはほど遠く、２０２０年の大統領選挙《第1章参照》で敗北するドナルド・トランプ大統領は、問題の過小評価と外部への責任転嫁に終始することで、新型コロナウイルス感染症被害を拡大させた。

　科学的言説に異を唱えるトランプをめぐる攻防も加わり、ウイルスという人間の外部から襲いくる猛威は、自然災害なのか人災なのか、議論が続いている。疫病学者によると、地域流行型エンデミック、より多くの患者とより速くより広範囲での拡大を意味するエピデミックと比べて、流行の規模が格段に大きいパンデミックは寄せては返す波のように北米を襲った。北米のこうしたパンデミックは、文字記録に残された歴史を振り返るならば、先住民とヨーロッパ植民者たちとの遭遇にまで遡ることができる。

2002年に歴史学界の話題をさらったデューク大学教授エリザベス・フェンによる『ポックス・アメリカーナ（Pox Americana）』が主張するところでは、北米植民地時代の歴史こそ、病原菌を武器として用いるヨーロッパ帝国主義者の暴力的拡大によって血塗られている。つまり、人災としてのパンデミックは、南北アメリカ大陸の伝統にほかならない、というのだ。

感染症によるパンデミックは古代より見られ、とくに14世紀ヨーロッパでは黒死病（ペスト）が大流行し、「旧大陸」人口の約3分の1もの死者を出した。フェンの解釈によれば、抗体を持ったヨーロッパ人がアメリカやオセアニアといった「新大陸」へ生物兵器を持ち込んだというのだ。本書を評した『コロンブスの交換（Columbian Exchange）』の著者アルフレッド・クロスビーは、人間以外の歴史的主役こそ注目すべき役割を果たしていると訴えた。そして、彼はトマトやジャガイモといった野菜をはじめ、たった2ヵ月でアジアまで届いた梅毒のように、アメリカ大陸から世界へと拡大するもうひとつのベクトルにも注目するよう促した。つまり、大西洋を西に向かって動くヒト・モノ・金そして生態系（動植物や病原菌）だけに焦点を当てた旧大陸中心主義的な歴史観に異を唱えたのである。

ところで19世紀から20世紀にかけて今度はコレラが、地域を変えながら世界各地で大流行を起こした。19世紀半ばの中国を発生源とするペストは、19世紀末に香港へと流行が拡大し、欧米への急速な拡大が懸念された。これに対応する形で国際的な隔離検疫体制が敷かれ、アジア地域外への流行拡大を防止することができた。そもそも感染症の封じ込めは世界全体で取り組むべき課題であり、これは

コロンブスの交換（筆者作成）

感染症に対する国際防疫体制の端緒となった。

一方、北米大陸発のパンデミックとして有名なのは1918年にアメリカで発生したスペインかぜ（インフルエンザ）である。第一次世界大戦のヨーロッパ戦線にアメリカ軍が大量に投入されたことで旧大陸をへて、全世界へと拡大した。この流行は翌々年まで続き、死亡者は最大で1億人とも言われる。この時期は第一次世界大戦の末期にあたり、総力戦体制のもと全世界的に軍隊や労働者の移動が活発となったことがより被害を甚大なものとした。全世界的な流行は、鉄道や河川といった輸送ルートを通過して海岸部の港湾都市から奥地へと拡散していったのである。

パンデミックに敢然と挑むエキスパート・チームが繰り広げるゲーム「パンデミック」は、多くの人々の協力を得て、はじめてゴールへと到達することができる。これに逆行するかのように、トランプ政権は国境を越える国際協調を拒否し、グローバリゼーションに背を向ける自国第一主義を優先させた《第13章参照》。これに対して第46代大統領に選出されたジョー・バイデンは、前政権が軽視した国際協調体制への復帰を公約した《第10章参照》。はたして、アメリカはそして人類はどこへさすらうのか。世界の眼は、ポスト・トランプのアメリカに注がれている。

（小塩和人）

❖参考資料

小塩和人『アメリカ環境史』上智大学出版、２０１４年
クロスビー、アルフレッド・W（佐々木昭夫訳）『ヨーロッパの帝国主義――生態学的視点から歴史を見る』筑摩書房、２０１７年
山本太郎『感染症と文明――共生への道』岩波書店、２０１０年
Fenn, Elizabeth A. *Pox Americana: The Great Smallpox Epidemic of 1775–82*. New York: Hill & Gang, 2002.
Zマンゲームズのホームページ [https://www.zmangames.com/en/games/pandemic/]

23

ミレニアル世代

★アメリカ変革の兆し★

同時代を生きていても、国がちがえば世代の特徴はかなり異なる。研究者や機関によって多少分け方はちがうが、ピュー研究所によれば、アメリカの場合は、ベビー・ブーマー世代（1946〜64年生まれ、第二次世界大戦後のベビー・ブームの時代生まれ）、X世代（65〜80年生まれ、ベビー・ブーマー世代とミレニアル世代の2大集団に挟まれた世代）、ミレニアル世代（81〜96年生まれ、英語の「千年紀の」に由来し、3千年紀になる頃に成人した人を含むため「ミレニアル」と呼ばれる）に分けられる。ミレニアル世代はX世代の次なので、Y世代と呼ばれることもあるが、近年脚光を浴びている。

ミレニアル世代は、生まれ年にもよるが、年齢が上の場合は高校から大学にかけて1998年のビル・クリントン大統領の弾劾裁判、99年のコロンバイン高校襲撃事件、2001年の同時多発テロ事件とその後の対テロ戦争を経験した。若い人でも、対テロ戦争から05年のハリケーン・カトリーナ災害、07年末のサブプライム住宅ローン危機に次ぐリーマン・ブラザーズ・ホールディングスの経営破綻（08年9月）、またそれに端を発した「大不況」といったできごとの影響を受けながら大人になった。

またこの世代は、人種・エスニシティ別の人口構成における急速な変化も経験してきている。ヒスパニック《第27章参照》人口は1980年にはアメリカ総人口の6・4%だったが、10年ごとに9・0%、12・5%、16・3%と増加してきたし、アジア系や太平洋系人口も、1・5%、2・9%、3・7%、5・0%と増加してきた。ミレニアル世代自身も、その人口変化を体現するように、2014年の調査によると、21%がヒスパニック、13%がアフリカ系、6%がアジア系、従来圧倒的多数派だった白人が57%という構成になっている。ヒスパニックの年齢層が若いからではあるが、別の12年の調査では、ヒスパニックの37・9%がミレニアル世代であった。世代内の多様性がいまだかつてなく大きくなったのも、ミレニアル世代以降の特徴である。

それに加え、ミレニアル世代は最初のデジタル・ネイティブとも言われる《第42章参照》。1980年代生まれは95年のマイクロソフト社のOS「ウィンドウズ95」の恩恵を受けたし、物心ついた頃には、携帯情報端末機器が使われ始めていた。90年代生まれは、幼年期から青年期が07年発売のiPhoneの普及と重なっている。これは、この世代が、インターネットやSNSが物理的に隔たった人やモノを瞬時につなげ、個人での発信が気軽に行えるようになっていくグローバルな環境に無理なく順応し、自らもネット上の世界の構築にかかわってきたであろうことを意味している。そしてこのことが、ミレニアル世代を独特の集団たらしめている。

ミレニアル世代が注目を浴びる理由は、現在中堅の年齢層であることのほかに、人口の多さがある。親の世代であるベビー・ブーマー世代の人口も多かったが、いまや老年期に突入しており、その消費行動はさほど注目されていない。ミレニアル世代にあたる人々は、2019年時点で7210万人で

第23章

ミレニアル世代

あり、全人口の約22%であった。購買場所が、実店舗よりもネット上に移行してきたこともあり、デジタル・ネイティブでかつ労働人口であるこの世代の消費動向は注目されている。またSNSが世論に及ぼす影響力の大きさから、ミレニアル世代が政治に与える影響も見逃すことができなくなっている。かつてこの世代は、自分にしか関心がない世代だと言われたが、SNSを通じて政治や社会問題にかかわってはいるのであり、かかわり方が以前の世代とは異なるだけである。

ミレニアル世代は、SNSから情報を得るだけでなく、自分たちから情報を積極的に発信し、それをパワーに変えながら世のなかを住み心地よくしようとしているようである。この世代は世界規模の不況を経験し、学費が払えずに大学を辞めたり、大学を出ても仕事を見つけるのが困難だったりした。結果として、経済的に独立する時期も遅れた。このような背景があり、激しい経済格差に疑問を感じ、人類（人種）が平等でないことや、環境破壊をも憂うようになった。問題を見すごしてきた既存のメディアや二大政党に不信感を持ち、上の世代よりもSNSのインフルエンサーや口コミに頼りやすい。また政治的に「無党派」と答える者が多いが、よりリベラルとされる民主党に投票する傾向がある。たとえば、2016年の大統領選挙戦当時、アイオワ州とニューハンプシャー州では、30歳以下の投票者の約半数がバーニー・サンダースを支持していた。2020年の大統領選挙では、大学無償化や国民皆保険を唱え、「民主社会主義者」を自認する急進左派のサンダースを民主党の大統領候補にしたいと願う人も多かったようである。また、世界的に人気のK－POPグループBTSのファンを中心に、ドナルド・トランプ大統領のオクラホマ州での遊説先の客席を大量におさえておいて参加しない、という選挙妨害を行った。ネット上では100万人以上が応募したので、トランプ陣営は集客数を少なくとも10万人と見込んでいたが、実際には約6200人しか集まらなかった。ミレニアル世代は、環境保護や人種の平等への関心が高いため、企業にもダイバーシティ確保や環境保全のための努力を求める。いまや企業はそれらに配慮しているとアピールしなければ、商品を買ってもらえないし、優秀な人材を集めることもできない。ミレニアル世代は集団としての自分たちの一挙手一投足が社会を変え得ることを自覚している。

ミレニアル世代は、人種、エスニシティ、宗教、性的指向、性自認の多様性《第39章参照》に関しても、前の世代より寛容である。2011年の調査によれば、一世代前のX世代が異人種間結婚を許容する割合は47％だったのに対し、ミレニアル世代の60％が肯定した。また同性婚についても70％が理解を示す。イスラーム《第28章参照》にも寛容であるし、移民を仕事を奪うライバルとは考えていないようである。助け合いの気持ちを持ち、ひとり当たり毎年約500ドルを、より恵まれない人に寄付し、ブラック・ライブズ・マター（BLM）運動《第32章参照》にも率先して加わる。SNSを介すれば、他国との心理的境界もなくなるので、その結果、人種や言語などのちがいを越えてよいと思うものを支持することもできる。1994年生まれでアメリカを中心に活動するカナダ人歌手ジャスティン・ビーバーが、16年に日本のピコ太郎のネット動画を後押しして世界規模で有名にしたことは記憶に新しい。

近年、ミレニアル世代の傾向をより強めたZ世代（1997年以降生まれ）が登場している。2018年2月のフロリダ高校銃乱射事件を受けて大規模な抗議活動に発展させたのはZ世代だったし、ミレニアル世代とZ世代の実に55％が20年にBLM運動に参加した。アメリカの根底からの変革はすでに始まっている。

（西川裕子）

❖参考資料

佐久間裕美子『Ｗｅの市民革命』朝日出版社、２０２０年
Rouse, Stella M., and Ashley D. Ross. *The Politics of Millennials: Political Beliefs and Policy Preferences of America's Most Diverse Generation.* Ann Arbor: University of Michigan Press, 2020.

24

現代アメリカの宗教的景観

★キリスト教徒の減少、デジタル化の進行★

アメリカでは、成人の宗教別人口比に占めるキリスト教徒、とりわけプロテスタントの割合が、20世紀半ば以降減少し続けている。2019年にピュー研究所が発表した統計によると、キリスト教徒の割合は65％。内訳はプロテスタント43％、カトリック20％、モルモン教徒2％、東方正教徒などその他のキリスト教徒が1％未満である。キリスト教以外の宗教を信仰する者の割合は7％で、ここにはユダヤ教徒（2％）、ムスリム《第28章参照》、仏教徒、ヒンズー教徒（各1％）が含まれる。一方、宗教的帰属を持たないと答えた者は26％である。1990年代以降急速な増加傾向にあるが、19年調査で最高値を更新した。「無宗教（Religious Nones）」と呼ばれるこのカテゴリーには、神の存在を否定する無神論者（4％）、神を否定はしないが人間には認識できないと考える不可知論者（5％）に加えて、「宗教なし」（17％）と答えた者が含まれる《グラフ1参照》。

教会への帰属率の低下については、別の指標もある。ギャラップ調査（2018年）によると、教会（シナゴーグ、モスクを含む）に所属していると答えたアメリカ人の割合は50％である。20世紀末までは約7割を保っていたが、21世紀に入り急激に低下している。また、ピュー研究所による複数の調査で07年から18〜19年までをたどると、教会に通う頻度を「月に1回以上」と答えた人の割合は54%から45%に減少し、他方「年数回かそれ以下」の割合は45%から54%に増加した。14年を境に逆転している。

宗教別人口比および教会に通う頻度を年代別に見ると、若い世代ほどキリスト教徒である割合が低く、キリスト教以外の宗教を信仰する者や無宗教者の割合が高いことがわかる《グラフ2参照》。無宗教者の割合が高くなれば、それに伴って教会に通う頻度も低くなる《グラフ3参照》。とくに1981年以降に生まれたいわゆるミレニアル世代《第23章参照》において、キリスト教離れと教会離れがいちじるしい。社会の第一線を退いた高齢者が教会への帰属意識を高めることは想定できるが、キリスト教離れおよび教会離れの傾向が70年代以降継続し、90年代以降急速に進んでいることに鑑みれば、ライフステージの問題というより世代による変化であり、よって今後も続くと考えられる。

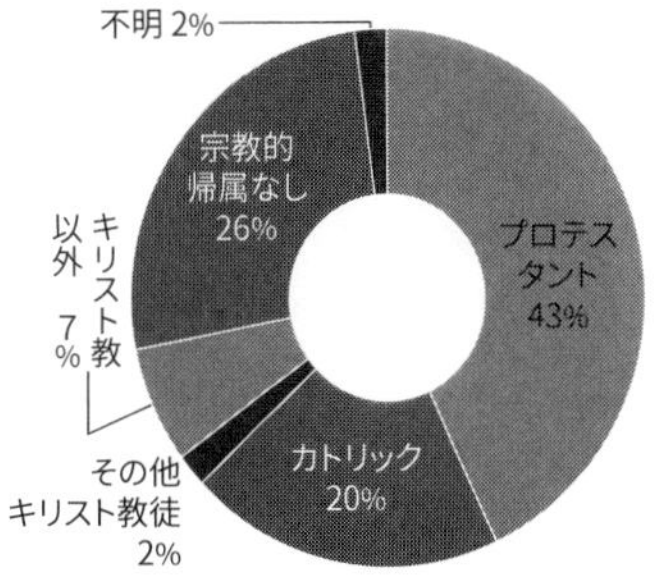

グラフ1　アメリカの全人口に対する宗教別人口比（2019年）（ピュー研究所による調査報告を基に筆者作成。ただし近似の概数が採用されていたため、合計値は100%ではない）

キリスト教徒の相対的な減少傾向は、無宗教者の増加のほかに、キリスト教以外の宗教を信仰するアメリカ人の増加にも起因する。後者は、1965年移民帰化法の制定後、20世紀後半以降続くアジアやアフリカからの移民や難民の増加と関連づけられる。こうした地域からは、ムスリムやヒンズー教徒など、キリスト教以外の宗教を信仰する者が多く移住してきた。キリスト教徒でない移民の増加は、今

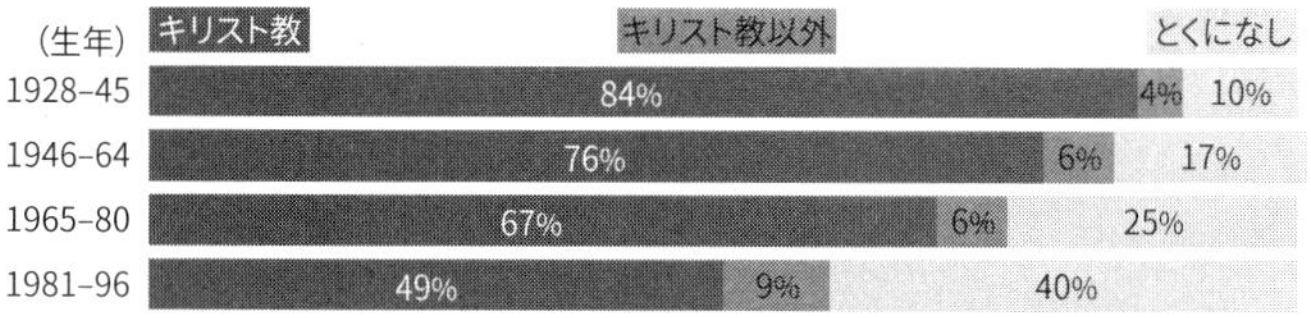

グラフ２　宗教別人口比の生年別割合（ピュー研究所による調査報告を基に筆者作成。ただし近似の概数が採用されていたため、合計値は100％ではない）

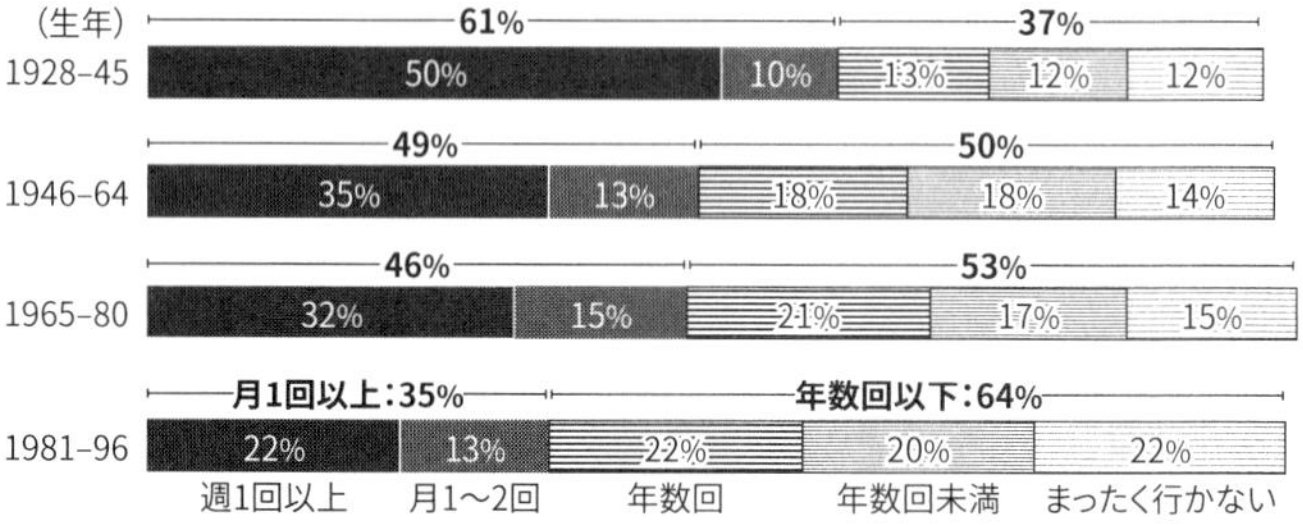

グラフ３　教会に通う頻度の生年別割合（ピュー研究所による調査報告を基に筆者作成。ただし近似の概数が採用されていたため、合計値は100％ではない）

後も見込まれる。21世紀半ばまでにはアメリカの多数派が白人ではなくなると予測されるが、人種・民族的な多様化は、アメリカ社会の宗教的な多様化にも連動する。翻って、アメリカでは80年代頃まで、キリスト教以外の宗教は「カルト」に分類されることが多かった。その後、多文化主義が謳われるなかで、20世紀末までにはアジアなど西洋以外に起源を持つ宗教がアメリカの宗教的景観に加わった。このこと自体が、現代アメリカの多様性を象徴している。

　20世紀末以降、宗教全般に起きたもうひとつの変化は、デジタル化である。サイバー空間と呼ばれるコンピュータ・ネットワークが形成する情報空間への宗教の進出は、1990年代から顕著になった世界的な現象であり、アメリカにおいても進行中である。今日では、教会などの宗教集団が独自のホームページで情報を発信することが日常的になり、ＳＮＳの普及により宗教的対話の可能性は無限大とも言える広がりを持つようになった。

アメリカ史をひもとけば、各時代における最新のマスメディアは、宣教の手段として宗教界にいち早く取り入れられてきたことがわかる。１９３０年代のラジオ説教、80年代のテレビ伝道はその例である。これらの先例と比較すると、現代のメディアは、瞬時に世界規模で発信できることに加えて、双方向性が強く誰もが発信源になり得るという特徴を持つ。サイバー空間に進出した宗教は、教会の地理的な制約を克服し、教派のちがいや、ときには宗教のちがいをも超えた人々のつながりを容易にした。サイバー空間では、あらたな宗教共同体が形成され、新しい形の宗教的対話が生み出される。

ミレニアル世代は、コンピュータ・ネットワークとともに育ったデジタル・ネイティブである。この世代にとって、宗教的な対話の場を教会からサイバー空間へと移すことは、ごく自然であった。アメリカ人の教会離れの背景には宗教のデジタル化があり、昨今言われる若者の宗教離れは、アメリカにおける宗教のあり方、とりわけ信徒が会する場の変化としてもとらえることができる。移民の国アメリカにおける教会は、神と向き合う祈りの場であると同時に、人々が集う場、人々をつなぐ場として機能してきた歴史を持つ。教会はそこに集う会衆ゆえにアメリカ人を引き寄せてきた。デジタル化が進む今日、会衆がサイバー空間でつながる宗教的な共同体が形成されつつあり、これがとりわけ若者の教会離れを促す要因になったと考えられる。

若者の信仰心が薄れたわけではないことは、アメリカ人のおおむね9割が変わらず「神を信じている」ことからも指摘できる。この割合は、１９７０年代半ば以降、微減傾向にはあるものの、ほぼ変わらない。また、世界102ヵ国において毎日祈る人の割合と国内総生産との相関を調べたギャラップ調査（2015年）では、毎日祈る人の割合が平均値（49%）を超えた唯一の先進国がアメリカ（55%）であった。一般に、信仰の篤さと経済的な豊かさは反比例の関係にあるが、アメリカは唯一の例外で、先進国のなかではきわだって宗教的な国であり続けている。

2020年に世界中に蔓延した新型コロナウイルスは、はからずも人々の日常生活のさらなるデジタル化を後押しすることになった。宗教のデジタル化に減速の気配はない。

（大類久恵）

❖参考資料

パットナム、ロバート・D他（柴内康文訳）『アメリカの恩寵』柏書房、2019年

Campbell, Heidi A. *Digital Religion: Understanding Religious Practice in New Media Worlds*. New York: Routledge, 2012.

"In U.S., Decline of Christianity Continues at Rapid Pace: An Update on America's Changing Religious Landscape." Pew Research Center, October 17, 2019.［電子版］

ギャラップ調査のホームページ［https://www.gallup.com/home.aspx］

25

デトロイトの復活？

★ジェントリフィケーションの功罪★

　近年、首都ワシントン、ミネアポリス、シカゴ、そしてアトランタといったアメリカの都市部では、劇的な変化が起きている。低所得者層が多く生活していたコミュニティに富裕層が新しい住人として移り住んできたことで、住宅価格が上昇し、長年の居住者が家賃を払えず、家主の退去命令により住宅から追い出されるなどの現象が起きている。富裕層や企業の誘致と大規模な再開発が促進されることで近隣の特性が変化する、いわゆるジェントリフィケーションが増えているのである。ジェントリフィケーションの対象となる都市部の低所得者のコミュニティには黒人が多く、あらたに流入してくる富裕層はほとんどが白人であるため、ジェントリフィケーションは都市問題であると同時に人種問題としてもとらえられる傾向にある。

　アメリカにおいてジェントリフィケーションは１９７０年代後半以降に注目され始めた。そもそもこの用語は、イギリスの社会学者ルース・グラスが64年に用いたことが始まりであった。彼女は、ロンドン東部にある労働者階級の居住地区に中産階級が移り住んできたことでその地区が変化していき、もともとそこで生活していた人々が追い出されていく過程を、ジェントリフィケーションと呼んだ。アメリカの研究者は彼女の研究を援用して、70年代後半にアメリカにおける同様の現象についてこの言葉を用いるようになり、その結果、その現象自体も注目され始めたのである。

近年のアメリカのジェントリフィケーションを理解するうえで重要な概念が、アメリカの社会学者リチャード・フロリダが唱える地域開発論である。フロリダはIT技術者、アーティスト、科学者、そしてゲイやレズビアンなどを創造階級（creative class）と称し、これからの都市は創造階級を都市に呼び込み経済を牽引させることで発展していくと説いた。彼によれば、この創造階級の人々を惹きつけるために、自治体は教育環境の整備、スポーツや芸術といった文化・娯楽施設の充実などに力を入れる必要があるという。これまで自治体が行ってきた都市開発では、おもに公共交通網が整備され、補助金や税金控除を通した企業誘致が図られるといった手法が取られてきた。しかし、グローバル化による競争激化と財政難に直面する昨今、フロリダの創造階級論は自治体や都市開発関係者から多くの関心を集めるようになった。それと同時に、教育レベルの高い創造階級に依存する理論はエリート主義的であり、規制緩和を通して民間の力に頼るその主張は、新自由主義的で都市開発のような公共政策に不向きであるとも批判された。こうした賛否両論が渦巻くなかで、フロリダの理論を実践するかのようにジェントリフィケーションを推進した都市が、ミシガン州のデトロイト市である。

２０１３年7月18日、デトロイトは連邦破産法第九条の適用を連邦破産裁判所に申請して財政破綻した。負債総額は１８０億ドル（日本円で約1兆８０００億円）以上となり、アメリカの自治体の破産としては過去最大のものとなった。自動車産業の街として有名なデトロイトでは、08年の金融危機後に経営破綻したゼネラル・モーターズ（ＧＭ）も復活しつつあった。しかし、皮肉なことにそのＧＭからの税収入も経営破綻による税制優遇措置によって少なく、長年の債務の償還や年金・医療費負担などが市の財政を逼迫させていた。その後デトロイトは厳しい再建の道を進むことになった。市は警察官や消防士など公務員の給料カット、ゴミ収集や道路工事の縮小などの行政サービスの低下という大きな代償を伴う大胆な支出削減を断行した。こうして再出発したデトロイトであったが、その後目覚ましい復活を遂げていく。なお、ＪＰモルガン・チェース銀行が２０１４年から始めて1億５０００万ドルを投じたデトロイト投資プロジェクトによる再建策の効果も大きい。デトロイトは着実に財政を再建させていったのである。

ダン・ギルバート（Cleveland Cavaliers, CC BY-SA 4.0）

このデトロイトの復活で中心的な役割を担った人物は、地元出身のビジネスマンで大富豪のダン・ギルバートである。住宅ローン会社クイッケン・ローンズを率いるギルバートは、財政破綻以前の２０１０年に本社をデトロイトに移転して以来、ダウンタウンの高層ビルやブック・タワーなど有名な歴史的建造物を次々と買収しており、彼の傘下の不動産会社ベッドロックを通じてジェントリフィケーションを行ってきた。彼の目的は、ビジネスとして利益を上げることは当然だが、同時にデトロイトの「再ブランド化」であった。彼は17年までに、デト

2017年に開業したデトロイトの路面電車「Qライン」の車両（Michael Barera, CC BY-SA 4.0）

ロイトに1万7000人の雇用をもたらしたうえに、Qラインと呼ばれる次世代型路面電車の整備や、警察の代わりとなるコールセンターの設置までをも手がけた。その間、創造階級の人々が次々とダウンタウンに流入し、見ちがえるほどの変化をもたらした。たとえば、デトロイト発の時計ブランドであるシャノイラが誕生するなど、その経済効果は絶大である。

しかし、デトロイトの再開発は明るい話だけではない。ギルバートによるジェントリフィケーションは、あきらかにデトロイトの人々を分裂させた。デトロイト人口の約80％は黒人であり、80年代以降は黒人が多数派の街であった。そのため、ジェントリフィケーションによって立ち退きを余儀なくされた黒人も多い。そしてあらたにやって来た野心的で若い富裕層の多くは白人である。彼らに代表されるような新しいデトロイトと、デトロイトで長年暮らしてきた黒人の生活はあまりにもかけ離れており、ジェントリフィケーションは恵まれた人々と忘れ去られた人々、または特権を持つ人々と貧しい人々の対立をもたらした。先述したフロリダも、最新の著書『新しい都市危機（The New Urban Crisis）』（2017年）のなかで、ジェントリフィケーションに頼る彼の創造階級論が経済的ヒエラルキーを作り上げてしまったことを認めている。

さらにデトロイトの人口は、依然として減少し続けている。なかでもよりよい学校や公共サービスを求めて、黒人中産階級の流出が目立つ。デトロイトの黒人住人も都市の再生に大企業の協力や投資が必要であることは理解しているが、問題はそうした黒人住人がその過程で排除されると感じていることである。また都市再生が行政ではなく、ギルバートのような一部の影響力の大きい富豪によって左右されることも問題である。都市再開発はアメリカの都市政策において重要な課題であるが、ジェントリフィケーションに頼るその手法については、行政府の関与と責任を増やすことも含めて、今一度検討する必要があると言えるだろう。

（武井 寛）

❖参考資料

スミス、ニール（原口剛訳）『ジェントリフィケーションと報復都市――新たなる都市のフロンティア』ミネルヴァ書房、2014年
フロリダ、リチャード（井口典夫訳）『クリエイティブ資本論』ダイヤモンド社、2008年
マリック、アラン（山納洋訳）『分断された都市――再生するアメリカ都市の光と影』学芸出版社、2020年
矢作弘『都市危機のアメリカ――凋落と再生の現場を歩く』岩波書店、2020年

26

変わりゆく南部連合の古都リッチモンド

★問われる「ニュー・ニューサウス」の真価★

2020年6月初旬、バージニア州知事ラルフ・ノーサムとリッチモンド市長レバー・ストーニーが緊急の共同記者会見を開き、州都リッチモンドのモニュメント大通り（以下、M通り）から、南部連合像を撤去すると発表した。ジョージ・フロイド暴行死事件《第32章参照》をきっかけに、偉人像撤去のうねりが全米で起こっている最中の会見だった。

南部連合像は、南部連合（国）の指導者や軍人を顕彰する像の総称である。南部連合は、奴隷制を擁護してアメリカからの分離独立を図って南北戦争（1861～65年）を起こし、敗北を喫した「南軍」にあたる。戦後、南部の再建は北部主導で断行されたが、南部白人の強い抵抗に遭い頓挫した。

20世紀転換期、南部白人支配層によって工業化が図られた南部は、農業依存の戦前の「オールドサウス」に対して「ニューサウス」と呼ばれた。ただし、民主党の一党支配下で人種隔離法（ジム・クロウ法）を確立し、黒人差別を前提とした点では、前者と大差なかった。この時期に構築されたのが、戦前の奴隷制社会を美化し、南部連合を正当化する「失われた大義」神話である。その広告塔として建造されたのが南部連合像であり、

絵葉書に描かれたモニュメント大通り（推定1930年代前後）（VCU Libraries*）

20世紀転換期の最盛期を中心として、現在までに合計で850体以上が、南部を中心に建立されてきた。

リッチモンドは、南北戦争前から南部の中心地として栄え、戦中には南部連合の首都が置かれた都市である。戦争で市街地の多くは廃墟と化したが、戦後の復興は目覚ましく、「ニューサウス」を先導した。白人専用の高級住宅地開発に伴って敷設されたのがM通りであり、美しい並木が市中心部から西へ5キロ続く。1890年、高さが20メートルもある南部連合軍総司令官ロバート・E・リーの像が主要交差点に建てられ、除幕式には15万人もの南部白人が集ったという。その後も、南部連合大統領ジェファソン・デイビスの像などが設置され、合わせて5体の南部連合像がM通りに「威厳」を添えた。

南部連合像の建立を主導したのは、「失われた大義」を推進する「南部連合の娘たち（UDC）」などの民間団体だった。しかし、公的支援を得て建造され、設置後は公有化されるなど、公共事業の性格が強かった。後に「失われた大義」を称揚する南部連合博物館が市の中心部に開館し、UDCも全国本部を構えた。こうして、M通りを核としたリッチモンドは、大多数の南部白人にとって「失われた大義」の「聖地」となった。他方、黒人からすれば、「失われた大義」は白人支配の方便にすぎず、抗議の声を上げる者もいた。しかし、人種隔離法のもとで「二級市民」の烙印を押されていた黒人の声はかき消された。

公民権運動によって1960年代に法的差別が解消された後、リッチモンドはどう変化したのだろうか。黒人投票率の上昇に加え、黒人に不利な市の選挙区の改正を命じた連邦最高裁判所判決（75年）、白人人口の流出などが追い風となり、70年代末には黒人市長が誕生し、市議会も黒人が多数派となった。しかし、経済不況と中心部の荒廃に80年代の市はあえぐ。結局、市政の舵を取ったのは、依然経済力を握る白人と協調し、黒人貧困層の底上げよりも中心部の再開発を優先した新自由主義路線の黒人、すなわち公民権運動後の南部の繁栄を標榜する「ニュー・ニューサウス」の旗手だった。他方、市の財政や施策を左右する州政治では共和党（白人保守層が民主党から鞍替え）が優勢で、全国的にも保守化が進み、格差の是正は阻まれた。この間のM通りは、南部連合像が落書きの被害をときおり受けたものの、人種隔離時代と変わらない佇まいを見せていた。

21世紀転換期には、黒人関連の像が各地で建立されるようになるが、皮肉にも南部では、相反する記憶が刻まれた南部連合像とともに景観を彩った。リッチモンドでも、1996年に、地元出身の黒人テニスプレーヤーで人権活動家であったアーサー・アッシュの像がM通りに建立された。像の設置場所をめぐって、人種を問わず賛否両論が飛び交うなかで、地元白人の多くがM通りを「失われた大義」の顕彰空間として依然特別視していることが露呈した。

南北戦争150周年を迎える頃、変化の兆しが現れる。南部連合博物館が、2013年に別の展示館と合併してアメリカ南北戦争博物館（ACWM）として再出発し、「失われた大義」の称揚から距離を置いた。17年には、リッチモンド市長のストーニーがM通りの南部連合像の処遇検討委員会を立ち上げた。これは、15年の白人至上主義者によるチャールストン教会銃撃事件後、南部連合像を撤去する動きがニューオリンズ市などであったのを受けてのことだった。とはいえ、リッチモンド市が実施した世論調査では、白人回答者が多かったせいか、撤去支持は全体の2割程度だった。その結果、18年夏に提出された委員会報告書は、撤去はデイビス像1体とし、残り4体には説明板などの追加設置を提言するに留まった。

他方、バージニア州全体では、同時期、北部の都市部を中心に、高学歴者や非白人の人口増に伴い、リベラル路線の民主党が支持を拡大していた。2020年初頭には約30年ぶりに州議会上下両院の多数派と州知事が民主党となり、一連の改革に着手した。その一環として、文化財保護の名目で南部連合像の撤去を厳しく制限していた州法を緩和し、各自治体に決定権を委譲する法を同年4月に成立させた。

フロイド事件は、この緩和法施行の矢先に起きた。民意が南部連合像撤去の方向に大きく傾くなかで、冒頭の緊急会見が行われた。緩和法施行日の7月1日を迎えると、M通りの南部連合像のうち市所有の4体が順次撤去された（州所有のリー像は、撤去反対派の訴訟を受け、州最高裁判所が撤去を差し止め、2021年7月時点で依然係争中）《リー像は裏表紙側カバーの写真を参照》。

フロイド事件発生から２０２０年末までに、M通りの4体も含めて94体の南部連合像が各地で撤去・移築された。とはいえ、その時点で７００体以上の南部連合像が依然として公共空間に立っていた。また、20年11月のリッチモンド市長選では、南部連合像撤去を断行したストーニーが再選を果たしたものの、新型コロナウイルスの蔓延によって、市の黒人貧困層の苦境がより深刻化している。

このようにリッチモンドの前途は決して明るくはない。しかし、M通りからの南部連合像4体の撤去が、人種的・経済的な平等を見すえた真の「ニュー・ニューサウス」の到来を告げたのだとすれば、それが象徴する意味は大きい。

（落合明子）

❖参考資料

モリス、フィリップ「モニュメントは何をたたえるか?」『ナショナルジオグラフィック日本版』２０２１年２月号、１０４〜１２６頁

Hayter, Julian Maxwell. *The Dream is Lost: Voting Rights and the Politics of Race in Richmond, Virginia.* Lexington: University Press of Kentucky, 2017.

American Civil War Museum. "On Monument Avenue." [https://onmonumentave.com/]

27

ラティーノ集団の現在

★政治的影響力の増大と集団全体の政治意識の行方★

「ラティーノ」は、ラテンアメリカ系の在米住民の呼称である。スペイン語の用法に従って、男性はLatino女性はLatinaで、総称は男性複数形のLatinosとなる。最近は性的に中立な代替呼称としてLatinx(s)が提唱され《第39章参照》、比較的高学歴の人々が好んで用いる。ある世論調査によれば、ラティーノの約4分の3がこの呼称の存在を知ってはいるが、実際に使用する人はごくわずか（3％）で、とくに若い女性が好んで使用する傾向にある。よって、ここでは、便宜的に比較的馴染みのある「ラティーノ」を用いる。以下、最近の注目すべき特徴を、アメリカ国勢調査局の統計に基づいて述べる。

２０１０年から19年までに集団人口は５０７０万人から６０６０万人になり、アジア系に次ぐ人口増加率を誇るマイノリティ集団である。１９７０年に5％であった全米人口比は、２０１０年には16％、19年には18％へと増加した。主流社会への同化の指標として、２０１０年から18年にかけて、大学入学以上の学歴の者（25歳以上）の割合が36％から41％に、大卒以上の率は13％から17％に増加した。また、２０００年から18年にかけて英語が堪能な者（5歳以上）の率は59％から71％に増加

表１　ラティーノ集団内の出自別人口比および人口増加率

出　自	人口 （2018年） （万人）	人口比 （2018年） （%）	人口増加率 （2010～18年） （%）
ラティーノ集団全体	5974	100.0	18
メキシコ系	3696	61.9	12
プエルトリコ系	577	9.7	23
キューバ系	236	4.0	25
エルサルバドル系	223	3.9	27
ドミニカ系	208	3.5	37
グアテマラ系	151	2.5	37
コロンビア系	124	2.1	28
ホンジュラス系	98	1.6	34
⋮			
ベネズエラ系	49	0.8	106
⋮			

（Krogstad and Noe-Bustamante を基に筆者作成）

した一方で、家庭でのスペイン語使用者の率は78％から71％に低下した。

集団内のアメリカ合衆国市民権保有者の割合は、２０１０年から18年にかけて74％から80％に増加した。ただし、プエルトリコ系はほぼ全員、米国生まれの市民である。２００７年から18年にかけて、米国生まれの人口が増加し新来移民の流入が鈍化するなかで、外国生まれの人口が１８００万人から１９８０万人へとやや増加したものの、その比率は40％から33％へと減少した。

最近は、ラティーノ移民の滞米期間が長期化傾向にある。「10年以上」の滞米者の割合は、２０００年、10年、15年、17年でそれぞれ、54％、64％、77％、78％と増加した。17年時点での滞米期間をさらに詳しく見ると、「0～5年」が13％、そこから5年ごとに、9％、14％、18％で、「21年以上」は46％と全体の半数近くを占めた。とくに非合法移民では、従来は非合法の身分でも出入国を繰り返す傾向にあったが、近年の国境警備の厳重化と遠方の中米諸国出身の移民の増加により、いったん非合法入国に成功するとなかなか故郷には戻らない傾向（「籠の鳥」現象）が見られ、むしろ米国での永住を見すえた本国からの家族呼び寄せが増加し、それに伴って、南からの非合法越境者の約半数を女性や子どもが占めるようになった《第13章参照》。

El Salvador Community Corridor を示す横断幕（2015 年 2 月 19 日）（筆者撮影）

ロサンゼルスの 11 番通りから南に向かってバーモント・アベニュー沿いの 12 ブロックの区域が、2013 年から「エルサルバドル・コミュニティ回廊」という公式名を持つエルサルバドル系街の中心となっている。数十年前から露店、食肉店、レストランなどが並び、本国送金に重要な本国資本の銀行や会社が集中する。写真中央の横断幕の左端に、この回廊のシンボルマークが描かれている。エルサルバドルは 14 の県からなる国であるが、今では在外移民社会が「第 15 県」（Departamento 15）と自称するほどの規模にまで成長している。

次に、２０１９年12月のラティーノ全米調査の結果から、アイデンティティの世代差を見てみよう。調査時の集団人口の36%を外国生まれ、34%を二世（外国生まれを片親あるいは両親に持つ米国生まれの者）、30%を三世以上（米国生まれを両親に持つ米国生まれの者）が占めた。自分を「典型的なアメリカ人」と考える者の割合は、それぞれ37%、67%、79%（全体で53%）と、世代が下るごとに増える傾向にあった。ラティーノらしさの指標として、全体的に、スペイン語を話すこと（45%）、両親ともラティーノであること（32%）、他のラティーノとの付き合いがあること（29%）、スペイン語姓を持つこと（26%）、ラティーノの文化的祭典に参加・出席すること（24%）、の順に指摘する割合が高かった。いずれの回答においても、外国生まれの方が二世、三世以上よりもそう答える者の割合が高かった。世代交代に伴い、ラティーノのアメリカ人化が進行していることがわかる。

続いて、潜在的な政治的影響力についてである。ラティーノ有権者は、２０１６年の２７３０万人から20年

表２　ラティーノ有権者数・比率の多い州（2020年）

州　名	ラティーノ有権者数（万人）	全有権者に占めるラティーノ比率（％）
カリフォルニア	789（全米の25％）	30
テキサス	563	30
フロリダ	314	20
ニューヨーク	203	15
アリゾナ	119	24
ニューメキシコ	65	43（全米最大）

（"Mapping the 2020 Latino Electorate" および Krogstad and Noe-Bustamante を基に筆者作成）

には３２００万人へと、記録的な増加をみせた。20年選挙では、有権者全体に占めるラティーノの割合が13％を超え、マイノリティ諸集団のなかで最多の率を示した。18年にはカリフォルニア、テキサス、フロリダ、ニューヨーク、アリゾナの5州を合わせるだけで、全米ラティーノ有権者数の約3分の2を占めた。

また、２０１８年においてラティーノの帰化市民の有権者数は他のどの人種・民族集団よりも多い７５０万人で、ラティーノ有権者全体の25％を占めた。帰化市民の有権者全体におけるラティーノ占有率は全米では34％であったが、州単位では率が多い順に、フロリダ（54％）、テキサス（52％）、カリフォルニア（37％）、ニュージャージー（32％）、そしてニューヨーク（25％）と続いた。

最後に、ラティーノ有権者の増加を背景とした２０２０年大統領選挙の結果から、この集団は数のうえで選挙結果を左右するほどの一大勢力になってはいるが、かならずしも一枚岩ではないと言える。フロリダ州でドナルド・トランプを勝利させたのはマイアミ＝デイド郡を中心に居住するキューバ系、ベネズエラ系などであり、トランプ政権のキューバやベネズエラへの強硬路線およびＳＮＳを通じてジョー・バイデンが社会主義と結びつけられたことがおもな支持理由となった。両国出身の有権者には、社会主義政権から逃れてきた歴史的背景があるからである。

一方、米墨国境沿いのテキサス州ではメキシコ系票がトランプの勝利を確実にしたが、隣のアリゾナ州は別の様相を呈した。メキシコ系の一部には貧困を逃れて来た移民に対する共感が強く、２０１

0年アリゾナ州非合法移民取締法の成立以来、ラティーノ有権者に投票を促す草の根運動が活発化してきた。その結果、1996年以来共和党の牙城であった同州で、民主党のバイデンが勝利した。

（中川正紀）

❖参考資料

大泉光一・牛島万編著『アメリカのヒスパニック＝ラティーノ社会を知るための55章』明石書店、2005年

中川正紀・中川智彦「女性が移民を決意するとき——エルサルバドル系女性の移民動機と家族」松久玲子編著『国境を越えるラテンアメリカの女性たち——ジェンダーの視点から見た国際労働移動の諸相』晃洋書房、2019年、22～47頁

三吉美加『米国のラティーノ』大学教育出版、2014年

Gonzalez-Barrera, Ana. “The Ways Hispanics Describe their Identity Vary Across Immigrant Generations.” Pew Research Center, September 24, 2020.［電子版］

Jervis, Rick. “Latinos for Trump, Arizona Vote for Biden Shows Diversity of Hispanics in U.S.” *USA TODAY*, November 4, 2020.［電子版］

Krogstad, Jens Manuel, and Luis Noe-Bustamante. “Key Facts about U.S. Latinos for National Hispanic Heritage Month.” Pew Research Center, September 10, 2020.［電子版］

“Mapping the 2020 Latino Electorate.” Pew Research Center, January 31, 2020.［電子版］

Noe-Bustamante, Luis, and Antonio Flores. “Facts on Latinos in the U.S.” Pew Research Center, September 16, 2019.［電子版］

28

アメリカのなかのイスラーム

★移民の増加、ムスリム人口の定着★

２００1年の同時多発テロ事件は、アメリカ人ムスリムを見える存在にした。事件の実行犯がアメリカ在住のムスリムであった事実は、グローバル化時代のイスラームが、アメリカを外から脅かす敵ではなく、アメリカが内包する脅威であるという印象を広く定着させた。事件の直後には、各地でムスリムやモスクを標的にしたヘイトクライムが多発した《第31章参照》。こうした事態が引き金になり、イスラームがアメリカ文化の一部であり、ムスリムが多民族社会の構成員であることへの再認識を促す運動が起きた。ムスリムやアラブ系に対する暴力を諫める活動を、戦時強制収容の歴史が息づく日系アメリカ人社会が率先したことは、多文化社会アメリカの一面を示す事例として興味深い。

ピュー研究所調査（２０１7年）によれば、アメリカには全人口の約1・1％にあたる３４５万人のムスリムが居住する。18歳以上のムスリムの58％が移民（一世）で、移民を親に持つ二世（18％）を合わせると、ムスリム全体の4分の3を占める。移民の56％は、２０００年以降に入国している。移民の増加と全米平均より高い出生率とが相まって、アメリカ人ムスリムの人口増加率は、ほかの宗教集団と比較するときわめて高く、今後もこの傾向が続くと予測される。8割強のムスリムはアメリカ市民で、移民だけをみても7割が市民権を持つ。アメリカ人全体と比較すると、ムスリムは総じて若く、とりわけ移民は高学歴、高収入である割合が高い。ムスリム移民がアメリカ社会に速やかに適応していることがうかがえる。他方、ムスリムにおいては年収3万ドル以下の低所得者層、不完全就業労働者の割合も全米平均より高く、アメリカ人ムスリムには社会・経済的な二極化の傾向が指摘できる。

アメリカに住むムスリムの出自は、アメリカ生まれ（42%）のほかに、南アジア（20%）、中東・北アフリカ（14%）、南アジア以外のアジア（13%）、サハラ以南のアフリカ、ヨーロッパなど世界各地に及ぶ。移民の出身国も多岐にわたる。パキスタン（15%）、イラン（11%）以外は1割未満で、特定の国には偏らないが、地域別に見ればパキスタンなどの南アジア出身者が移民全体の3分の1を占める。英領植民地であった歴史を持つこの地域では、英語が公用語ないしはそれに準ずる言語である。英語運用能力はアメリカへの移民にとって重要であり、アメリカ人ムスリムに南アジア系が多い理由の一端であろう。世界でムスリム人口がもっとも多い地域は東南アジアであるが、アメリカには南アジア系のムスリムが多い。この点はアメリカ人ムスリムの特徴と言えよう。なお、ムスリムはアラブ系と同一視される傾向があるが、今日ムスリムの6割強がアジアに居住し、他方アラブ系にはキリスト教徒も多い。こうした世界情勢は、アメリカ国内にも反映されているはずであるが、ムスリム＝アラブ系というステレオタイプは、アメリカ社会に根強く存在する。

19世紀後半以降まとまった数でアメリカに到来したムスリム移民は、中西部などの工業都市近郊に共同体を築いて定着し、イスラームの伝播を担った。アメリカにおけるイスラーム伝播の特徴は、改宗者の大多数が黒人であった点にある。１９３０年代に創始された黒人イスラームは、エライジャ・ムハンマドの統率下でネイション・オブ・イスラーム（ＮＯＩ）として発展し、20世紀半ばには全米最大規模のイスラーム組織となった。ＮＯＩの影響力もありアメリカ生まれの黒人がムスリム全体に占める割合は20世紀半ばすぎまで高かったが、移民の増加に伴い低下し、２０１７年では13％である。ムハンマド没後に組織を継承したワリス・モハンマドは、85年にＮＯＩを解散し、傘下にあったモスクをスンナ派モスクとして独立させた。17年の調査ではアメリカ生まれの黒人ムスリムのうち３％がＮＯＩ信徒を自認しているが、現在のＮＯＩは、モハンマドと袂を分かったルイス・ファラカーンが復活させた同名の組織である。

ムスリム人口の多い中西部では、２００７年以降、ムスリムの連邦下院議員が選出されている。18年の中間選挙では、ムスリム女性初の下院議員が２名当選した《第37章参照》。いずれも民主党のイルハン・オマル（ミネソタ州）とラシダ・トレイブ（ミシガン州）である。オマルはソマリア難民として12歳でアメリカに移住し、デトロイト生まれのトレイブはパレスチナ系移民労働者の娘である。なお、両氏は、19年７月にドナルド・トランプ大統領がツイッターで発信した「アメリカが嫌いなら、国に帰れ」という暴言の対象となった４人の民主党非白人女性連邦議員に含まれる。４名のうちトレイブを含む３名がアメリカ生まれであることに鑑みれば、的外れな暴言であったと言わざるを得ない。トランプ政権下で、17年１月にテロリストの入国拒否を掲げてイスラーム圏７ヵ国からの入国を禁止する大統領令《第31章参照》が発布されるなど、ムスリムを非アメリカ的とする見解をあおる動きはなく

アラビア語の店舗看板が見られるディアボーン市街（筆者撮影）

なったわけではないが、ムスリムのアメリカ社会への定着は今後も進んでいくと考えられる。

ミシガン州ディアボーン市は、ニューヨーク市に次いで全米第二のムスリム人口を擁する。人口９万４０００人（２０１８年現在）の３割弱がムスリムで、人口比ではニューヨーク市を凌ぐ。ディアボーンはデトロイト都市圏に属し、フォード社創業の地としても知られる。ここには、19世紀後半以降世界各地からムスリムが到来した。自動車産業がアメリカ経済を牽引した20世紀の初めには、ムスリムを含む多くの労働者が移り住んだ。また、20世紀後半に到来したアラブ系移民にも、ムスリムが多く含まれていた。今日、市内の目抜き通りには、アラブ各国の料理店やハラール食品店、中近東の代表的な菓子バクラバを製造販売する喫茶店などが軒を連ね、アラビア語と英語の看板が入り混じる。全米に販売網を持ち、食料品などを出荷

イスラミック・センター・オブ・アメリカ（ミシガン州ディアボーン市）（筆者撮影）

している店もある。同市には全米最大規模のイスラミック・センター・オブ・アメリカがあり、北米におけるイスラーム文化の拠点となっている。イスラミック・センターは、祈りの場としてのモスク本来の機能に加えて相互扶助、教育、広報活動などの機能を合わせ持つ、いわばアメリカ型のモスクである。フォード本社と複数のキリスト教会に隣接するイスラミック・センターの立ち位置は、多文化社会アメリカの今を象徴している。

（大類久恵）

❖参考資料

ファデル、レイラ「米国で生きるムスリムたち」『ナショナルジオグラフィック日本版』２０１８年５月号、60〜95頁
"Demographic Portrait of Muslim Americans." Pew Research Center, July 26, 2017.［電子版］

29

ハリエット・タブマン

★ 20ドル札の新しい「顔」★

2016年、バラク・オバマ政権下の財務省は、20ドル札のデザインを更新し、黒人女性ハリエット・タブマンの肖像を採用すると発表した。これが実現すれば女性としては120年ぶり、アフリカ系アメリカ人としては史上はじめてのこととなる。この決定の背景には、女性の歴史的貢献を認め、女性を紙幣に採用することをオバマ政権に求めてきた非営利団体の活動や、タブマンの顕彰を支持する世論調査の結果があった。19年3月には、新紙幣発行を求める「ハリエット・タブマン記念法」案が連邦議会上下院に提出され、財務省製版印刷局も図案の検討を進めた。紙幣のデザインは、女性参政権を認めた合衆国憲法修正第一九条成立から百周年の2020年に合わせて公表され、翌年発行されるはずだった。

しかし、2019年5月、ドナルド・トランプ政権下の財務長官が新紙幣の発行を28年以降に延期すると通告。紙幣の偽造防止の技術推進が理由とされたが、現20ドル札のアンドリュー・ジャクソン第7代大統領に代わって黒人女性が顕彰されることを「ポリティカル・コレクトネス（マイノリティに配慮した政治的公正）」として嫌うトランプ大統領の意向が背後にあることは

2016年の財務省製版印刷局による新20ドル札のコンセプト・デザイン（the Bureau of Engraving and Printing*）

あきらかだった。トランプが信奉するジャクソンは、白人男性の普通選挙権を実現した「民衆の大統領」として語られてきた一方で、奴隷所有者であり先住民強制移住の推進者としても知られている。紙幣の肖像変更の棚上げは、多様性に対するトランプ政権の姿勢を浮き彫りにする政策のひとつだった。しかし、21年1月、ジョー・バイデン政権が成立すると、その直後から肖像変更の計画は再び動き出し、20ドル札の「顔」の交代は実現に近づいた。

新しい「顔」に選ばれたハリエット・タブマンは、１８２２年（推定）に南部メリーランド州で奴隷として生まれ、27歳のとき、自身の売却の危機を察して単身で北部に逃亡した人物である。当時、アメリカ国内では奴隷制をめぐり南北間の緊張が高まっていた。タブマン逃亡の翌年１８５０年には、アメリカの南北分裂阻止のための妥協策として逃亡奴隷法が強化され、連邦保安官の権限の強化や逃亡支援者への処罰が定められた。奴隷制がすでに廃止されていた北部においても逃亡奴隷狩りや自由黒人の誘拐が横行し、多くの逃亡奴隷が北部からさらに北のカナダへと逃避した。そのような時代に、タブマンは南北戦争までの10年間、自身が逃亡奴隷の身でありながら、何度も南部の故郷に潜入し家族や仲間の奴隷を北部やカナダへ脱出させたのである。

タブマンの命がけの奴隷救出の原動力になったのは、普遍的な奴隷解放の大義というよりは、奴隷制によって分断された家族の再結合であり、共同体回復の願いだった。自身の逃亡と仲間たちの救出は、労働力であると同時に資産でもあった奴隷を奴隷主から奪い取ることを意味し、結果的に奴隷制度への重要な抵抗となった。

南北戦争が勃発すると、彼女は連邦軍（北軍）に同行し、黒人傷病兵を看護する一方で、スパイ、斥候として連邦軍の軍事作戦に協力した。なかでも、南部連合軍の要塞を破壊し、周辺の米作農場から700人以上の奴隷を救出した「カンビー川攻略作戦」（1863年）の成功は、黒人連隊とともに農場を襲撃し、奴隷解放の際に生じた混乱を収めたタブマンの活躍に負うところが大きかった。

今日、タブマンはアメリカでもっともよく知られた歴史的人物のひとりである。アメリカの子どもたちは初等教育の早い段階で、勇敢な道徳的偉人として彼女のことを学んでいる。1913年の没後約半世紀間は国民の記憶から消えかけたが、その後、60年代の公民権運動の時代に黒人史への関心の高まりとともにあらためて注目を集め、おもに子ども向けの絵本や偉人伝の主人公として息を吹き返した。奴隷救出の伝説の戦士として神話化されたタブマンは若い世代の間で親しまれ、2011年には彼女をモデルにしたバービー人形も登場した。

しかし、読み書きができず自身の手による史料を残さなかったこともあり、長らくタブマンは伝説の人物の域を出なかった。実像に迫る実証研究が堰を切ったように登場するのは、奴隷制研究やジェンダー研究の深化によって多様な周辺史料の分析が可能になった21世紀に入ってからである。こうした研究は、タブマン伝説の誇張や神話化を修正するとともに、偉人伝では語られることのなかったアメリカの現実に光を当てることになった。

奴隷制廃止運動家エミリー・ハワード（1827～1929）のアルバムから2017年に発見された1860年代（推定）のタブマンの写真（アメリカ議会図書館蔵＊）

南北戦争で連邦軍の勝利に貢献したタブマンが帰還直後に北部で経験したのは、人種を理由にした列車内での差別であり、それに抗したために重傷を負わされたできごとだった。また戦後、軍人恩給受給の権利を勝ち取るために、タブマンは経済的困窮のなかで30年間戦い続けなければならなかった。軍人恩給は彼女が南北戦争後に結婚した元連邦軍兵士の夫の遺族年金に加えるかたちで支給され、しかも彼女のスパイや斥候としての軍事活動に対してではなく、看護活動に対しての支給であり、その額は一般男性兵士よりも少なかった。

こうした現実のなかにあって、タブマンは受け取った支援金や年金のほとんどを高齢の、また障害を持った貧しい同胞のための施設作りとその運営に充てた。晩年のタブマンは女性参政権運動の集会にしばしば招かれ、過去の経験を語り、次世代の女性運動家たちを励ました。女性参政権運動家たちにとって、タブマンはジェンダーの制約を超えて活動した先駆者であり、女性が等しく歴史を切り拓く力を持っていることの証人であった。

国際的な歴史学会であるアメリカ歴史学協会（AHA）は、こうしたタブマンの軌跡と活動を日常的に人々が手にする紙幣に顕彰する意義を重んじ、2018年に財務長官宛てに書簡を送ってタブマンの紙幣発行の実現を求めた。しかし、その翌年、トランプ政権によって発行延期が発表されると、白人・男性至上主義的な政権の姿勢の反映であるとして批判する声が高まった。紙幣発行の行方が見えないなか、19年、ハリウッド映画『ハリエット』がタブマンの前半生を力強く描いて、アカデミー賞主演女優賞、歌曲賞をはじめ多くの賞にノミネートされた。

一時立ち消えになるかと思われたタブマンの紙幣の計画は、2021年1月、バイデン新政権のもとで蘇り、タブマンが生涯を通して闘った人種とジェンダーの公正の実現は、あらたな時代に喫緊の課題として手渡されている。

（宮井勢都子）

❖参考資料

上杉忍『ハリエット・タブマン　「モーゼ」と呼ばれた黒人女性』新曜社、2019年
クリントン、キャサリン（廣瀬典生訳）『自由への道――逃亡奴隷ハリエット・タブマンの生涯』晃洋書房、2019年
篠森ゆりこ『ハリエット・タブマン――彼女の言葉でたどる生涯』法政大学出版局、2020年

30

キング牧師に関する新公開のFBI機密文書

★第一級歴史家の申し立ては正しいか、誤りか★

２０１９年5月30日、英誌『スタンドポイント』に「マーティン・ルーサー・キングの厄介な遺産」と題し、公民権運動の指導者だったキング牧師（以下、キング）に関する衝撃的な記事が掲載された。キングは40人ほどの女性と不倫し、大酒飲みで、売春婦と関係を持ち、愛人との間に婚外子をもうけた可能性があり、それればかりか、ホテルの一室で友人牧師のレイプ行為を「傍観し、笑い、アドバイスした」というのである。

この寄稿文を書いたのは、キングと連邦捜査局（ＦＢＩ）に関する研究書（１９８１年）を出し、キングの伝記（86年）でピューリッツァー賞を受賞した歴史家デイビッド・ギャロウである。ギャロウが依拠した資料は、近年公開されたＦＢＩの機密文書である。国立公文書館（ＮＡＲＡ）は、「ジョン・Ｆ・ケネディ暗殺記録収集法」（92年）に則り、２０１７年と18年にケネディ暗殺に関連する膨大な未公開情報をオンラインで公開した。ギャロウは、このなかにキングに関するＦＢＩの機密文書が紛れ込んでいるのを発見し、精査した結果、「真実」を伝えるものと判断した。ギャロウは今回の発見を、キングについて「可能な限りもっとも徹底的で広範囲に及ぶ歴史の再評価を求めるもの」と書いている。

キングの不倫や酒癖は、すでに知られている。ギャロウの寄稿文は、不倫相手が予想以上に多かった可能性を語るにすぎず、それが仮に事実だとしてもさほど驚くにあたらない。しかし、キングが友人牧師のレイプ行為を「傍観し、笑い、アドバイスした」という申し立ては、それが仮に事実であれば犯罪行為であり、キングの非暴力哲学とも相容れず、にわかには信じがたい。

ギャロウの寄稿文に対しては、公民権運動とＦＢＩの歴史に詳しい専門家からすぐさま批判が上がった。とくに批判が集中したのは、レイプ傍観の箇所である。オリジナル資料の裏づけがないものを、ギャロウは「真実」として提示しているという批判である。この場合のオリジナル資料とは、ＦＢＩがキングを公私にわたり監視する目的で彼の自宅や活動拠点や宿泊先に盗聴器を仕掛けて、それによって得た盗聴テープとその書き起こし文書を指す。このオリジナル資料は、国立公文書館で２０２７年まで機密指定を受けており、ギャロウも含め、誰も手にすることはできない。

マーティン・ルーサー・キング牧師（アメリカ議会図書館蔵＊）

ギャロウが今回依拠したＦＢＩ機密文書は、このオリジナル資料の「要約」になる。その要約は、次のように書かれたタイプ文である。すなわち、１９６４年１月にキングと仲間が首都ワシントンにあるウィラード・ホテルに宿泊した際、友人牧師が女性教会員を数名同行させており、一室でその友人牧師が女性教会員ひとりをレイプしたと書かれている。「キングは傍観し、笑い、アド

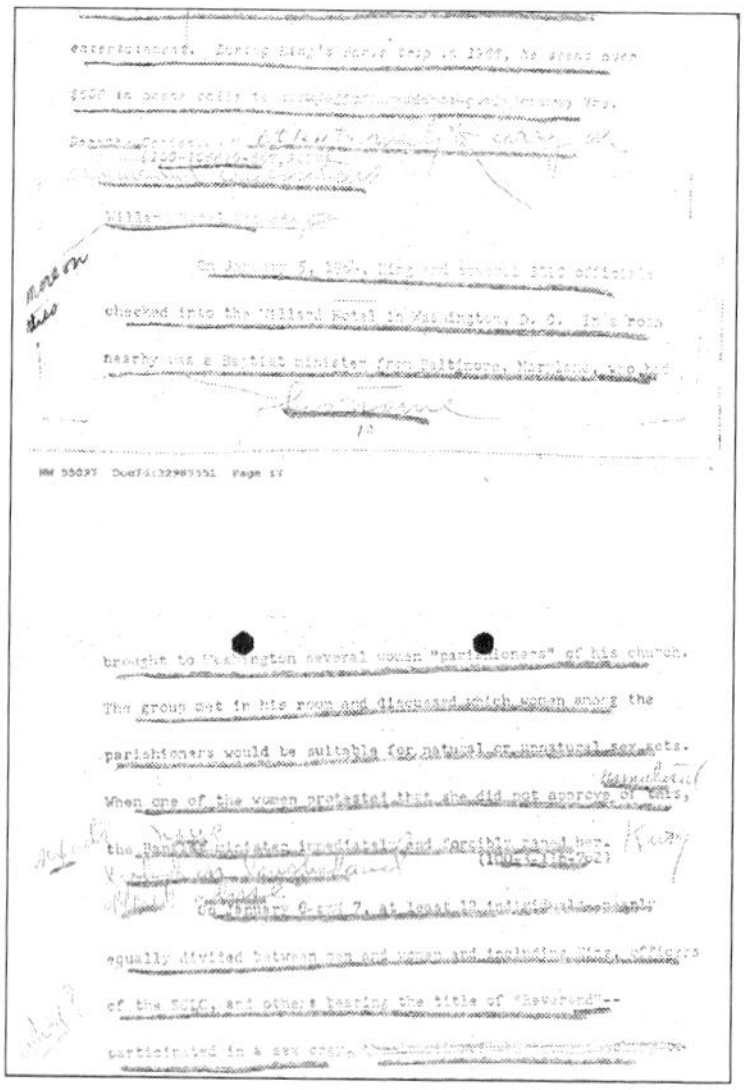

entertainment. During King's [illegible] trip in [illegible], he spent over

$500 in phone calls to [illegible]

[illegible]

On January 5, 1964, King and several SCLC officials

checked into the Willard Hotel in Washington, D. C. In a room

nearby was a Baptist minister from Baltimore, Maryland, who had

HW 55027 DocId:32989551 Page 17

brought to Washington several women "parishioners" of his church.

The group met in his room and discussed which women among the

parishioners would be suitable for natural or unnatural sex acts.

When one of the women protested that she did not approve of this,

the Baptist minister immediately and forcibly raped her.

(100-3-116-762)

On January 6 and 7, at least 12 individuals--nearly

equally divided between men and women and including King, officers

of the SCLC, and others bearing the title of "Reverend"--

participated in a sex orgy [illegible]

とくに問題とされたFBI機密文書の箇所。参照元（100-3-116-762）と手書き追加文がある。（www.archives.gov*）

バイスした」という一文は、タイプ文のわきに後日手書きで追加されている。ギャロウは、この追加文を書いた人物はＦＢＩ副長官のウィリアム・Ｃ・サリバンあるいは彼の同僚と推定しているが、いつ、誰が書いたのかは特定できていない《図参照》。

ギャロウは、この要約と手書きの追加文を「真実」であると判断する根拠をこう説明する。まず、タイプ文にはオリジナル資料の参照元（100-3-116-762）が記されているから、要約とオリジナル資料に不一致はない。次に、手書きの追加文を誰が書いたにせよ、追加文を書く際、書き手がオリジナルの盗聴テープとその書き起こし文書の両方を手にしながら書いたのはまちがいない、と。

しかし、ギャロウの根拠には説得力が十分にあるとは言えない。まず、要約とオリジナル資料が一致する確証はない。この検証作業にはオリジナル資料が必要となるが、２０２７年までは誰もその作業を行えない。次に、追加文の書き手がオリジナルの盗聴テープとその書き起こし文書の両方を手にしながら書いたと断定するのに不可欠な裏づけがない。現場を誰も見ていないし、そのような証言もないからである。

ギャロウに対する批判は、ＦＢＩの機密文書の提示の仕方にも向けられた。ＦＢＩにどのような動機があったのかという歴史的文脈の説明がないという批判である。人種主義者であったＦＢＩ長官

第30章

キング牧師に関する新公開のFBI機密文書

J・エドガー・フーバーと副長官サリバンによるキング監視は、FBI史上もっとも悪名高い捜査と言われる。その目的は、キングを社会的に抹殺することであり、電話盗聴、その他の盗聴、盗撮、情報屋、工作員などあらゆる手段を使って都合のよい情報が収集された。その卑劣さは、後に「連邦議会下院暗殺調査特別委員会」の報告（1979年）において、「法的権限をいちじるしく乱用し、かつその権限を超える」ものと糾弾されている。FBIの機密文書には、キングに不利になるようなさまざまな脚色、誤情報、情報の捏造が含まれている。したがって、キングに関するFBIの機密文書を扱う際には、「健全な不信感」を持つ必要がある。

長年、FBIの機密文書に「健全な不信感」を持つ必要性を説いてきたのは、ギャロウ自身である。しかし、今回の寄稿文では、その姿勢が弱いように見える。ギャロウは当初、寄稿文の掲載を『ニューヨーク・タイムズ』紙や『ワシントン・ポスト』紙をはじめ、アメリカの数十の主要出版社に打診したが、すべて却下された。主要出版社が却下した理由は、裏づけの弱さである。その結果、最終的にたどりついたのが、英国の保守系雑誌『スタンドポイント』であった。

とはいえ、ギャロウは第一級の歴史家、とくにFBI研究の第一人者であり、彼の申し立ては無視できない。はたして、申し立ては正しいのか、誤りなのか。それは2027年以降にならなくてはわからない。しかるべき検証があるまで、ギャロウの寄稿文には「健全な不信感」を持たなければならない。

アメリカでは、1983年にキング国民祝日が制定され、2011年には首都ワシントンにキング牧師記念碑が建立された。それにより、社会正義に尽くした非の打ちどころない「聖人」のようにキングがイメージされる危険性もある。ギャロウの寄稿文は、キングを多くの弱点を持つ等身大の人間として理解する必要を促す点において意義がある。しかし、キングを等身大の人間として理解したいのであれば、ギャロウのように女性関係を「暴露」するだけでは不十分である。ユーモアのセンスがあり、仲間内では冗談を言い、物まねをしてみせたキング。ソウルフード（南部黒人の伝統料理）を好み、留守が多かったものの、夫また親として家族を大切に思い愛したキング。母親によく電話で連絡をとっていたキング。父と共同牧師を務めていたジョージア州アトランタのエベネザー・バプテスト教会で行った説教で、自分を「聖人」などと呼んで欲しくない、「私はすべての神の子たちと同じように、一人の罪人にすぎない。だが、私はよい人間になりたい」（1968年3月3日）と語ったキング。こうした人間味溢れるキングにも光を当てなければならない。自分はごく「普通の人間」であると誰よりも自覚していたのは、キング自身なのだから。

（黒﨑 真）

❖参考資料
黒﨑真『マーティン・ルーサー・キング――非暴力の闘士』岩波書店、2018年
Garrow, David J. "The Troubling Legacy of Martin Luther King." *Standpoint*, May 30, 2019. [https://standpointmag.co.uk/the-troubling-legacy-of-martin-luther-king/]
Schuessler, Jennifer. "His Martin Luther King Biography Was a Classic. His Latest King Piece Is Causing a Furor." *New York Times*, June 4, 2019. ［電子版］

31

過去10年間で最多のヘイトクライム

★統計が示す多文化共生の厳しい現実★

ヘイトクライムが跡を絶たない。2015年6月には、サウスカロライナ州にある黒人教会で白人の男が銃を乱射し、黒人9人が死亡した。16年12月には、ニューヨーク市で「ヒジャブ」を着用するムスリムの女性を、男が「喉をかっ切ってやる」と脅迫した。17年5月には、カリフォルニア州で白人の男が人種的中傷を浴びせ黒人男性を刃物で刺した。18年10月には、ペンシルベニア州にあるシナゴーグ（ユダヤ教の会堂）で白人の男が銃を乱射し、11人が死亡した。19年8月には、テキサス州にある商業施設で男がヒスパニックに銃を乱射し、20人が死亡した。

連邦捜査局（FBI）の定義によれば、ヘイトクライムとは「全体的であれ部分的であれ、人種、宗教、障がい、性的指向、エスニシティ、ジェンダーあるいは性自認に対する犯罪者の偏見に動機づけられて行われる犯罪行為」を指す。日本語では、「憎悪犯罪」とも呼ばれる。ヘイトクライムには、人を標的とする脅迫、暴行、レイプ、殺人などに加え、財産や建物を狙った強盗、窃盗、放火、破壊、損傷などの行為も含まれる。

ヘイトクライムに対する法整備が加速し始めたのは、198

0年代である。連邦レベルでは、90年にヘイトクライム統計法が成立し、92年より司法省とFBIがヘイトクライム件数の公表を開始した。次に、94年にはヘイトクライム厳罰法が成立し、被害者と同じ集団に属する人々に広範囲にわたって脅威が及ぶ点を考慮し、連邦法に違反する犯罪事件について、それがヘイトクライムであると確定した場合には、通常の犯罪より重い罰則を科すと規定した。96年には、当時南部を中心に頻発していた黒人教会への放火に対処するため教会放火防止法が成立し、人種や肌の色やエスニシティを理由とする宗教関連の不動産の損傷や破壊を禁じ、罰則を強化した。さらに、2009年にはマシュー・シェパード法が成立し、性的指向、性自認、障がいを理由とする犯罪をあらたにヘイトクライムと規定した。

現在、全米で1年間に何件のヘイトクライムが起きているのだろうか。客観的な件数としてFBIの統計があるが、その統計では警察に報告された犯罪のみがカウントされる。つまり、被害者がさまざまな理由から通報しない場合、その事件は統計には反映されない。また、州レベルでは、46州がヘイトクライム法を持つが、どの集団を被害の対象に指定するかは州ごとに異なる。たとえば、カリフォルニア州はFBIが定義するすべての集団を対象としているが、ミシシッピ州は性的指向、性自認、障がいを対象外としている。サウスカロライナ州、インディアナ州、アーカンソー州、ワイオミング州の4州には、ヘイトクライム法がない。以上を考慮すると、ヘイトクライムの厳密な件数は把握できておらず、報告されないものを含めた場合、全米でのヘイトクライム年間件数は約20万件に上ると推定する専門家もいる。

しかし、ここではFBIの統計を見ていくことにしよう。それによれば、ヘイトクライムの年間件

第31章
過去10年間で最多のヘイトクライム

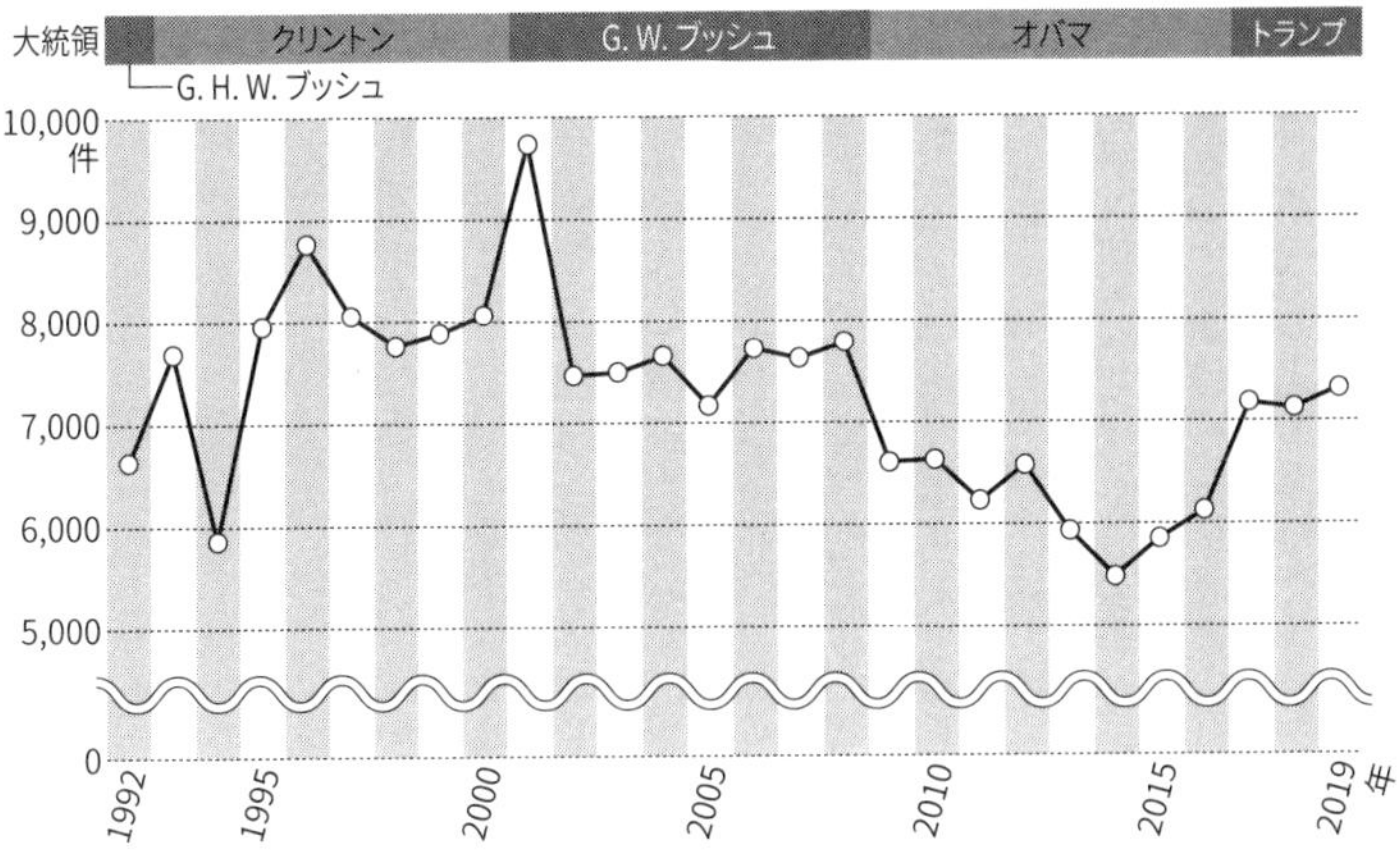

ヘイトクライム件数の推移。2019年の件数は過去10年間で最多を記録した（FBI統計を基に筆者作成）

数は平均して７０００件前後で、グラフのように推移している。最高件数は、アメリカ同時多発テロ事件が起きた２００１年の９７３０件である。14年に５４７９件と最少となったが、その後は増加傾向となり、19年には７３１４件となった。

２０１９年のＦＢＩのヘイトクライム統計の内訳を見ると、被害件数全体のうち人種やエスニシティを理由とする事件が57・6％ともっとも多くを占め、宗教を理由とする事件が20・1％と続く。性的指向、性自認、ジェンダーを理由とする事件は合わせて20・３％で、障がいを理由とする事件は２％である。次に、各カテゴリー内の被害のうち特徴的なものを挙げると、人種やエスニシティの場合は黒人が全被害者の48・５％、白人が15・７％、ヒスパニックが14・１％、アジア系が４・４％を占め、宗教の場合はユダヤ教徒が60・２％、ムスリムが13・２％を占め、性的指向の場合は男性同性愛者が61・８％を占める。

アメリカでは、合衆国憲法修正第一条が保障する

「表現の自由」に基づき、ヘイトスピーチ（人種、民族、国籍、性別、性的指向などに基づいて侮辱、扇動、脅迫などを行うこと）自体は規制されていない。とはいえ、ヘイトスピーチの増加がヘイトクライムを助長する可能性は否定できない。たとえば、ドナルド・トランプ前大統領は、大統領就任前後から数えきれないほどの差別発言を口にしてきた。メキシコの国境を越える移民や難民を「犯罪者やレイピスト」（2015年6月）と呼び《第13章参照》、イスラーム圏7ヵ国の出身者の入国を禁ずる大統領令を出した際には、「外国のテロリストから国を守るため」（17年1月）と述べた。バージニア州シャーロッツビルで白人至上主義集団とこれに抗議する人々との間で衝突が起きた際、「どちらにも素晴らしい人たちがいる」（17年8月）と白人至上主義集団を擁護した。共和党と民主党からなる超党派のある会合の席では、ハイチやアフリカ諸国を指して「肥溜めのような国」（18年1月）と発言し、民主党の非白人女性連邦議員4人に対しては「国へ帰れ」（19年7月）と攻撃した《第28章参照》。白人警官による黒人男性ジョージ・フロイドの暴行死事件に端を発し拡大したブラック・ライブズ・マター運動《第32章参照》の抗議デモに対しては、デモ隊を「悪党」と敵視し、「略奪が始まれば銃撃も始まる」（20年5月）と武力制圧の構えを見せた。そして、新型コロナウイルス感染症については、世界保健機関（WHO）が特定の場所に結びつけることを止めるよう求めたにもかかわらず、「中国ウイルス」と呼び続けた。

トランプ政権発足後のヘイトクライムの増加を「トランプ効果」とする決定的な裏づけはないが、そう感じているアメリカ人は多い。ピュー研究所によれば、トランプ大統領が人種問題を悪化させたと回答する者は、黒人が73％、ヒスパニックが69％、アジア系が65％、白人が49％である（2019

年1～2月)。とくにコロナ禍のさなかでは、アジア系アメリカ人に対するヘイトクライムが増加しており、新型コロナウイルス感染症の発生以降、中傷やからかいを受けていると回答するアジア系アメリカ人は31％に上る(20年6月)。

2020年11月の大統領選挙では、「分断ではなく結束を」と呼びかける民主党のジョー・バイデン候補が勝利した《第1章参照》。しかし、共和党のトランプ大統領も7000万票以上を獲得しており、アメリカ社会のさまざまな局面で起きている分断が早期に解決される見通しはない。増加傾向をたどるヘイトクライムは、この分断の深刻さを象徴しており、多文化共生実現への道のりはまだまだ長いことを示している。

(黒﨑 真)

❖参考資料

兼子歩、貴堂嘉之編『「ヘイト」の時代のアメリカ史――人種、民族、国籍を考える』彩流社、2017年
渡辺靖『白人ナショナリズム――アメリカを揺るがす「文化的反動」』中央公論新社、2020年
FBI, "2019 Hate Crime Statistics." [https://ucr.fbi.gov/hate-crime/2019/hate-crime]

32

ブラック・ライブズ・マター（BLM）運動

★構造的人種主義根絶への挑戦★

2020年5月25日、ミネソタ州ミネアポリスで、偽札使用の疑いで逮捕された黒人男性ジョージ・フロイドの頸部を、白人警官が数分間にわたり膝で押さえつけ窒息死させる事件が起きた。通行人が撮影した動画には、うつぶせにされ無抵抗状態で「息ができない」と助けを求めながら息絶えたフロイドの様子が映されていた。この動画が拡散すると、翌日から大規模な抗議デモが全米各地で起こり、ブラック・ライブズ・マター（BLM）運動は世界的な注目を集めることになった。

もっとも、黒人の命を軽視する警官の過剰暴力は以前から起きており、「マッピング・ポリス・バイオレンス」によれば、2013年から19年を通じて、人口百万人につき警官に射殺された黒人の数は白人の3倍に上った。今回の事件が大規模な抗議デモに発展した背景には、コロナ禍で構造的人種主義がいっそう意識されたことがあるだろう。

構造的人種主義とは、特定の人種集団が生まれながらにして不利な状況に置かれる仕組みが社会に組み込まれている人種差別を指す。「COVID追跡プロジェクト」によれば、新型コロナウイルス感染症による黒人の死亡率は、白人の2・2倍で

BLMの共同創始者（左からパトリース・カラーズ、アリシア・ガーザ、オーパル・トメティ）(The Laura Flanders Show, CC BY 3.0; Citizen University, CC BY 3.0; The Laura Flanders Show, CC BY 3.0)

ある。その原因をたどれば、教育、雇用、住宅、医療、福祉など重要なリソースに黒人がいまだ平等にアクセスできない現実に行きつく。黒人の貧困率は白人の2倍以上、無保険者の割合は白人の2倍弱、そして黒人には在宅勤務ができない低賃金労働者が多い。新型コロナウイルス感染症は、構造的人種主義の存在を「命の格差」という形で可視化したのである。

ＢＬＭ運動は7年の歴史を持つ。２０１２年2月に「白人」自警団員が丸腰の黒人少年トレイボン・マーティンを射殺する事件が起きたが、翌年容疑者は無罪となる。この判決に衝撃を受けた黒人女性人権活動家のアリシア・ガーザ、パトリース・カラーズ、オーパル・トメティの3名が、フェイスブックを通じて#blacklivesmatterのハッシュタグを広め、ＢＬＭというコミュニティを立ち上げる。14年8月、ミズーリ州ファーガソンで黒人青年マイケル・ブラウンが白人警官に射殺されると、現地ではＢＬＭをスローガンに抗議デモが起こり、ＢＬＭ運動が実体化した。

ＢＬＭ運動の目標は構造的人種主義の根絶であるが、喫緊の課題は警察の解体ないし抜本的改革である。具体的には、黒人に対する警官の過剰暴力の停止、過剰暴力に出た警官の説明責任の追及、そして、膨張する警察予算を削減（脱投資）し、その分を黒人コミュニティの教育、雇用、住宅、医療、福祉に投資することを求めている。現行の警察制度に照らし合わせると、なぜこのような要求が出てくるのかが理解できる。

アメリカの警察の特徴は、「容易な逮捕」「射撃要件の低さ」「限定的免責」「強力な警察組合」にある。警官は不審とみなす「合理性」があれば、いつでも、誰でも逮捕できる。また、警官が危険と感じる「合理性」があれば、射撃の責任は問われない。そして、警官が防衛を理由に暴力をふるっても、その行為を違憲とする「明確に確立されている」前例（判決）がなければ、警官は責任を免除される（「限定的免責」）。さらに、警察組合の種々の協約により、警官は責任追及されることがまずない。そして、１９９０年代から支持を得た「割れ窓理論」がこれに加わる。

「割れ窓理論」とは、微罪も放置すれば凶悪犯罪の温床になることから、割れ窓が目立つ建物が多数あるような荒廃した地域において、警官は「不審者」を徹底して取り締まり、逮捕すべきとする犯罪社会学の理論である。そして、そうした対象地域は、とりわけ黒人や他の人種マイノリティの居住地域であった。さらに、１９９４年には連邦法「暴力犯罪取締りおよび法執行法（通称「犯罪法」）」が成立し、犯罪への厳罰強化、警官の増員、警察予算の増額が決まる。これら一連の公権力制度が黒人の命の軽視につながっており、それゆえＢＬＭ運動は警察の解体や抜本的改革を求めているのである《第16、17章参照》。

１９６０年代公民権運動以来のうねりとも言われるＢＬＭ運動には、ふたつの特徴がある。第一に、ＢＬＭ運動はブラック・フェミニズムを支柱にしている。今でも人種差別は黒人男性の抑圧として、性差別は白人女性の抑圧として語られる場合が多く、人種差別と性差別さらに階級差別を経験する黒人女性の声は周縁化される傾向にある。ブラック・フェミニズムは、黒人女性のように最底辺に置かれる人々の重層的な抑圧、すなわち抑圧の交差性（インターセクショナリティ）に注目し、そうした体験を可視化させることで、誰も置き去りにしない解放のあり方を探ろうとする。ＢＬＭの共同創始者のカラーズ、ガーザ、トメティは黒人女性であり、カラーズとガーザはクィアである。こうした人々により創設されたＢＬＭ運動はＬＧＢＴＱや障がい者など、黒人コミュニティでも疎外されてきた人々の声を大切にしている。また、ＢＬＭ運動は分散型ネットワークで成り立っており、活動はカリスマ的指導者が統率するのではなく、各地の支部や関連組織の自主性に任せられている。

第二の特徴は、ＳＮＳの活用である。誰もが動画撮影可能なスマートフォンは、多数の人々に現状を知らせる政治的武器である。ＳＮＳは、情報を共有し、対話し、意識を高め、連帯感を生み出し、抗議デモや政治行動へ人々を動員する手段となる。ピュー研究所によれば、フロイド事件後から6月7日までの期間、#BlackLivesMatter のハッシュタグのついたツイートは、ピーク時に８８００万となり、1日平均２００万を超えたという。

ＢＬＭ運動は政治行動も重視する。２０２０年大統領選挙では投票を呼びかけ、民主党を中心に人種問題を大統領選挙の争点にすることに成功した。連合組織の「ムーブメント・フォー・ブラック・ライブズ（Ｍ４ＢＬ）」は、現在、21世紀版の包括的な連邦公民権法の必要性を訴え、「ブリーズ法」

として起草し、2名の連邦議会下院議員の支持を得ながら、法案成立に向けた政治行動を展開している。ブリーズ法は「息ができない」から取られた表現で、誰もが自由に「息ができる」ようになる社会を目指している。法案は4項からなり、⑴収監と警官の取締りに対する連邦助成金を廃止すること、⑵奨励資金を活用して安全なコミュニティを築くあらたな方法に投資すること、⑶あらたな資金を充当し誰にとっても健康的で持続可能で公平なコミュニティを作ること、⑷政治指導者の説明責任を明確化し黒人コミュニティの自己裁量権を強化することが掲げられている。

ピュー研究所によれば、ＢＬＭの全米支持者は、２０２０年６月の67％から同年９月の55％へとやや落ちた。別の調査では、21年２月時点の支持者は48％である。ＢＬＭ運動が今後も勢いを維持できるか注目される。

（黒﨑 真）

❖参考資料

ガーザ、アリシア（人権学習コレクティブ監訳）『世界を動かす変革の力――ブラック・ライブズ・マター共同代表からのメッセージ』明石書店、２０２１年

カラーズ、パトリース・カーン、アーシャ・バンデリ（ワゴナー理恵子訳）『ブラック・ライヴズ・マター回想録――テロリストと呼ばれて』青土社、２０２１年

フックス、ベル（大類久恵監訳、柳沢圭子訳）『アメリカ黒人女性とフェミニズム――ベル・フックスの「私は女ではないの？」』明石書店、２０１０年

フックス、ベル（野﨑佐和・毛塚翠訳）『ベル・フックスの「フェミニズム理論」――周辺から中心へ』あけび書房、２０１７年

33

スポーツと政治

★その関係史に見られる4つの波★

オリンピック憲章はその規則50で政治的プロパガンダを禁止し、オリンピックへの政治的な介入を否定する立場に一定の根拠を与えてきた。他方現実には、スポーツと政治の深いかかわりが、近代スポーツの3世紀にわたる歴史に数多くの話題を提供し続けてきた。たとえば、野球界でのジャッキー・ロビンソンによる「人種の壁」の突破、アパルトヘイト廃止直後の南アフリカで開催された1995年ラグビーW杯でネルソン・マンデラ大統領（当時）が優勝した南アフリカナショナルチームにトロフィを授与したことが挙げられる。その反面、サッカーW杯予選での扇動が国際的武力対立を招いたとされる、ホンジュラスとエルサルバドルの69年「サッカー戦争」などもある。

スポーツと政治は、現実的には不可分であるにもかかわらず、理念的に相反するものとされ、互いの介入を不要と批判する論拠になってきた。この現実と理念の齟齬は、ほとんどの場合には権力側に有利に作用するため、スポーツの政治性を批判したり、否定したりすること自体が、すでに政治的なのである。

政治をスポーツから遠ざけようとする努力は、一般人やスポーツ指導者から一定の支持を得ている。だが研究者は、スポーツ界における人権運動の闘士ハリー・エドワーズが提示する政治／スポーツ関係史に４つの波を見出す解釈を支持する。すなわち第一波は、黒人初のボクシング世界ヘビー級王者ジャック・ジョンソンや、ジョンソンに次ぐ黒人王者ジョー・ルイスたちが人種分離社会とその諸制度に対して、自分たちの承認と正統性を求めて闘った１９００年から45年まで。第二波は、野球選手ジャッキー・ロビンソンやテニス選手アリシア・ギブソンらが、人種統合のための媒介者として活躍した46年から60年代まで。第三波は、公民権運動やブラックパワー運動の渦中で、ベトナム兵役を拒否したプロボクサーのモハメド・アリや、メキシコ五輪の表彰台で拳を突き上げて抗議した陸上選手トミー・スミスやジョン・カーロスらが、尊厳と社会的公正を要求した60年代から70年代まで。そして第四波は、警察官による黒人市民の殺害が多発し、ブラック・ライブズ・マター運動《第32章参照》がアメリカから全世界へと広がった２０１０年代から現在までである。

この枠組には、20世紀最後の四半世紀から21世紀にかけて興味深い空白が存在する。エドワーズはこの期間を、黒人アスリート活動家の低迷期とみなす。プロゴルファーのタイガー・ウッズ、「バスケットボールの神様」マイケル・ジョーダンらは、政治よりも、有名人としての成功や大企業との契約に執着した感があり、この評価を裏づける。また１９００年に始まるエドワーズの解釈は、19世紀に人種差別の犠牲になった野球選手モーゼス・F・ウォーカーたち先駆者の経験を等閑に付すうらみがある。とはいえ、エドワーズの歴史像は、アメリカ近現代のスポーツ／政治関係史の見取り図を示すものとして、広く受け入れられることになるだろう。

では、以上のような歴史的経緯を踏まえて第四波にあたる現在を見る時、そこには、どのような特徴が認められるだろうか。

まず挙げられるのは、アスリートであってもスポーツよりも政治的行動を重視すべきだ、という意思表明である。２０１６年８月、当時ナショナルフットボールリーグ（ＮＦＬ）サンフランシスコ・フォーティナイナーズのクォーターバックだったコリン・キャパニックは国歌斉唱時に片膝を着いて起立を拒み、全国の注目を集めることになった。試合後のインタビューで彼はこう述べている。「黒人や有色人種への差別がまかり通る国に敬意は払えない。国家に抗議することは、フットボールよりも重要だ」と。20年8月、ナショナルバスケットボールアソシエーション（ＮＢＡ）歴代屈指のスリーポインターとして知られるレイ・アレンもまた、警察によるジェイコブ・ブレーク銃撃事件に抗議してプレイオフ試合をボイコットしたチームを支持し、ＰＢＳ放送のインタビューで「もうたくさんだ。バスケは気晴らしにすぎない。それよりも白人社会やオーナーに圧力をかけるべき時だ」と宣言している。

コリン・キャパニック
(Mike Morbeck, CC BY-SA 2.0)

スポーツ界における政治運動が、２０１０年代にさまざまな形で実を結んだことも大きな特徴である。前述のキャパニックは大論争に巻き込まれ、トランプ大統領から「非愛国者」呼ばわりされ、リーグでの再契約が見送られ続けて事実上の

NFL コミッショナー、ロジャー・グッデル
(SSG Teddy Wade*)

引退に追いやられた。しかし20年ついに、NFLコミッショナーのロジャー・グッデルから「私たちは人種差別を、そして黒人に対する組織的な抑圧を糾弾する。私たちはまちがっていた。もっと早く選手たちに耳を傾けるべきであった」との謝罪ともとれる声明を引き出すに至った。

2010年代に興隆した第四の波は、スポーツ関連企業にも大きな影響を与えている。ナイキ社は、児童労働と劣悪な労働環境に対する粘り強い抗議を受けてビジネス慣行を改善すべく努力を重ねてきたが、同社のキャパニックとの契約をめぐる近年の騒動にも、その一端をうかがうことができる。18年に同社はキャパニックとあらたなスポンサー契約を結び、翌年には建国期の象徴であるベッツィー・ロスの星条旗をあしらったシューズを発表したが、キャパニックが奴隷制度を想起させると批判したため、その発売を断念した。新規契約から発売中止をへて、同社の株価は乱高下した。これはキャパニックの支持層と白人右翼を中心とする消費者の意向に、市場が反応した結果である。それはNFLコミッショナーのグッデルが、オーナーや白人ファン層とアスリートの板挟みに遭った状況と酷似している。いずれにせよ、人種的公正への道のりに険しさが残されていることは否めないが、改革の試みがたしかな歩みを進めていることを感じさせる。トランプ政権からバイデン政権への転換が、この動きを加速することが期待される。

スポーツ社会学者クワメ・アジェマンらは、スポーツを通じての政治運動を促進するために、研究者と社会での実践を結ぶための活動を、象徴的、学術的、草の根的、アスリート主導的、経済的の5つに分類し、２０２０年代のこれからを展望する。それは、スポーツと政治の関係があらたな段階に入り、オリンピック憲章規則50が20世紀の遺物と化すことの暗示なのかもしれない。

（川島浩平）

❖参考資料

徳安慧一「スポーツにおける政治、どのように問題となるのか？」『The Headline』２０２０年9月14日〔https://www.theheadline.jp/articles/284〕
日本スポーツ社会学会「特集　政治とスポーツ」『スポーツ社会学研究』第20巻第2号、２０１２年
Agyemang, Kwame J. et al. "Agitate! Agitate! Agitate!: Sport as a Site for Political Activism and Social Change." *Organization*, Vol.27, No.6 (2020), 952-968.
Berrett, Jesse. *Pigskin Nation: How the NFL Remade American Politics*. Urbana: University of Illinois Press, 2018.

34

スポーツと人種

★平等な競技場の理想と現実★

「人種」という概念は、その科学的根拠が繰り返し否定されてきたにもかかわらず「社会的現実」として、あるいは「神話」として広く社会に浸透している。「スポーツと人種」というテーマも、社会学、歴史学、人類学、そしてスポーツ科学の研究者から注目を集め続けている。それはスポーツが、実力主義をルールとする舞台で経済的に恵まれない若者やマイノリティ出身者に成功の機会を提供し、人種という境界を越える、あるいはその秩序を揺さぶる活動として評価されてきた一方で、同じスポーツが人種としての意識を高揚させ、その境界を強化する媒体として作用し、批判の対象にもなってきたからである。

アメリカスポーツ史を振り返れば、そこには差別され、抑圧されたマイノリティ出身者がスポーツ界で差別と偏見を乗り越え、成功への道を登り詰めた軌跡を見出すことができる。20世紀初頭には先住民アスリートのジム・ソープが活躍し、20世紀前半のトップアスリートとしての栄誉を受け、表彰された。第二次世界大戦直後には黒人のジャッキー・ロビンソンがメジャーリーグの扉をこじ開け《第33章参照》、そして21世紀の幕開けとともにイチローが「小柄なアジア人にはメジャーリーガーの速球は打てない」、「打率3割に達したら上出来」などの下馬評を覆して新人王と盗塁王の二冠を獲得し、最優秀選手に選ばれた。

こうして構築されたプロスポーツ界の多文化主義的な競技場の存在は、政治学者リチャード・ラプチックらが評定を下す「人種統合査定」2020年度版に提供されたデータで確認することができる。この査定によると、19年度現在、現役選手全体に占める「非白人」(アフリカ系、ラティーノ、アジア系を含む)の割合が、野球で39・8%、バスケットボールで83・1%、アメリカンフットボールで70・1%、サッカーで61・7%であった。同査定はさらに、プロスポーツ統括組織の上級管理職(バイス・プレジデント——日本の部長職に相当——以上)に占める割合が、同じ順で19・4%、24・0%、12・8%、18・6%であったことを伝える。頂点に位置するオーナー職がなお白人の寡占状態であるとはいえ、ひと昔前とは異なり、管理職にも多文化主義の波が及んでいることを裏づけている。

1960年代以降、社会学はスポーツ界においてポジションの配置を人種によって決める傾向「スタッキング」を検証してきた。スタッキング研究は、テレビカメラの焦点が集まるポジションや指導力が要求されるポジションに白人選手が、そうでないポジションに非白人選手が配置される傾向に警鐘を鳴らしたのである。たとえば野球でのバッテリー、バスケでのポイントガード、アメフトでのセンターやクォーターバックなどである。しかし今日、野球とバスケではスタッキングは見られなくなった。唯一アメフトで、各プレイを始動するセンターとクォーターバックで相対的に白人選手が多いこと、またオフェンスよりもディフェンスに非白人系の選手が多いことが指摘される程度である。

陸上競技の国際大会において短距離走、中距離走、長距離走で見られるジャマイカ、モロッコ、ケニア選手の優越について、かつては、天性の身体能力によるとする短絡的な説明が幅を利かせていた。しかし現在では、歴史的経緯、地理的背景、そして陸上競技熱をあおる文化的環境（ジャマイカ）、保護国としての支配下で現地人の兵士としての訓練に長距離走を導入するという、旧宗主国フランスならではの戦略と植民地主義のレガシー（モロッコ）、歴史地理的、政治的、教育的、かつ文化的な要因の融合（ケニア）などの観点から、実証的な根拠に基づく解説がなされるようになった。分子生物学の発展とヒトゲノム計画の展開は、すぐれた運動能力が遺伝と環境の複雑な相互作用によって作られることを検証しつつあり、スポーツにおける人種言説を無効化しながら、人間の可能性に関する私たちの理解をあらたな次元へと導くことが期待されている。

とはいえスポーツの現場ではなお、黒人の身体能力を天性のものとする「神話」や、人種的な表象が根強いことも事実である。カリブ海諸国のひとつキューバでは、「天性の」黒人アスリートに「鍛錬」で対抗する白人アスリートという対比が当然のごとく受け入られているとする報告もある。アメリカでは、2020年7月に首都ワシントンに本拠地をおくチームが、長年アメリカ先住民を侮辱するものだと批判されてきた「レッドスキンズ」というチーム名とロゴを放棄する決定を下して話題となった《イラスト参照。カバー裏表紙側袖にカラー画像がある》。しかし、アメリカ先住民の意匠をスポーツの場で利用することの賛否をめぐるマスコット論争が、現在に至るまで先住民のステレオタイプを想起させ、再生産してきたことを忘れてはならない。ジョージア州アトランタでは南アジア（インド、パキスタン）出身者が、バスケリーグを結成し、自らを「ブラウン」、アフリカ系を「カルー（北部インドの言葉で「肌の黒い人」を意味する）」と、色で識別する人種的な表象を用いている。

第34章

スポーツと人種

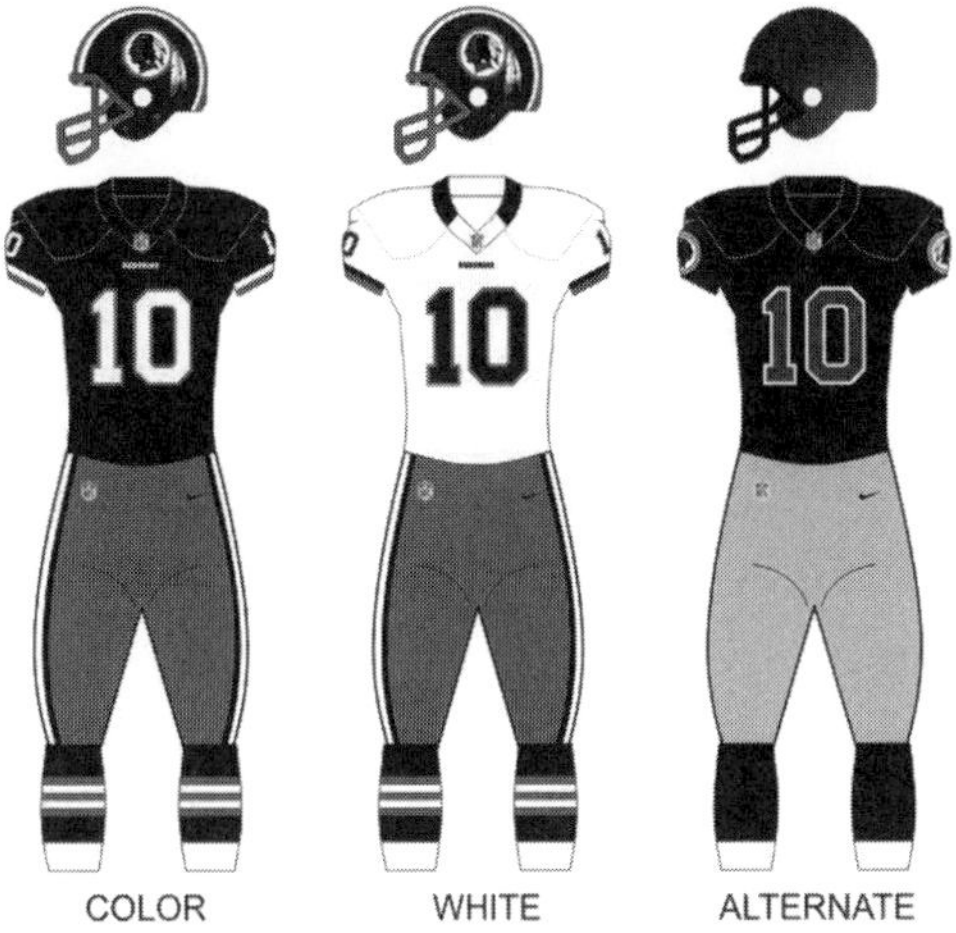

NFL 元ワシントン・レッドスキンズ（現ワシントン・フットボールチーム）のユニフォームデザイン。ヘルメットに廃止された旧ロゴが見える。(Fernando Martello, CC BY-SA 3.0)

２０１０年代以降、韓国出身の水泳選手パク・テファン、台湾出身のバスケ選手のジェレミー・リン、そしてバスケ選手の渡邊雄太と野球選手の大谷翔平たちは、恵まれた体格と優れた実績をもって各プロスポーツ界に挑んできた。しかしパクはドーピングで出場停止になり、リンは19年に中国リーグCBAへと去り、渡邊と大谷は入団後に故障や体調不良に苦しみ、「身体能力で劣る」というアジア系の伝統的ステレオタイプを蘇らせる皮肉な状況を生み出した。ところが２０２１年のシーズンになると、大谷はホームランを量産して伝説の英雄ベーブ・ルースに匹敵するか、それを上回るとされる活躍を見せ、オールスターゲームには投・打での「二刀流」出場を果たすという快挙を成し遂げた。今あらためて、スポーツ界でのアジア系表象は大きく揺らいでいる。

アメリカのスポーツ界は人種の壁を破り、人種統合を促しつつも、各集団の選手が見せる身体能力に生物学的根拠があるかのごとき言説を重ねてきた。つまり人種の境界を制度的に破壊し「平等な競技場」の実現を目指しながら、私たちの意識内で人種神話を強化させるという逆説的な現象を起こしている。よきにつけあしきにつけ、平等な競技場の主人公たちは、遺伝と環境のダイナミズムをめぐる終わりのない探求に、つねに新鮮な素材を提供し、スポーツをアメリカ研究にとって魅力の尽きないフィールドに仕立て上げていると言えよう。

（川島浩平）

❖参考資料

エプスタイン、デイヴィッド、（福典之監修・川又政治訳）『スポーツ遺伝子は勝者を決めるか？　アスリートの科学』早川書房、２０１４年

ベズニエ、ニコ他、（川島浩平・石井昌幸・窪田暁・松岡秀明訳）『スポーツ人類学――グローバリゼーションと身体』共和国、２０２０年

Thangaraj, Stanley. "Playing through Differences: Black-white Racial Logic and Interrogating South Asian American Identity." *Ethnic and Racial Studies*, Vol.32, No. 6 (June 2012), 988–1006.

The Racial & Gender Report Card [https://www.tidesport.org/racial-gender-report-card]

35

ダニエル・イノウエ

★日系アメリカ人政治家の足跡★

２０１７年5月30日、ホノルル国際空港は公式名称をダニエル・Ｋ・イノウエ国際空港に変更した。これは、ハワイの州議会が、故イノウエ連邦上院議員の同州と合衆国への貢献をおおいに称えた結果であった。

ダニエル・ケン・イノウエは１９２４年9月7日にホノルルで生まれた。両親は福岡県からハワイにやって来た移民一世だった。イノウエが17歳の時に日本軍が真珠湾を攻撃し、太平洋戦争が勃発した。戦時下のハワイでは、一般的にアメリカ本土ほど日系人に対する差別や偏見が苛烈ではなかったとされている。しかし、指導的立場にあった人々などが強制収容されたうえに、一般の日系人は武器や短波ラジオなどを没収され、疑いの目で見られた。そうした状況下で日系二世の多くはアメリカへの忠誠心を示そうと「非常時奉仕委員会」や「大学勝利志願団」などを組織し、積極的に戦時協力を行った。イノウエはハワイ大学マノア校の医学校進学課程に在籍しながら、応急手当所での任務に就いた。

１９４３年1月、陸軍省が日系人部隊の結成を決定し、本土の収容所とハワイから志願兵を募集した。ハワイでは１５００

ダニエル・ケン・イノウエ
(United States Senate*)

名を募集したが、志願者が殺到し、最終的には2686名が入隊を認められた。そのひとりがイノウエだった。ハワイの日系二世が志願した理由は、純粋にアメリカへの愛国心を示すことだけではなかった。当時のアメリカ社会に日系人にアメリカ化や多大な犠牲を求める社会的圧力があり、さらに家族が収容されている少数の人々にとっては、志願することで家族を解放してもらおうという期待もあった。

その一方で、本土の二世のようにアメリカ市民としての権利を侵害されていたわけではなかったので、ハワイの二世の多くは日本かアメリカのどちらを選ぶのかという選択にあまり悩むことはなかった。また、戦時中に差別や偏見にさらされても、ハワイをふるさととみなし、守らなければならないという思いが強かったようである。イノウエは日系人部隊として知られる第442連隊に所属し、ヨーロッパ戦線で戦い、右腕を失う大怪我を負った。彼は戦功のため多くの勲章を受けたが、外科医になる道を絶たれた。

日系人部隊の活躍はアメリカで称賛されたとはいえ、日系人に対する差別や偏見は戦後も残った。多くの犠牲を払ったイノウエをはじめとする二世の退役軍人たちは、ハワイに政治的、社会的、経済的変化をもたらそうとした。イノウエも法科大学院に進み、政治に関心を持つようになった。

第35章
ダニエル・イノウエ

ハワイは長年白人資本家による共和党支配が続いていたが、ジョン・A・バーンズのもとにイノウエら日系退役軍人が集結し、非白人たちの支持を受けて1954年に民主党が選挙で圧勝した。いわゆる「無血革命」である。このとき、イノウエは同じ第442連隊出身のジョージ・アリヨシ、スパーク・マツナガらとともに準州議会下院議員に当選した。それ以降、ハワイは民主党が準州議会（後の州議会）において多数派を占めるようになり、イノウエは政治家としての歩みを順調に進めていく。59年にハワイが50番目の州に昇格すると、イノウエは日系アメリカ人初の連邦下院議員に当選した。そして連邦下院議員を1期務めた後、連邦上院議員に当選した。以後、死没（2012年）までの50年間上院議員を務めた。上院議員の職にある間、イノウエは上院ウォーターゲート委員会、上院インディアン特別委員会、イラン・ニカラグア秘密工作特別委員会などの委員長を歴任した。亡くなるまでの2年間、大統領継承第3位である上院議長代行を務めた。

イノウエはまた、日系アメリカ人の権利擁護のために尽力した。1969年に緊急拘禁法の撤廃を求める法案を上院に提出した。緊急拘禁法とは50年に制定された国内治安維持法第二編に当たるもので、個人の行為が国家に重大な危険をもたらす可能性がある場合、予防的にその個人を拘禁できると定めたものである。公民権運動をはじめとするさまざまな異議申し立て運動が勢いを増した60年代後半、日系人コミュニティでは、政府に批判的な人物を収容所に入れる方便として緊急拘禁法が適用されるのではないかという不安が広がっていた。コミュニティ最大の組織「日系市民協会（JACL）」の要請を受け、イノウエはこの法律を撤廃する法案を上院に提出。この法案は修正をへて71年に満場一致で可決された。

イノウエは戦時中の日系人の強制立ち退き、収容に対する補償法案の成立にも他の日系議員らとともに貢献した。戦時中に日系人になされたことに対する調査委員会を議会に設立するための「戦時民間人転住抑留調査委員会法」の可決に奮励し、同法は1980年に成立した。この調査委員会の公聴会では、戦時中の経験について沈黙し続けていた多くの日系人がはじめて自分たちの体験を公の場で語った。調査委員会が日系人への補償と政府による公的な謝罪に加え、再発防止を目的とする公的教育資金の設立を勧告すると、イノウエは日系人への補償を認める法案を上院に提出した。この法案は可決され、88年に市民的自由法が成立した。

イノウエは自身の選出州であるハワイにもおおいに影響を及ぼした。たとえば、ハワイ王国転覆100周年にあたる1993年にハワイ先住民に対する連邦議会上下両院による合同謝罪決議案を提出した。同案は可決され、ビル・クリントン大統領（当時）が署名した。この決議では、アメリカによるハワイ王国の違法な転覆およびハワイ先住民の主権の抑圧を認め、謝罪している。ちなみに、イノウエは89年の国立アメリカ・インディアン博物館設立法の制定にも尽力した。ただし、イノウエやJACLハワイ支部に対してはハワイ先住民自治権獲得に干渉し、自治権を制限しているという批判も一部のハワイ先住民運動家たちから寄せられた。また、戦争の「英雄」であったイノウエは、安全保障政策では軍備拡張を重んじ、歳出委員長として軍需でハワイ経済を支え、結果として州の軍事依存を進めたと言えよう。軍事施設建設や原子力艦が自然破壊や環境汚染を引き起こしていることの責任を問う声もあった。

彼はどのように記憶されたいかと問われた時に「ハワイと合衆国の人々のために正直に力の限り代

表として務めた。うまくいったと思うよ」と述べ、「アロハ」と最後の言葉を残している。彼の死から1年後の2013年、その功績を称え、大統領自由勲章が贈られた。

（増田直子）

❖参考資料

イノウエ、ダニエル・ケン、ローレンス・エリオット（森田幸夫訳）『上院議員ダニエル・イノウエ自伝――ワシントンへの道』彩流社、1989年
島田法子『戦争と移民の社会史――ハワイ日系アメリカ人の太平洋戦争』現代史料出版、2004年
"Daniel Inouye." Densho Encyclopedia [https://encyclopedia.densho.org/Daniel_Inouye]
Trask, Haunani-Kay. "Settlers of Color and 'Immigrant' Hegemony: 'Locals' in Hawai'i." *Amerasia Journal*, Vol. 26, No. 2 (2000), 1–24.

36

高等教育界における女性リーダー

★女性学長を輩出する働きかけ★

日本で生活していると、多様な女性リーダーに出会う機会が乏しい。そしてそのような機会が少ないことすら十分に意識されていない。世界経済フォーラムが発表するジェンダーギャップ指数は２０２１年版で日本は１５６ヵ国中１２０位（前年は１５３ヵ国中１２１位）と底辺を低迷していることも、一因である。日本政府は20年までに指導的地位に占める女性割合を３割にするという目標を掲げていたが、実現には至らなかった。

なかでも日本の国公私立大学の女性学長の割合は、２０２０年度において、国立３・５％、公立21・５％、私立12・８％で、全体では12・８％（ただし、短期大学を含めると14・８％）である。とくに、国立大学は女性学長の輩出に足踏みしている。20世紀末の１９９７年にようやく、日本の歴史上初の国立大学の女性学長が奈良女子大学で誕生した。女性の高等教育を牽引してきたお茶の水女子大学の前身は、１８７５年の創立であるが、20世紀の百年間、女性学長の輩出に至らず、２００１年に初の女性学長を誕生させた。

日本の86国立大学の歴史上すべての女性学長は20年現在、わずか11名である。それほどに、大学という高等教育の空間で女性が代表者になることが日本では達成できていない。

ちなみにアメリカもジェンダーギャップ指数では2020年版で53位、19年版で51位とトップ集団に位置しているわけではない。ただし、有力な研究大学では20世紀末頃から女性学長が誕生し始めた。1978年に、シカゴ大学は総合大学として初の女性学長ハナ・ホルボーン・グレイを選出。長く女子学生に門戸を閉ざしていたアイビーリーグの大学でも、94年にペンシルベニア大学（ジュディス・ロディン）、2001年にブラウン大学（ルース・シモンズ）、プリンストン大学（シェリー・ティルマン）、07年にハーバード大学（ドリュー・ギルピン・ファウスト）と女性総長・学長が続いた。マサチューセッツ工科大学（MIT）でも04年、初の女性学長スーザン・ホックフィールドが就任した。20年現在、医学部を持つ国立の総合大学から、女性学長がいまだにひとりも出ていない日本の現状とは、きわめて対照的である。

ここに至るまでには、地道な努力が積み重ねられた。たとえば、1918年に設立された、アメリカ教育協会（ACE）という高等教育界のリーダー層を多様化させることに尽力する非営利組織が取り組んだ最近の調査や報告書がウェブ上に掲載されている。アメリカ教育協会は女性学長についての報告書「同等《パリティ》への道を先導する」を取りまとめ、どのようにして女性学長を男性学長と同等の割合に増加させられるのかを具体的に検討した。

この報告書の基になったデータは、アメリカ教育協会が定期的に実施している「アメリカの大学長研究」の最新版である。2016年の調査によれば、女性学長の割合（短期大学などすべての大学を含む）は30・1％で、11年の調査時（26・4％）から約4ポイント上昇している。1986年の最初の調査では女性学長の割合は9・5%であったので、30年の間にほぼ3倍になった。日本の2018年度の数値は、約40年前である80年代のアメリカの数値に近く、きわめて停滞していることがわかる。

しかし、女性学長の割合をさらに詳しく見てみると、「アメリカの大学長研究」によれば、短期大学における割合(35・8%)がもっとも高く、学士号を授与する機関、さらに修士号を授与する機関、博士号を授与する機関の順で女性学長の割合が小さくなっている。

さらに、家族の世話や介護がキャリア展開に影響を与えたことがあると回答した女性学長は31・6%で、男性の16・4%のほぼ2倍となっている。併せて、半数以上の女性学長の配偶者が相手のキャリアを支援するべく自身のキャリアを変更した、と回答していることも興味深い。

報告書「同等《パリティ》への道を先導する」の最後には、結論として女性学長を増加させるための具体的な提案が箇条書きで記載されている。そこでは、①現学長や学長経験者は、将来、学長となりそうな女性への指導や助言を行い、足がかりとなる役職に女性を昇進させること、②学長を選考する関係者は、財政や組織の問題点を含む情報を、女性男性に分け隔てなく平等に提供すること、そして、③高等教育にかかわるすべてのリーダーは、女性が早い段階からリーダーシップを培えるような機会と訓練を提供すること、の重要性を明示している。

さらに、アメリカ教育協会は非白人の女性学長へのインタビュー記事も掲出し、人種・エスニシティとジェンダーの両方から偏見や差別を経験している現役学長の「現場からの声」を紹介している。アフリカ系、ラティーナ、日系と多様な背景を持つ女性学長がどのようなキャリアパスをへて学長職に就き、大学運営のプロセスにおいて、ジェンダーと人種・エスニシティとによってそれぞれどのような異なる障壁を経験しているかをあきらかにしている。とりわけ、アフリカ系アメリカ人のロスリン・クラーク・アーティスが「ジェンダーの方が人種よりも大きな問題である」と語っていることは示唆的である。

日系アメリカ人のジュディ・K・ササキは、いわゆる第一世代の大学生（家族のなかではじめて大学に進学する者、すなわち両親のどちらもが大卒ではない学生）《第20章参照》であった。第一世代の大学生は家庭内で大学生活や学業の成功に必要なリソースや助言を得ることがむずかしい。そのような障壁を乗り越えた第一世代である学長が大学のリーダーであることは、学生への大きな励ましともなることから、ロールモデルとしてきわめて重要な役割を果たし、次世代のリーダー育成にも貢献する。自身が経験した困難があるからこそ多様な背景を持つ学生のニーズに敏感でもある。２０２０年に来日したテキサスA&M大学サンアントニオ校のシンシア・テニエンテ＝マトソン学長から、ラティーナの第一世代の大学生としてどのように道を切り開きキャリアパスを展開してきたか、筆者も対談でお話を伺ったことがある（詳細は参考資料を参照）。

テキサスA&M大学サンアントニオ校シンシア・テニエンテ＝マトソン学長（本人提供）

アメリカの女性学長割合の増加の背景のひとつに、アメリカ教育協会のような非営利組織の同等《パリティ》というゴールに向かって前進する長年にわたる活動があったことは注目に値する。性差別や人種差別のない高等教育機関を目指して、女性リーダーの輩出への働きかけを実践していることが、アメリカ教育協会の報告書から見て取れる。

（髙橋裕子）

❖参考資料

『シンシア・テニエンテ－マトソン氏　対談・講演会　グローバル時代におけるキャリアデザイン』（国際交流基金日米センター、２０２０年７月）[https://www.jpf.go.jp/cgp/assets/files/archive/archive_report/cynthia_teniente_matson.pdf]

"Leading the Way to Parity: Preparation, Persistence, and the Role of Women Presidents." [https://www.acenet.edu/Documents/Leading-the-Way-to-Parity.pdf]

"Ready to Lead: Women in the Presidency." [https://www.acenet.edu/Documents/infographic-ACPS-ready-to-lead-women-in-the-presidency.pdf]

"Voices from the Field: Women of Color President in Higher Education." [https://www.acenet.edu/Documents/Voices-From-the-Field.pdf]

37

#MeToo 運動

――★「それでも声を上げ続ける」ハッシュタグ・アクティビズム★――

セクシャル・ハラスメント（以下セクハラ）や性的虐待を告発したり、その被害を告白したりする内容がSNS上で2017年10月以降急速にアメリカに広がり、世界各国に影響を及ぼした。“Me Too（私も）”という言葉は06年に活動家のタラナ・バークが、性的虐待や性的暴行が蔓延しているなかで、とくにアフリカ系の女性たちが沈黙を破り、自分の人生を取り戻し、権利を主張することを促す目的で提唱した言葉である。バークは被害者救済のための草の根運動を行う際に、SNS上のスローガンとしてこのフレーズを掲げた。

2017年10月に『ニューヨーク・タイムズ』紙が映画プロデューサーのハーベイ・ワインスタインが長年にわたり多くの女性に行ったセクハラや性的暴行を告発する記事を発表すると、女優のアリッサ・ミラノがツイッターで同様の被害にあった女性たちに“Me Too”と返すように呼びかけ、#MeTooが広がった。さらに数日後に雑誌『ニューヨーカー』にもワインスタインによるセクハラの記事が掲載され、#MeToo運動の盛り上がりに拍車をかけた。以後、多くの女性が名乗り出て、ハリウッドの著名人たちが賛同を示した《第54章参照》。

ネット上で社会問題や政治問題を共有し、賛同や懸念を表明することは、２０００年代には「怠け者」(slacker) の「活動」(activism) という意味の造語「スラックティビズム」(slactivism) として批判されていた。しかし、10年末に起こった広範囲な反政府デモ「アラブの春」や11年の格差社会に反対する「ウォール街占拠」運動などを機に、ＳＮＳ上での動きとデモや集会などの抗議活動が連動するようになった。さらには12年に自警団員が丸腰の黒人少年トレイボン・マーティンを射殺し、翌年裁判で無罪になるとネット上で「ブラック・ライブズ・マター」がつぶやかれ、大きなうねりになっていく《第32章参照》。

こうした動きの延長線上に＃ＭｅＴｏｏ運動はある。セクハラの告発に、単にＳＮＳ上で賛意を示すだけでなく、インタビューを受けるなど、より能動的な形で告発者に続く者が現れたのである。さらに、映画界のみならずさまざまな分野で同様の告発がなされるようになった。この流れは、「タイムズ・アップ」(セクハラが黙殺される時代はもう終わりの意) の運動へとつながっていく。＃ＭｅＴｏｏ運動は、セクハラが黙殺され、または加害者との示談書によって被害を口外できずにいた被害者たちに抗議の声を上げる場を与え、実社会においてはセクハラ撲滅運動へと展開していった。

２０１８年の中間選挙では連邦議会下院で民主党が過半数の議席を獲得し、定数４３５名のうち１０２名の女性が当選し、女性議員の数がアメリカ史上最多となる結果となった。その契機のひとつが18年9月に連邦最高裁判所判事に保守派のブレット・カバノーが指名され、10月に上院で承認されたことであった《第3章参照》。この承認をめぐり、カバノーに高校時代に性的暴行を受けたという告発がパロアルト大学教授クリスティーン・ブラゼイ・フォードによってなされ、上院で公聴会が開かれた。カバノーを指名したドナルド・トランプ大統領は「どこでパーティがあったかも、どうやって家に帰ったかも覚えていない？ なのに、ビールを1本飲んだことと、カバノー氏に襲われたことだけをはっきり覚えているというのはどういうことだ？」と言ってフォード教授を揶揄したが、首都ワシントンでは承認反対のデモが連日行われた。カバノーは最終的に僅差で上院の承認を得た。カバノーへの告発は、1991年の連邦最高裁判所判事クラレンス・トーマスの指名時に、当時オクラホマ大学教授だったアニタ・ヒルがセクハラの告発をしたことを思い起こさせるものであった。公聴会では白人男性の上院司法委員員が黒人女性のヒルに対し、トーマスのセクハラについて無神経な質問を浴びせた。この時も多くの女性の怒りを買い、92年の選挙で女性議員の数が増える結果となった。

告発した女性の言葉よりも告発された男性の言葉が優先された結果、男性が権力の座に就くに至ったこと、男性が保守派の判事であったこと、さらに中絶合法判決が覆される可能性が大きくなったことに危機感を募らせた有権者の行動が選挙結果に影響を及ぼしたこと、これら3点が1992年と2018年の連邦下院議員選挙における共通点であった。一方、92年とは異なり、18年の選挙では#MeToo運動とSNSの影響が大きく、史上最多の女性議員が当選し、「ピンクウェーブ」と呼ばれた。

2018年の選挙で当選した、多様な人種的・民族的・文化的背景を持つ女性議員のひとりが、ニューヨーク州選出で29歳という最年少の当選者アレクサンドリア・オカシオ＝コルテスであった。「民主社会主義者」を自認するオカシオ＝コルテスは、環境問題や国民皆保険関連で進歩的な政策を推進しており、トランプの弾劾に支持を表明していた。19年7月にトランプは名指しはしなかった

民主党女性議員幹部会の公聴会で沈黙を破り証言する #MeToo 運動の参加者（Judy Chu*）

が、非白人女性議員を標的にして『進歩的な』民主党の女性議員たち」は「もといた国に帰ればよい」とツイッターに投稿した。これを受けて、オカシオ＝コルテスは、「分隊」を意味する「スクワッド（squad）」と名づけた同期の同僚議員たち、アフリカ系のアヤナ・プレスリー、ソマリア出身でアメリカに帰化したイルハン・オマル、パレスチナ系でムスリムであるラシダ・トレイブ《第28章参照》とともにトランプを強く批判した。トランプのＳＮＳを使った女性蔑視や人種差別に対し、「スクワッド」もＳＮＳを駆使し対抗した。下院はトランプの発言を「人種差別的」とする決議案を可決した。

２０２０年３月にワインスタインは禁錮23年の刑を言い渡された。９月に映画芸術科学アカデミーは主要な役や製作スタッフに人種・民族的マイノリティや女性、ＬＧＢＴＱ、障がい者を起用することを作品賞の新基準にするとホームページ上で発表した《第54章参照》。11月の連邦議会議員選挙で「スクワッド」は再当選を果たした。このように＃ＭｅＴｏｏ運動は盛り上がりをみせ、アメリカ社会に大きな影響を及ぼすに至った。

著名人によるＳＮＳ上での発言が注目を集める一方、日々の生活のために仕事を失う危険を冒せない市井の人々は、変わらず声を上げにくい状況に置かれたままであることも事実である。また新型コロナウイルス感染症の蔓延による外出制限で、家庭内での暴力や性的虐待が増えている。被害を訴えた者に対するバッシングも問題となっている。『ニューヨーク・タイムズ』紙でワインスタインを告発する記事を書いたジョディ・カンターはインタビューで「それでも声を上げ続けることが変化につながる」と述べている。辛抱強いアクティビズムが求められるゆえんである。

（増田直子）

❖参考資料

カンター、ジョディ、トゥーイー、ミーガン（古屋美登里訳）『その名を暴け――#ＭｅＴｏｏに火をつけたジャーナリストたちの闘い』新潮社、２０２０年
Kantor, Jodi, and Megan Twohey, "Harvey Weinstein Paid Off Sexual Harassment Accusers for Decades." *New York Times*, October 5, 2017.［電子版］
"TIME Person of the Year 2017: The Silence Breakers." *Time*, December 18, 2017.［電子版］

38

スポーツとジェンダー

★男性中心主義と同性愛嫌悪への挑戦★

1972年、公的高等教育機関における男女の機会均等を定めた教育改正法第九編（通称タイトル・ナイン）の制定以降、アメリカは女性へのスポーツ開放で先導的な役割を担ってきた。国際的人気を誇るサッカーでも、アメリカ女子選手はたびたび世界の頂点に立ってきた。しかし他方で、ビキニのように露出度の高いユニフォームを着てアメリカンフットボールを行うランジェリー・フットボールリーグを2009年から12年まで、これを改称したレジェンズ・フットボールリーグを13年から19年まで興行し、スポーツ本来の魅力以外の要素を取り込んで人気上昇を狙うなど、悪趣味な企画を重ねてきたことも事実である。21世紀が最初の5分の1を終えた現在、ジェンダーという観点からスポーツを見ると、アメリカはどのように位置づけられるのだろうか。

まず目につくのは女子プロリーグの多彩さである。今世紀初めはバスケットボール（WNBA）のみであったが、その後2004年にソフトボール、09年にアメフト（ランジェリー／レジェンズ・リーグとは異なる）、13年にサッカー、15年にはアイスホッケーが、次々と発足した。とりわけWNBAは、女子プロ

ランジェリー・フットボールリーグのダラス・ディザイヤー対サンディエゴ・セダクション戦に出場する選手たち（2009年）（John P., CC BY 2.0）

リーグ組織としては、安定的な財政基盤を確立したと高く評価される。

しかし男子スポーツと比較すると、たちまち格差が浮かび上がる。女子プロスポーツ史上最多の観客動員数は、2019年にサッカー（ポートランド・ソーンズFC対ノースカロライナ・カレッジFC）が記録した2万5218人であった。これは人気男子チームの1試合平均動員数に遠く及ばない数字である。競技別に見た場合、1試合平均動員数がもっとも多いWNBAでも7337人に留まり、1万人に届かない。

選手の年俸も低く、生活に十分な額が保証されない者が多いと言われる。比較的恵まれたWNBA選手でも、2020年契約時の規定最低年俸は5万8000ドル（経験3年未満）〜6万8000ドル（それ以外）、ほぼ全員に適用される規定最高年俸は18万5000ドル、特別に認められたトップ選手でも21万5000ドルにすぎない。他競技ではさらに低い。その理由は、スポーツにおける身体のあり方とパフォーマンスの多元的価値が提唱されてきたとはいえ、依然として「男性に比べて迫力がない、遅い」といった男子アスリートを基準とした評価が幅を利かせているからである。

大学スポーツ界では、女性に対する性犯罪が跡を絶たない。２０１５年、デューク大学やミズーリ大学コロンビア校のキャンパスで男子アスリートによる女子学生への暴行を大学当局が不問に付した事件が次々と発覚した。後者では被害者の自殺という悲劇を招いている。同年ミシガン州立大学では、全米体操連盟のチームドクターも務めていたラリー・ナサール医師が１９９２年以来数多くの女子選手に性的暴行を加えていた事件が発覚し、世界を震撼させた。当時バラク・オバマ政権はタイトル・ナインによる規制を強化すべく、性的虐待防止対策としてコーディネータを配置する計画を進めていたが、ドナルド・トランプ政権下で骨抜きにされてしまった。

性的マイノリティの競技者による権利擁護活動も見逃せない。１９６８年メキシコ五輪に陸上十種競技代表として出場したトム・ワッデルらは、同性愛者のための世界大会を企画し、82年にサンフランシスコで、後に「ゲイ・ゲームズ」と称されることになる第1回大会を開催した。以後4年ごとに北米、欧州、豪州の都市を回り、２０２２年にはアジア初の大会が香港で開催される予定である。女子サッカー選手メーガン・ラピーノは同性愛者としてカミングアウトしており、ＬＧＢＴＱの権利擁護活動に積極的に参加、全米代表として12年ロンドン五輪、15年と19年のＦＩＦＡ女子Ｗ杯での優勝に貢献し、19年大会では最優秀選手と得点王を受賞した。男女アスリート間の待遇格差に反対する発言も、たびたび行っている。

トランスジェンダーやインターセックスのアスリートの競技参加をめぐっては賛否両論あるが、学術的な調査研究も進んでいる。オレゴン州のプロビデンス・ポートランド・メディカルセンターのジョアンナ・ハーパーらは、性別二元論にとらわれずに、男性ホルモンのテストステロンのレベルで決まる「アスレチックジェンダー」という概念を提唱し、ワールドアスレチックス（2019年に国際陸上競技連盟IAAFから改称）の新基準（テストステロン値を6ヵ月継続して5ナノモル毎リットル未満に抑えることを含む）を後押ししている。20年の大学生アスリートを対象とする意識調査では、男性よりも女性が、白人よりも非白人が政治活動に対する意識が高く、異性愛規範による不利益や人種偏見・差別を被りやすい集団から改革の動きが生じる可能性を示唆している。

アメリカスポーツ界のジェンダーをめぐる環境は、保守と革新の勢力が拮抗し予断を許さない状況にある。そのなかで2020年夏、グランドスラムでそれまでに通算2勝をあげ、アメリカを拠点に活躍するプロテニス選手大坂なおみは、ブラック・ライブズ・マター運動《第32章参照》を支持して「私はアスリートである前に黒人女性である」と自身のツイッター上で表明した。この時メディアは「黒人」としての彼女に注目したが、今あらためて「女性」としての彼女に注目すべきであろう。一方日本ではサッカー選手の永里優季が、20年9月に男子はやぶさイレブン（神奈川県リーグ2部）に期限付き移籍を発表して話題をさらった。永里は17年から20年までアメリカプロリーグのシカゴ・レッドスターズでプレイし、21年には同リーグに復帰しレーシング・ルイビルに入団することが決まっている。これらふたりの女性アスリートによる大胆な行動は、アメリカというスポーツ環境での経験があったからこそのことであろう。スポーツとジェンダーをめぐるアメリカ社会のダイナミズムが、彼女らを既存の価値や規範を越える行動へと駆り立てている。

多様な性のあり方にどう境界線を引くべきかの論争は続いているが、アスリート一人ひとりの自己実現が可能な社会を目指す挑戦もまた続くのである。

（川島浩平）

❖参考資料

東園子「女同士の絆の認識論――『女性のホモソーシャリティ』概念の可能性」『年報人間科学』27号、２００６年、71～85頁
「特集　女性スポーツの現在」『現代スポーツ評論』33号、２０１５年
日本スポーツとジェンダー学会『データでみるスポーツとジェンダー』八千代出版、２０１６年
Harper, Joanna et al. "The Fluidity of Gender and Implications for the Biology of Inclusion for Transgender and Intersex Athletes." *International Federation of Sports Medicine*, Vol.17, No.12 (December 2018), 467–472.

39

SOGIと人称代名詞

★性的指向と性自認をめぐって★

ＬＧＢＴＱという表記は、Ｌはレズビアン、Ｇはゲイ、Ｂはバイセクシュアル、Ｔはトランスジェンダー、Ｑはクィアとそれぞれの頭文字を取ってセクシュアルマイノリティを示す言葉となっている。同時に、セクシュアリティのあり方は多様であるのに、そのことを意識せずこの言葉を無自覚に使用してしまうとセクシュアルマイノリティをいくつかのカテゴリーに分けてくくり、あるいはラベルを貼ることにもつながってしまう。

その弊害を避ける意味で近年では、むしろＳＯＧＩ《ソジ》という用語が頻繁に使用されるようになっている。ＳＯＧＩとは、「性的指向」という意味のセクシュアルオリエンテーションと「性自認」という意味のジェンダーアイデンティティのことである。性的指向とはどのような性に魅かれるのか、性自認は自身の性をどのように自認しているのかということを表している。このようにとらえれば、これはすべての人々に該当し、すべての人々を包摂する用語となる。

性的指向に関しては、多くの人々は自分自身と異なる性に魅かれる異性愛（ヘテロセクシュアル）であるかもしれないが、それも性的指向のひとつのありようである。同性に魅かれるホモセクシュアル、また両方の性に魅かれるバイセクシュアルも性的指向のひとつのありようだ。また、アセクシュアル（エイセクシュアル、asexual）という性的欲求がないという人々もいる。性的指向については すべての人々がその有無も含めて、何らかの指向を持っている。規範的でない少数派の性的指向だけを取り出して、なぜラベルを貼る必要があったのかを考えてみることも必要だ。

性自認については、多くの国や地域では生まれた時に医療従事者が女か男の性別を決定して、親族が出生届などを提出する。しかし、そのうち出生時に割り当てられた性別と自分自身が認める性別が異なる「性別違和」を感じる人々がいる。「性同一性障害」という言葉が日本でも広く知られるようになったが、世界保健機関は2018年、これを「精神疾患」から外し、「性の健康に関連する状態」に分類し、「性別不合」（gender incongruence）と位置づけた。自認する性に変更すべくホルモン療法や性適合手術などを受ける場合もある。

性別違和については、「横断する（トランス）」という意味でトランスジェンダーという用語が使われている。それに対して、生まれた時に割り当てられた性別と性自認がつねに一致している人々をシスジェンダーという。トランス（trans）の反対語で「同じ側」という意味のシス（cis）を当てて、多数派の性自認のありようにも呼び名が設けられた。少数派だけが特別視されるのではなく、多数派にも名前を付けることで、規範的な性を相対化する視点を生じさせる点が重要である。

また、女男どちらの性別も自認せず、いわゆるXジェンダーと言われる人々もいる。性別は女か男かのふたつだけという性別二元論に与しないという意味でノンバイナリー（バイナリーは二元論という意味）、あるいはジェンダー・ノンコンフォーミング（女男という性別の区分に与しないという意味）と言うこともある。

アメリカ人からメールを受け取った際、名前の署名欄の下に、たとえばshe, her, hersと書いてある場合がある。これは、自分について使ってほしい人称代名詞を明示するためであり、性別を名前や見た目だけで判断しないようにという意味合いもある。日本語とちがって、英語でのコミュニケーションには人称代名詞が頻繁に出てくるので、どの人称代名詞を使用すべきか判断が必要となる。たとえば、性別二元論ではとらえられない人について、想像で人称代名詞を使用することには注意が必要だ。そうであるからこそ、大学では最初の授業で呼ばれたい名前に加えて、希望する人称代名詞を聞くようにというガイダンスを行っているところもある。性別二元論に与せず、女男どちらでもない場合には、英語の授業で三人称複数と習ったthey, their, themを三人称単数として使用する場合もある。女か男かではなくてそのどちらでもないこと、すなわちジェンダー中立的であることを示すためだ。さらに、ze, hir, hir, hirs, hirselfという新しいジェンダー中立的な人称代名詞も造語され用いられている。また、近年では、米国在住のラテンアメリカ系の人々を指す呼称として、「ラティーナ」「ラティーノ」という性別二元論のスペイン語ではなく、「ラティーネクス」というジェンダー中立的な造語が使われるようにもなった《第27章参照》。

アメリカの北東部に位置する歴史的に重要な7つの女子大学をセブンシスターズと呼んできた。7大学のうち5校（バーナード、ブリンマー、マウントホリヨーク、スミス、ウェルズリー）が今も女子大学として躍進している。トランス学生の性別をめぐる出願資格の問題で2013年以来大きな論争があったが、15年までには決着がつき、出生時の性別より性自認が優先されることで一致した。また、入学後

11月のトランスジェンダー啓蒙週間中、ウェルズリー大学の図書館近くに掲げられたバナー。「勇気を持って歩む友とともに／ウェルズリーは私たちのトランスジェンダー兄弟姉妹を支援します（The Brave Walk Among Us / WELLESLEY SUPPORTS OUR TRANSGENDER SIBS）」と記されている。（筆者撮影）

に女性から男性に性別の変更があった場合にも、大学は学生の希望に応じて支援し、当該学生に学位を授与することも確認した。ノンバイナリーの学生の対応についてはマウントホリヨークだけが積極的に受け入れる方針を打ち出しているが、あとの４校は女子大学で学ぶ意欲に加えて女性としての性自認を重視している。

筆者が２０１３年から14年まで研修で滞在していたウェルズリー大学も、傑出した女性リーダーを輩出した女子大学として屈指のリベラルアーツ・カレッジである。暴力で犠牲になった被害者を顕彰する11月20日の「トランスジェンダー追悼の日」まで、11月13〜19日の１週間をトランスジェンダー啓蒙週間と定めている。写真にある通り、図書館の近くにバナーを掲げて、トランス学生への支援と連帯を明示していた。

性的指向、性自認、性別のありようは社会を大きく変化させている。人々の意識ばかりでなく、言葉を変え、教育機関を変え、何より人々の価値観を変えている。そしてそれは、目に見えにくいかもしれないが、人権の問題としてあらゆる人々が日常生活で直面していることでもある。

（髙橋裕子）

❖参考資料

ＬＧＢＴ法連合会『日本と世界のＬＧＢＴの現状と課題――ＳＯＧＩと人権を考える』かもがわ出版、２０１９年
日本学術会議法学委員会、社会と教育におけるＬＧＢＴＩの権利保障分科会「提言　性的マイノリティの権利保障をめざして（Ⅱ）――トランスジェンダーの尊厳を保証するための法整備に向けて」２０２０年9月23日
森山至貴『ＬＧＢＴを読みとく――クィア・スタディーズ入門』筑摩書房、２０１７年
三成美保編著『教育とＬＧＢＴＩをつなぐ――学校・大学の現場から考える』青弓社、２０１７年

40

多様化する人種・民族的マイノリティの呼称

★さまざまなアイデンティティを反映して★

２０２０年は、10年に1度の国勢調査《第2章参照》が実施された年であった。この最新の国勢調査では、回答者が自己申告する人種の選択欄に、中東・北アフリカ系の人を指すＭＥＮＡ（Middle East, North Africa）というカテゴリーをあらたに加えることが検討され物議を醸した。従来、この地域に属する人は人種区分上「白人」に含まれてきたが、これが現実的な自分たちのアイデンティティにそぐわないと問題視する声を受け、バラク・オバマ政権が提案したのがＭＥＮＡであった。この新カテゴリーの追加は、アメリカ社会におけるＭＥＮＡの存在を社会的に認知するものとして評価される一方で、民族的差異により国民を細分化する行為として批判を受けた。結局国勢調査にＭＥＮＡは導入されなかったが、この一件は、人種や民族による呼称の問題が、個人のアイデンティティにかかわることはもちろん、社会による特定集団の位置づけ、さらにはアメリカはどうあるべきかという国家観にまでかかわる社会的・政治的問題でもあることを浮き彫りにした。ＭＥＮＡは現ジョー・バイデン政権下で再び導入の議論がなされる可能性がある。

アメリカには人種や民族、言語文化的背景などによるさまざまなマイノリティの呼称がある。黒人にはBlack, African/Afro American, Black American という呼称があり、またスペイン語を母語とする人やスペイン語圏文化に属する人々を指す Hispanic（Chicano, Latino/Latina や Latinx とも呼ばれる）《第27章参照》、先住民を表す Native American（Indian, American Indian, Indigenous People などとも呼ばれる）や、また出生国や民族をハイフンで「アメリカ人」とつなぐ「○○系アメリカ人」という表現も広く使用されている。

こうした呼称は、１９６０年代の公民権運動以降、自らの出自を誇りを持って表現し、また集団的意識や結束を促し支配体制に抵抗するための手段として戦略的に生み出されてきたものが多い。たとえば、「ブラック」は公民権運動期の黒人たちが自らのアイデンティティを示す言葉として肯定的に使うようになるが、60年代末にはアフリカというルーツを強調する「アフロ・アメリカン」という呼称を黒人の若者が進んで用いるようになり、80年代末頃からは「アフリカン・アメリカン」という呼称が普及していった。「アジアン・アメリカン」という汎アジア的呼称もまた、国も民族も異なるアジア人同士が、ちがいを超え連帯することで主流社会からの抑圧や差別と闘うべく同時期に生み出された呼称である。このように、各呼称は白人主流社会において周縁化されてきた共通の歴史的経験を持つマイノリティの個人、集団としてのアイデンティティの構築と社会的承認を目指す政治的な闘いの産物なのである。

だが、これらの呼称とその意味合いは時代の状況に応じて変化し、近年では呼称と個人のアイデンティティ間の齟齬が顕在化し、呼称の妥当性や必要性を疑問視する声が上がっている。たとえば黒人の呼称「アフリカン・アメリカン」は、近年これに代わり「ブラック」や「ブラック・アメリカン」

を使用する人が増えている。２０００年代以降、アメリカではカリブ海地域やサハラ以南のアフリカからの移民人口が増加しているうえに、こうした移民は自らの出生地や民族性を「カリブ系アメリカ人」といった呼称を用いて強調することにより、黒人内部で差異化を図る傾向が強い。外国生まれの黒人の移民が急増した１９９０年代以降、かつて黒人を結束させた奴隷制の歴史的記憶や被差別集団という認識はかならずしも共有されるものではなくなっており、「アフリカ系」という呼称に包摂されることに違和感を抱く黒人たちが「ブラック・アメリカン」と自称し始めているのだ。またアジア系も、現在は「アジアン・アメリカン」よりも「エスニック・アメリカン」または出生地や民族を明確に表す「○○系アメリカ人」を自認する人々の方が多いという。この背景にも、「アジア人」とひと括りにされることに違和感を覚える人々の意識がある。

どの人種や民族も、市民権の有無、英語運用能力、世代、主流社会への同化度、祖国との関係などにより集団内部での差異があり、さらにこうした差異は異人種間結婚やグローバル化による人の移動によっていっそう流動性と複雑さを増している。このような状況下にあって、共通要素を有することを前提とする「アジアン・アメリカン」のような包括的呼称は、ますます現状から離れつつあるようである。

しかしながら、いまだ白人種を優位とするアメリカ社会において、マイノリティの呼称はその有用性を失ってはいない。差別や抑圧への抵抗には人種や民族による集団的結束は有効かつ不可欠である。共通して排除や脅威にさらされた人々が集団的アイデンティティを基に集団利益の獲得や主流社会への異議申し立てを図るアイデンティティ・ポリティクスは、被差別集団に政治的な力を与え、主流社会における政治的存在感を高める効果がある。ゆえに人種差別という共通の脅威の前では「アジアン・アメリカン」などの呼称のもとで一体化して共闘する一方で、同集団内部では日系アメリカ人など民族性を前景化した呼称を名乗り差異化を図るという、状況やコンテクストに応じて呼称を使い分けるマイノリティも多い。

その一方で、このアイデンティティ・ポリティクスは、弱者の名のもとに特定の集団の利益を主張するものだという批判や、人種・民族的差異の強調は国家の統一を阻害するという批判を浴びている。また包括的な呼称自体、集団内部の差異や多様性を軽視し、集団としての統一を強いるという難点があるのも事実である。このように、呼称にはそれぞれ長所と短所が存在するのであり、その使用法や意味合いは個人により、さらに時代や社会的コンテクストによって変動する。マジョリティ側の「白人」という呼称も、実は「非白人」との境界はあいまいで、かつその内部にも多くの差異があり、かならずしもその名称が意味する特権を皆が享受しているわけではない。「マイノリティ」「マジョリティ」という呼称も、非白人人口が過半数を超えるとされる2050年以降には、その言葉が指すものは大きくちがっていることだろう。

多様化と複雑さを増す現在のアメリカ社会では、すべての人を網羅する呼称は存在し得ない。また、人種・民族による格差や差別が存在する限り、ある種の呼称のもとにマイノリティが結束する必要性はなくならないだろう。一方、呼称という「ラベルづけ」や「ハイフンづけ」自体を拒み、「アメリカ人」とのみ自認する人も多い。呼称とは、呼び方のちがいという、単なる言語の問題ではなく、個人のアイデンティティの表現とそれをめぐる闘いの場なのである。

（鈴木紀子）

❖参考資料
久保文明他『マイノリティが変えるアメリカ政治——多民族社会の現状と将来』NTT出版、2012年
菅（七戸）美弥『アメリカ・センサスと「人種」をめぐる境界——個票にみるマイノリティへの調査実態の歴史』勁草書房、2020年
Brown-Dean, Khalilah L. *Identity Politics in the United States*. Medford, MA: Polity Press, 2019.

41

ソブリン市民運動

★コロナパンデミックで顕在化した反政府集団★

2020年の新型コロナウイルス感染症の世界的流行により、普段は影を潜めている反政府集団「ソブリン市民」に一気に注目が集まった。感染症予防のためにマスク着用が義務化されたシンガポールで同年5月、マスクを着けずに買い物をしていた女性が警察官に注意されるも無視し、着けない理由を「私はソブリンだから」と主張する動画が報じられ、話題となった。はじめて聞く「ソブリン市民」に人々は当惑しながらも、関心が広まった。同様の事件が、オーストラリア、ニュージーランド、イギリスでも起こり、コロナパンデミックを拡散の温床としてソブリン市民は世界的な運動になりつつあると報じられた。

Sovereign Citizen または SovCits と表記されるソブリン市民運動は、アメリカを起源とする。連邦捜査局（FBI）は「反政府的な過激派で、アメリカに物理的に居住しているのに、アメリカから分離している、あるいは『ソブリン』であると信じる」運動と定義している。「ソブリン」は、「主権・独立を主張する」という意味で、ソブリン市民は政府や法律に従わない人々ということになる。ソブリン市民の存在は一般にはほとんど知られていないが、アメリカの警察機関の調査では「アメリカにとってもっとも重大な脅威」とされている。過激派組織を監視する南部貧困法律センターによると、2011年時点での全米の「ソブリン市民」は少なくとも10万人、潜在的な者も含めると20万人と推定されるが、正確な人数を把握することは不可能だとする。中心的な指導者はいないし、入会できる組織母体もないからである。人々はセミナーや何千もあるウェブサイト、ビデオなどを通じてソブリンを知り、「市民」となる。ただし、その思想はつねに変化し、ほかの過激派集団にも浸透・拡大しているため、結局「ソブリン」の実態は特定しがたい。市民生活レベルでは、税金の支払い拒否、文書の偽造に加え、大量の文書を裁判所などに送りつける「ペーパー・テロリスト」としても知られている。アメリカのテレビドラマ『BOSCH／ボッシュ』シーズン6、エピソード2は、ソブリン市民が容疑者として登場する。

古くは、1995年に168人が死亡したオクラホマシティ連邦政府ビル爆破事件の共謀者テリー・ニコルズが自称「ソブリン市民」だった。爆破の目的は、「専制的でグローバル主義の」連邦政府に対する武力革命だったと報じられている。連邦政府ビル爆破事件の時代から、国内テロリスト像——森に潜み決戦の日に備え訓練に勤しむブルーカラーの白人——も変化した。そのことはソブリン市民も同様で、今日では社会の底辺層とは限らず、人種的にも多様で、黒人のソブリン市民もいる。ソブリンの思想は、社会階層や人種を超えて反政府、反法執行機関の熱心な信奉者を惹きつけているのである。

2017年に英『ガーディアン』紙は、アメリカのテロリズム対策ではイスラーム過激派に重点が置かれているが、国内で勢いを増す極右過激派の脅威の方がより差し迫っていると報じ、ソブリン市民の勢力拡大に警鐘を鳴らした。10年にアーカンソー州のハイウェーで規格外のナンバープレートを付けていて警察に車を止められた親子が、職務質問中に警官ふたりを銃で殺害した事件など、2000年から16年までの間、ソブリンがかかわる事件で、18人の警官が死亡、17人の警官と9人の市民が負傷している。

　ソブリン市民によれば、「市民」たちの考え方の原点は、アメリカ合衆国憲法とコモンローである。憲法に基づいた「合法的」国家が、どこかの時点で、おそらく憲法修正第一四条（1868年）によって「非合法化」されたと考えるのである。修正第一四条は南北戦争後、解放された奴隷に市民権を与える目的で制定されたもので、アメリカで生まれ、あるいは帰化し、国の法の支配を受ける者は、すべてアメリカ市民であると規定している。ソブリンは、この法律によって「二級市民」が誕生したと考える。さらに、憲法に基づいた合法政府が、腐敗した銀行家たちによって密かに転覆され、商法が統治する「企業体」、すなわち事実上の非合法政府へとすり替えられたと信じているのである。州を越えた商取引に一貫性のある法的枠組みを与えるための商法が、ソブリンの目には全市民を強制的に「企業体」に組み込むための陰謀と映るのだ。「企業体」に組み込まれた市民は、憲法下の市民とは別の「架空の人物」であると、ソブリンは考える。州を越えて適用される免許証や所有権、銀行口座などに関連する法律や借金は、「非合法」（憲法とコモンロー以外は

ソブリン市民が使っている法律違反のナンバープレート（FBI.gov*）

すべて非合法）のもとで作られた「架空の人物」に適用されるものであるから、自分たちには適用されないとする。万が一それらに署名してしまうと、非合法で専制的な商法に弱みを握られる、と信じている。ソブリン市民が自前の免許証やナンバープレートを作るのはそのためである。ソブリンはまた、すべての「違法な」法律から免責されると主張するためには、特定の法的手続きを取り、特定の言語と原則を「有効化（activate）」する必要があると考えている。そうした手続きには「ソブリン宣言（Declaration of Sovereignty）」をすることも含まれ、これはきわめて複雑な手続きのため、数百ドルもするキットや案内書の販売、セミナーなどが横行しているという。

ソブリン市民のさらなる妄想は、「償還（Redemption）」という考え方である。「企業体」政府は秘密の資金を蓄えており、謎めいた法律文書もどきを申請することにより償還金が得られると信じている。経済的窮地を経験してソブリン市民となった者も多く、税金の支払いや銀行の借金返済を逃れられると信じて、償還金申請を含め違法行為に走る例も少なくない。

言い換えれば、「企業体」政府は国民を秘密裏に搾取して資金を貯め込んでいるという陰謀論が、ソブリン市民運動の核になっている。これは、困った問題を即解決してくれるファンタジーにすぎないが、現社会体制の正統性を直感的に疑い、社会の「不公平」から自由になりたいという庶民の欲求から生まれたと指摘する者もいる。現実を理解するために、さまざまな知識や法律を寄せ集めて、実体験を理解しようとするファンタジーでもある。

ソブリン市民が現状に反旗を翻す時、独立時のアメリカや憲法など、歴史を遡った過去に救いを求めているところが現代的である。そのことは、ソブリンの思想がアメリカ独立宣言や憲法のレトリックを幾重にもまとって語られることにもよく現れている。ソブリンの思想は、今日のナショナリズムが『アングロ・ノスタルジア』の著者マルタ・ダッソーがいうところの「時計を巻き戻せ」を特徴とすることとも通底し、ブレグジット（イギリスの欧州連合からの離脱）やドナルド・トランプ前大統領の「アメリカを再び偉大な国に」にも通じる。政治学者のジョアン・コックスは、一般人にはまったく理解不能なソブリン市民運動の支離滅裂な考えにも、現代社会の苦悩の一端を垣間見ることができると指摘している。コックスはさらに、富裕層が所得の再分配に反対し、減税や節税を実現する目的で行政区から「独立」し、富裕層からなる「排他的都市」に引きこもる行動も、ソブリンが税金を拒否することと大差はない、そのような富裕層の方が社会にとってより深刻な問題ではないかとも指摘している。

（黒沢眞里子）

❖参考資料

六辻彰二「『歴史のリセット』を夢想するドイツ新右翼――『帝国の市民』とは何ものか」『ニューズウィーク日本版』２０１８年５月29日［電子版］

Berger, J. M. "Without Prejudice: What Sovereign Citizens Believe." Washington, D.C.: Program on Extremism at George Washington University, 2016. [https://cchs.gwu.edu/sites/cchs.gwu.edu/files/downloads/Occasional%20Paper_Berger.pdf]

Cocks, Joan. "Immune from the Law?: The Curious Case of the Sovereign Citizens Movement." *LAPHAM's Quarterly*, Vol. 11, No. 2 (Spring 2018) [https://www.laphamsquarterly.org/rule-law/immune-law]

The Sothern Poverty Law Center. "Sovereign Citizens Movement."［電子版］

42

情報のあり方への模索

★ネット社会のルール作りをどうするか★

インターネットは、私たちの生活や言論活動を以前よりも自由で便利にした。ネットとリアルの世界もつながって、相互に影響を与え合うようになり、またあらたな社会が開かれてきた。たとえばフェイスブック（FB）は、利用者のデータを収集し、利用者個々人に最適化された広告（マイクロターゲティング広告）を出すことを売りに、企業から広告料を取る企業であるが、「人々がネット上でコミュニティを構築する手助けをし、世界のつながりを強めること」を目標にし、実際に2020年にはブラック・ライブズ・マター運動《第32章参照》を下支えするなど、人がつながる場所をネット上で提供して、社会を大きく変えてきた。

しかし一方で、あらたな問題も顕在化してきている。FBだけを見てもセキュリティやプライバシー保護に問題があり、たびたび個人情報を流出させているし、無意図と釈明するものの150万人分のメール情報を16年から約3年間無断で収集していた。それに、FBを利用する企業の一部に利用者の個人情報を許可なく閲覧させていたこともある。また、アップルとツイッター社以外の主要なIT関連企業9社が、国家安全保障局

（NSA）に対して、必要な法的手続きなしに個人情報へのアクセスを許していたこともわかっている（13年にエドワード・スノーデンが告発）。私たちは、便利なサービスやSNSを無料で使う代わりに、個人情報の扱いがずさんな企業に大切な個人情報を渡してしまっているのかもしれない。

さらに問題になったのが、個人情報を利用した意図的な世論操作である。たとえば2016年のケンブリッジ・アナリティカ事件では、SNSの利用者個々人に最適化されて（マイクロターゲティング）流されたフェイクニュースや広告（FBはそれらから利益を得た）がアメリカ大統領選挙やイギリスのEU離脱投票の結果に影響を及ぼした可能性が示唆されている。ロシアが何らかの形でこれに関与した疑惑もある。ケンブリッジ・アナリティカ社は、FBの「グラフAPI」にかつてあった、アプリ利用者の友達の情報もまとめて取得する機能（15年4月に完全に仕様変更され今はできない）を利用して集められた8700万人分（うちアメリカ人のデータは7063万人分）の個人情報をAIで性格別に分類し、個人に最適な政治広告を流した。個人情報は、学術目的の性格診断アプリ利用者から芋づる式に取得されていた。人々は、知らないうちに個人情報を悪意を持って利用され、投票する時に何らかの影響を受けたことになる。この事態があきらかになった時は、プライバシーを守るためにFBの利用を止める人が続出した。FB社は19年7月には連邦取引委員会から50億ドル、証券取引委員会から1億ドルの制裁金も科された。独占による慢心がプライバシー軽視につながったという批判も出ている《第15章参照》。政治広告については、ツイッター社は19年11月から掲載を禁止したが、FBは非難を受けた後、20年のアメリカ大統領選挙1週間前から掲載を一時停止した。

また、ネット上の不適切な情報への対応も問題になっている。ネットでは種々雑多な情報が飛び交うので、当然、フェイクニュースやフェイク広告、いじめや嫌がらせ、誹謗中傷、ヘイトスピーチ、過激団体やテロリストが運営するサイトやグループ、なりすまし発言、虐待や処刑の映像、テロリストのプロパガンダ、銃乱射や自殺ライブ、児童ポルノなどもある。GAFA《第15章参照》などはAIでも自動削除を試みているが、下請けで世界中に10万人以上はいるというコンテンツモデレーター（不適切な情報を監視して警告を付けたり削除したりする人）が、日々、不快あるいは社の規定に反するコンテンツと格闘している。心的外傷後ストレス障害（PTSD）になる人もおり、FBは元コンテンツモデレーターたちによって起こされた裁判で総額5200万ドルを支払って和解している（2020年5月）。それでも、たとえば嫁ぎ先を決める少女の公開入札など、規制されるべきであろうものが野放しで、戦争写真家ニック・ウトの「戦争の恐怖」（1972年）に写った裸の少女が規制されるなどして、議論を呼んでいる。フェイクニュースに関しては、世界中に、非営利団体のファクト・チェック・ドット・オルグ（03年〜）のような団体が多数あり、監視を続けている。

ドナルド・トランプ大統領の発言をめぐっては、2020年5月から6月にかけて、ツイッター社とFB社で対応が分かれ、FB社員のストライキがあったり、ツイッター社の警告づけに怒った大統領が、プラットフォーム企業の不適切コンテンツについての免責を制限する大統領令を出して応酬したりした。結局、トランプ大統領の発言はより制限され、大統領令が表現の自由に反するとする訴訟が起こされたのだったが、大統領令は、通信品位法第二三〇条改正論議に発展し、同年10月には公聴会が開かれた。21年1月6日の議会議事堂襲撃事件《第1章参照》以後は、GAFAとツイッター社が、トランプ大統領による煽動を危惧してアカウントを永久凍結し、同時に、極右系のSNSを閲覧不能にした。しかし今度は、欧州諸国などから、このIT各社の対応は表現の自由の侵害だと非難されることになり、極右組織が訴訟を起こすに至っている。

ほかにも、フェイク広告や社の理念に合わない広告が自社サイトなどに載ってしまった、あるいは逆に、自社広告がヘイトサイトに載ってしまったなどの理由で企業イメージを傷つけられたという苦情も相次いでいる。ミレニアル世代《第23章参照》は平等・公平、サステイナビリティ（持続可能性）などを重視した消費行動を取るので、これらを重視しない企業だと思われると即刻売り上げに響くが、企業側はどのページに自社の広告が載るかを選べないのである。２０２０年６月には、大手企業が、ヘイトスピーチ対策が適切に行われるまではFBに広告を出さないという「利益のためのヘイトをやめろ（Stop Hate for Profit）」運動を始め、参加企業は２４０社にも上った。新型コロナウイルス感染拡大で人も企業もネット上の広告に頼る頻度が増したことも背景にあると思われる。

警告表示の付いたトランプ大統領のツイッター画面（2020年12月31日）。「不正選挙に関するこの主張は論争になっています」という表示がある。（https://twitter.com/realdonaldtrump　2021年1月6日閲覧、現在は凍結中）

ネット社会について、一体誰がどのように個人情報を管理し利用するのか、何を真実として世に広めるべき情報かを一体誰が決めるのか、表現の自由はどこまで許されるべきか、テロリストにも表現の自由を与えるべきなのか、もし人々に害を与えるようなものがあったら、それに対する責任は誰がどのように取るのか。国家や国際機関（EUなど）も乗り出して、あらたな社会でのルール作りは始まったばかりである。私たちも自分のこととして考え、声を上げていきたい。

なお、この章ではおもにネット上の問題を取り上げてきたが、そもそもデジタル情報を、経済的あるいは技術的などの理由で得ることができない人々を取り残してはいないか、というデジタル・ディバイド（情報格差）問題が未解決であることは、合わせて指摘しておきたい。スマートフォンを所持しているかどうか、所持するデバイスの種類や数、高速通信整備状況などで、できることに差が出るため、いっそうの格差是正が望まれる。

（西川裕子）

❖参考資料

アテン、ジェイソン（渡邉ユカリ訳、常盤亜由子編集）「カマラ・ハリスの副大統領就任でシリコンバレーが警戒すべき3つの分野とは」『Business Insider』２０２０年12月３日［https://www.businessinsider.jp/post-223940］
カイザー、ブリタニー（染田屋茂、道本美穂、小谷力、小金輝彦訳）『告発――フェイスブックを揺るがした巨大スキャンダル』ハーパーコリンズ・ジャパン、２０１９年
ワイリー、クリストファー（牧野洋訳）『マインドハッキング――あなたの感情を支配し行動を操るソーシャルメディア』新潮社、２０２０年

III

文　化

43

カホキア墳丘群

★世界遺産は破壊されるのか？★

1921年の『地理学評論（Geographical Review）』誌に「古代に生きた人々による偉大な作品が次々と破壊されていく。イリノイ州オールトンの近くにあった断崖絶壁は1857年に、ミシシッピ川対岸のセントルイスにあった巨大古墳は1869年に取り除かれた。そして今、カホキア族が占拠していた場所は、危機に直面している」と書いたのは、当時ウィスコンシン大学で英米文学を教えていたトマス・イングリッシュである。その後、彼はイェール大学をへて、エモリー大学の教壇に立ち、名誉教授となった。そもそも研究分野が考古学でない人物が、なぜこの問題を地理学の雑誌で取り上げたのか。

彼が言及した場所は、17世紀にこの地域に往来した部族カホキア・インディアンの名前をとった墳丘群である。総面積が325万平方メートルにまで及ぶ大河ミシシッピ流域に、10世紀から15世紀前後にかけて花開いた「太陽の都」と呼ばれた場所で、1982年にはタージ・マハルや万里の長城と並ぶ世界遺産としてユネスコに登録されている。トウモロコシを主食とし、高度に発達した首長制階層を有する先史文化であり、北米のみならず日本の考古学者が取り上げ、わが国の縄文時代後期と比較し得る対象として知られている。たとえば、古墳時代を初期国家段階ととらえるのか否か、という国境を越えた考古学者の論争において、世界規模で学界が注目する遺跡なのである。

なかでも頂部が平坦な盛り土の方形マウンド群が特徴的である。考古学では一般に「墳丘墓」という用語を使うが、カホキアでは埋葬施設を伴わない儀礼用、また豪族居館の基壇として用いられる場合もあるので、あえて「マウンド」と呼ばれている。もともと地表から突出している巨大遺跡として人の目につきやすく、早くも１８４０年代に考古学的調査が行われ、48年に報告書『ミシシッピ河谷の古代記念物（Ancient monuments of the Mississippi Valley）』が国立スミソニアン研究所から刊行された。

ところで、12～13世紀のカホキアでは、祭祀を行う場所である中央広場を取り巻くようにマウンドが築かれ、その周囲には集落、農場などが広がり、大小規模の遺跡群がひとつの居住形態をなして地域に展開していた。その中心にあるモンクス・マウンドと呼ばれる「僧侶の塚」（19世紀に僧侶が近隣に住んでいたという理由から）の頂上は、今は草が生い茂る高さ30メートルほどの平らな台地になっている《カバー裏表紙側袖の写真参照》。当時はそこから、高位の酋長が土塁に囲まれた城塞都市全体を監督し、外敵がやって来ないか見張っていたという。ミシシッピ川流域の河谷に広がる「アメリカン・ボトム」と形容される氾濫原の自然条件を利用して、ここでは大規模な農耕が行われていた。しかし、この大集落は人口圧力（生活を支える経済活動に対して人口が相対的過剰になったこと）や疫病の流行によって、１４００年頃から規模が縮小し始めて、１５００年頃には集落がほぼ放棄された。

今日、アメリカン・ボトム保護協会（ＡＢＣ）の代表キャシー・アンドレアが、この世界遺産に迫り来るゴミ埋立地拡張計画に対して、イリノイ州シエラ・クラブとともに反対運動を展開している。

彼女いわく、「川向こうのミズーリ州セントルイスに行くと巨大アーチが出迎えてくれますが、こちらイリノイ州に来ると〝ゴミ塚〟が出迎えるのです」と皮肉を込める。まさに100年前のイングリッシュ教授と同じように、先住民文化破壊への警鐘を鳴らしている。

大量生産・消費・破棄を象徴するゴミ埋立地の拡張をめぐっては、北米先住民の埋葬地、豊かな自然が残る湿地帯、さらに学術的に重要な先史時代の古墳を破壊する、といった懸念事項が山ほどある。アンドレアは「埋葬場所にゴミの埋立地を作るなんて、先住民にとても失礼なことだ。先住民にとって神聖な場所だからだ」と言う。しかし、これまでにもカホキア墳丘群はすでに、高速道路網、郊外住宅地といった生活空間の急拡大の影響を受けてきた。

たとえば、イリノイ州マディソン市の議会は、世界遺産の隣接地へと埋立地が拡張することを全会一致で承認している。いわゆる迷惑施設の受け入れと引き換えに、廃棄物処理業者はマディソン市に年間100万ドルを支払うと約束した。人口4500人を抱える同市長のジョン・ハイムは、廃棄物処理業者の申し出を大きな財源になると評価する。現在、市警察のパトカーはコンピュータを搭載していないし、市内の道路をはじめとするあらゆるインフラ整備など、とうの昔に改善されるべきだった問題が一挙に解決するだろう、と大歓迎である。

拡張が予定されている土地は、イリノイ州の廃棄物管理会社が所有している。同社スポークスマンのビル・プランケットによると、迷惑施設に対してはいつも反対の声がある。「ご存知の通り、埋立地は好まれませんが、私たちには廃棄物を処分する場所が必要なのです」と。事実、現在の埋立地は満杯に近づいている。会社としては、提案された場所が「気を遣わねばならぬ場所」であることを

第43章

カホキア墳丘群

破壊される巨大古墳（1869年撮影）（Thomas M. Easterly*）

重々認識している。一方、許認可権を持つ州政府は、２００５年に廃棄物処理業者が発見した頭蓋骨は先住民のものだと断定している。しかしプランケットは、考古学者がその後この地域を捜索したが、遺骨や遺品が見つかっていないから拡張に問題はないのだと主張する。

伝統的に考古学者は、埋蔵されたモノを発掘して意味づけをしてきたのだが、精神世界を無視した研究者の行為もまた批判にさらされている。そもそも北米先住民は、ヨーロッパ列強による植民地主義によって繰り返し迫害を受けてきた。先住民の生活環境は、そこにある自然環境とともに繰り返し破壊されてきたのである。植民地時代以来、収集家や古物商たちは、好奇心あるいは金銭的な利益のために過去の遺物を収集してきた。19世紀に近代学問が誕生すると、世界中の博物館で展示することを目的とした考古学がこれを継承した。１９６９年にバイン・デロリアが出版した『貴方たちの罪のせいでカスター将軍は逝った（Custer Died for Your Sins: An Indian Manifesto）』を契機に、ようやく研究者は、こうした問題に気づき始めた。現在、先住民を「他者化」して好奇の目で見てきたという反省に基づき、先住民の日常生活、衣食住や精神性、そして政治的、社会的な組織を理解し直す必要に迫られている。また、主権国家としての部族政府が自分たちの遺産を管理する権利をどう行使すべきか、課題は山積している。脱植民地化された考古学的実践を目指す新しい世代が、カホキア問題とどう向き合うのか、目が離せない。

（小塩和人）

❖参考資料

「北米最大の先史都市カホキアの謎に新事実」『ナショナルジオグラフィック日本語版』２０１５年５月22日［電子版］

Atalay, Sonya. "Indigenous Archaeology as Decolonizing Practice." *American Indian Quarterly*, Vol. 30, No. 3–4, (Summer-Autumn, 2006), 280–310.

English, Thomas H. "The Cahokia Indian Mounds: A Plea for Their Preservation." *Geographical Review*, Vol. 11, No .2 (April, 1921), 207–211.

Hansen, Liane. "Indian Mounds May Overlook a Growing Landfill." National Public Radio, May 13, 2007. [https://www.npr.org/templates/story/story.php?storyId=10158528]

44

ロアノークの「失われた植民地」

★バージニア・デア伝説の現代的意味★

現在のノースカロライナ州ロアノーク島（大西洋沿岸に連鎖する島々《アウターバンクス》のひとつ）へのイギリスによる探検および入植が立案されたのは、エリザベス一世の寵臣ウォルター・ローリー卿によってであった。１５８４年、２隻の船からなる探検隊が派遣されたが、すぐに帰国した。翌年、定住を目的とした人員が派遣されたが、先住民との衝突ならびにスペインとの関係悪化が危惧され、１年足らずで放棄された。さらに87年、ジョン・ホワイトの指揮のもと、１１５名を超える入植者が派遣されたが、前年までに残した入植者の痕跡はなかった。ホワイトは補給品を得るために、イギリスに戻った。

ホワイトはただちにロアノークに戻る予定であったが、スペインの無敵艦隊との戦いの影響などもあり、実際に戻ったのは２年以上たった１５９０年であった。すると、１本の木に“CRO”という文字が、防御柵（３年前にはなかった）の一角に“CROATOAN”という文字が刻まれているのが見つかった。「クロアトアン」とは、ロアノーク島の南約80キロに位置した島（当時の島は海水の浸食により水没し、現在はハッテラス島の一部になっている）およびそこに住む先住民を指し、入植者がロアノーク

先の入植者の残した文字を見るジョン・ホワイト
(Design by William Ludwell Sheppard, Engraving by William James Linton*)

島を去ることがあれば、行き先を木に刻むか、目印に「十字」を彫っておくという約束に合致したものだった《図参照》。入植者を見つけることができなかったホワイトはクロアトアン島への探索を試みたが、果たせず本国に戻った。

ホワイトらの入植から20年後の1607年、バージニアのジェームズタウンに最初の恒久的なイギリス植民地が建設された。その指導者だったジョン・スミスは、クロアトアン島にヨーロッパ風の服装をした男たちがいると聞き、捜索隊を派遣したが、明確な証拠は得られなかった。以後、ロアノーク入植者の行方を探る試みが何度となく企てられたものの、明確な答えは得られないままに400年以上の月日が流れた。今日ある「ロアノーク砦」は、ローリーの時代のものではなく、1941年に再建されたものである。

1584年にホワイトが率いた入植者のなかには、彼の娘エレノア・デアがいた。彼女は夫アナナイアスとともにロアノーク島に到着して1週間後、女子を出産し、バージニアと名づけた。その生涯の詳細は知られることはなかったが、「バージニア・デア」は、北アメリカ大陸で生まれた最初のイギリス人の子として知られるに至った。

その後、人種隔離主義が全国的に広がっていた20世紀初頭、南部出身の作家サリー・サウソール・

コトンにより「白い雌鹿」という詩が著わされた。タイトルの「白い雌鹿」はバージニア・デアを指したのはあきらかであった。「ロアノークの幼な子は、野の花のごとく／インディアンの乙女たちの傍ら／美しく成長した。……／彼女の豊かな金髪に陽光は白、黄に映える。／澄み渡った昼間の空の青色は彼女の目に宿る。」（筆者訳）多くの若者が彼女に言い寄るが、彼女はすべてを拒む。拒まれた若者のひとりが悔しさのあまり呪いをかけると、彼女は白い雌鹿に変わり、ロアノークの島をさまよう、とコトンは詠んだ。さらに1907年には、ジェームズタウン植民地設立300年展において、バージニア・デアは「西半球における白人種の誕生の象徴」であるとする文言が使われた。

1937年、ロアノークの西、アルブマール湾に面したノースカロライナ州イーデントン近郊のチョウワン川沿いの地中から、表と裏に十字の印といくつかの文字が刻まれた高さ30センチ・重さ9キロの石「チョウワン・ストーン」が偶然発見された。エモリー大学で鑑定された結果、文字は以下のように判読された。

（表）

十字　アナナイアス・デアとバージニアは／1591年に天国に行った／イギリス人は誰でもこの石を／バージニア総督ジョン・ホワイトに見せて欲しい

（裏）

父よ／あなたがイングランドに向かった後、われわれは／ここに来た。2年間は、欠乏と戦いの連続だった。この間に／半分以上の人間が死んだ、その数24人／船が来るという知らせをひとり

デア・ストーン（Photo courtesy of Brenau University）

の野蛮人が伝えに来た。彼らは復讐を恐れて／去って行った。来たのはあなた方ではないと、われわれは思っている。すぐ後で／野蛮人は、魂が［怒っている］と言った。予告なしに／彼らは7人を除いて皆殺しにした／私の子も、アナナイアスも惨めにも殺された／この川の約4マイル東に埋められた／彼らの名前は小さな丘の上の／岩に刻んで掘られた。／もし野蛮人がこれをあなたがたに示したならば、彼らには／多くの報奨が与えられるであろうと／われわれは約束した／EWD（筆者訳）

もしEWDがエレノア・デアを指し、書かれていることが真実ならば、バージニアは、幼くして没したことになり、コトンの詩の内容とは合致しない。

「チョウワン・ストーン」の発見から3年のうちに、イーデントン周辺から類似した石が合計48個見つかった。最初に発見された石も合わせて「デア・ストーンズ」と呼ばれてきた。しかし当初より、すべて贋作ではないかという疑念があった。もしそうならば、きわめて巧妙な作品であり、専門家を含め多くの人間が欺かれてきたことになる。

「デア・ストーンズ」については、今もその素材および文字解読などの調査が進行中である。ノースカロライナ州東部の住民のDNAサンプルを採取し、ロアノーク入植者とその子孫のつながりを調べることも考えられているが、現時点では実現していない。他方、考古学的発掘がなされ、陶器、レイピア〔礼装用の剣の柄〕、銃身および銃弾、石板、筆記用品、重りなどが出土されている。以上から、16世紀または後の時代に、ヨーロッパ人入植者と先住民およびアフリカ系入植者（その大多数は奴隷）との交流が生じており、北アメリカ大陸においては多文化の共生が早くからあったことが示される。

その反対に、今日、「反移民」をスローガンに掲げる保守的なグループがそのウェブサイトに「デア」の名を用いていることが注目される。その名称（VDARE）およびロゴ（白鹿）はバージニア・デアに由来したものであり、多民族の共存の理想とは裏腹に、デアこそ「北アメリカ大陸で生まれた最初のイギリス人」、すなわち純粋のアメリカ合衆国市民であり、その言い伝えは守られなければならないとする姿勢が読み取れる。狭隘な白人至上主義と批判されても致し方ない。

（明石紀雄）

❖参考資料

ロウラー、アンドリュー「北米大陸――消えた入植者たち」『ナショナルジオグラフィック日本版』、2018年6月号、100～113頁
Miller, Lee. *Roanoke: Solving the Mystery of the Lost Colony*. New York: Arcade, 2012.
V・デア財団のホームページ［https://vdare.com/］

45

ニューヨーク公共図書館

★知の保存と情報・サービスの発信の場★

ニューヨーク市マンハッタンの中心部、5番街と42丁目通りの交わるところにニューヨーク公共図書館がある。腰折れ《マンサード》（上段が急で下段が緩やかな二段からなる）屋根・三角形部分《ペディメント》・蛇腹《コーニス》・列柱《オーダー》を擁する擬似古典様式の本館は、1911年に竣工。当初から電灯が完備され、当時の最新技術であったエアシューター（閲覧希望用紙を担当者に届ける装置）やエレベーター（書庫から図書を運搬する装置）が導入された。正面には、2頭のライオン像が設置された。本館の前身であったふたつの図書館の創設者の名を取って、北側の像はレオ・レノックス、南側のはレオ・アスターと呼ばれた。30年代の大恐慌時に、ニューヨーク市長フィオレロ・ラガーディアが「この苦難を乗り越えるには、忍耐《ペイシャンス》と不屈の精神《フォーティテュード》が必要だ」と述べたことから、北側のライオン像は「フォーティテュード」、南側のライオン像は「ペイシャンス」の愛称で呼ばれるようになった。本館の建物と併せて、ニューヨークの観光名所にもなっている（2020年7月以来、あたかも新型コロナウイルスとの闘いを象徴するかのように、両方のライオン像に青いマスクがかけられるようになった）。

本図書館は、4つの研究図書館（本館［人文社会科学図書］、黒人文化研究図書館［ショーンバーグ黒人文化研究センター］、舞台芸術図書館、科学産業ビジネス図書館）を持ち、分館を合わせて92館からなる。保管資料は５３００万点以上を数え、おもにニューヨーク市のマンハッタン、ブロンクス、スタテンアイランド区の住民からの図書閲覧・所蔵資料検索・公開講座参加などの要望に応じているが、インターネットを通じて、世界各地の誰でも利用できる。

ニューヨーク公共図書館は、すでに存在していたふたつの図書館――アスター図書館（毛皮貿易などで財産をなしたドイツからの移民ジョン・ジェイコブ・アスターの遺産を元に１８４９年開館）、およびレノックス図書館（グーテンベルクによる活版聖書を含む、弁護士ジェームズ・レノックスが蒐集した稀覯《きこう》本を元に１８７０年開館）――を併せて開館された。元ニューヨーク州知事サミュエル・J・ティルデンの遺贈品も加えられた。開館後は、鉄鋼で財を築いたアンドリュー・カーネギーをはじめとする篤志家による寄付が続いている。近年では２００８年、実業家スティーブン・A・シュワルツマンにより1億ドルの寄付がなされ、本館の改修と拡張に充てられた。

本図書館の特色は、「広く公共のサービスに供せられる」ものであるという理念に支えられていることであり、ひとつの「地方自治体」の所有物ではないことである。その全予算額は収支ともに3億ドルを超え、基金は14億ドルを超える（２０１9年度監査報告による）。設置母体はニューヨーク市ではなく、「ニューヨーク公共図書館・アスター・レノックス・ティルデン財団」である。公的機関からの助成金は収入全体の5分の1のみで、残りの資金は財団が独自の事業および民間からの寄付を募って集めることになっている。

アメリカにおいては、市民の啓蒙と情報蒐集のための公共の施設を造る試みは早くからあり、その

ニューヨーク公共図書館（OptimumPx*）

ための寄付を申し出る篤志家が存在した。避雷針の発明で有名なベンジャミン・フランクリンが中心となって1731年にフィラデルフィアに創立した「図書協会」はそのひとつである。会員は一定の資金を出し合い、図書を共同購入・利用した。定期的に開かれた集会に会員は自分の本を持ち寄り、その日の討論に供し、家で読みたい場合は自由に本を借り出すことができた。会員の多くは、零細な企業の店主・番頭・店員・職工であった。その後、会員制ではなく市民が自由に利用することのできる施設を設立する動きが起こり、市の会計から維持管理費を支出するボストン公共図書館の設立に結実した（1854年）。

今日ニューヨーク公共図書館は、自らが「市民の知的インフラストラクチャー」となることを謳っている。住民に情報へのアクセスを提供することが最大の任務であるとみなされている。そのためには、アーカイブ（資料の蒐集・保管）機能が発揮されなければならない。印刷媒体（一般書・稀覯本・定期刊行物・公文書・統計）のみならず、その他の媒体（手書きの原稿［個人の手紙・日記類・草稿など］、音および映像の記録［インタビュー・ドキュメンタリーなど］、電子データ）がその対象となる。アクセスを必要とするのは研究者・専門家のみならず、子ども、移民、学校、高齢者・障害者などである。コンピュータの使い方を指導することも、その提供サービスの範疇に入る。公務員や教員などの出願書類の書き方、各種採用試験の参考書や問題集、奨学金に関する情報を必要とする人々のニーズにも応えなければならない。このように、本図書館は過去の記録の蓄積と新しい情報の提供のいずれをも担っている。ニューヨーク公共図書館が本館および研究図書館に加えて、地域に根差した分館を備えているのは、この目的のためにはとくに有効である。

近年、「図書館は不要である」という声もある。しかしこれは図書館を物理的なスペースのみとみなす人の思考である。図書館は、単に資料を集めたハコではなく、それ以上の機能を果たしている。デジタル時代が進展しても、図書館が持つ基本的な機能は、形を変えてますます重要になるだろう。利用者が知的好奇心を満たし、自らの教養を高めるために本や雑誌などを読み、そこで得たものを吸収して新しいものを生み出すことを奨励する開かれた空間、それが図書館である。

第4代大統領ジェームズ・マディソンの言葉――「人民が情報を持たず、情報を得て入手する手段をも持たないような人民の政府は、喜劇か悲劇か、あるいはその両方への序幕でしかない。知識を持つ者が無知な者を永遠に支配する。そして、自らの支配者であろうとするならば、市民は知識が与える力で自らを武装しなければならない（1822年8月4日付・W・T・バリー［元郵政長官］宛書簡より）」は、しばしば図書館のモットーとして引用されるが、あらゆる図書館の使命と役割を如実に物語るものとして大切にしたい。

（明石紀雄）

❖参考資料

菅谷明子『未来をつくる図書館――ニューヨークからの報告』岩波書店、2003年
ドキュメンタリー映画『ニューヨーク公共図書館エクス・リブリス』ミモザフィルムズ、2017年
ニューヨーク公共図書館のホームページ［https://www.nypl.org］

46

DENSHO

――★日系アメリカ人の歴史を継承するデジタル・アーカイブ★――

第二次世界大戦を経験した人々が年々減少するなか、その記憶を残そうとする動きが全米各地で起こっている。インターネットの普及に伴い、当事者のオーラル・ヒストリーをデジタル・アーカイブに保存することも盛んに行われている。「デンショウ（DENSHO）――日系アメリカ人遺産プロジェクト」もそうした試みのひとつである。

1995年にシアトルに拠点を置く20のボランティア組織が日系アメリカ人のオーラル・ヒストリー・プロジェクトについて話し合い、翌年マイクロソフトの元マルチメディア出版部部長のトム・イケダが中心となって非営利団体デンショウを設立した。この名称は日本語の「伝承」からきており、日系人の戦時中の強制収容の経験を次の世代に伝えたいという意図を表している。ホームページによれば、団体の使命は公正さと正義を促進するために、戦争体験者の高齢化により戦争の記憶が失われる前に証言を記録し、保存し、共有することである。

プロジェクトが始まった背景として、旧ソビエト連邦の崩壊や湾岸戦争などで国際情勢が不透明になるなかで、もし国家が危機的な状況になれば第二次世界大戦時と同様の人種や宗教に

第46章
DENSHO

基づくプロファイリングが行われる懸念が日系人の間にあったことが挙げられるだろう。こうしたことが繰り返されないようにするためにも、日系人の歴史を共有する必要があると考えたのである。このような危機感や使命感からデンショウは立ち上げられた。常務理事であるイケダによると、映画監督のスティーブン・スピルバーグがホロコーストの生存者や目撃者の証言を映像で記録するために1993年に創設したショアー生存者映像歴史財団に、オーラル・ヒストリーの収集と公開の技術面での方法や展望を学んだという。デンショウでは、豊富な資金を有するショアー財団とは異なり、高性能な機材を使ったインタビュー記録の作成はかなわなかったが、オーラル・ヒストリーの映像をインターネットで容易に見られるアーカイブ作りに力を入れた。

デンショウの特徴は、多様な人々の記憶を残そうとしていることである。デジタル・アーカイブでは約1000人の日系人へのインタビュー動画を見ることができる。その内容は戦時中の体験談が多いとはいえ、出移民の体験から1980年代の補償運動まで多岐にわたる。また、多様な視点を提示するため、インタビューの対象者にはさまざまな人物が含まれるよう配慮された。性別、年齢、地域の偏りがないように、さらに従軍経験者、徴兵拒否者、社会活動家など、さまざまな戦争体験者をも含んでいる。

1970年代に始まった強制立ち退きや収容に対する補償運動において、日系人は「補償をする」という意味と「誤りや不正を正す」という意味を持つ「リドレス（redress）」という言葉を使い、単なる金銭的補償だけではなく、自分たちの憲法上の権利が侵害されたという不正義を正し、政府による正式な謝罪を求めて運動した。この運動と、その成果として成立した88年の市民的自由法によって、日系人の間では、自らの経験を公の場で語り、伝えていくことの重要性が理解されるようになった。さらには、補償運動のさなかには「アメリカに忠誠を尽くす日系人」というイメージを打ち出していたが、補償法成立後は収容に抵抗したり、異議申し立てをした人々の声に耳を傾ける重要性も理解されるようになった。

この動きを受けてデンショウでは、立ち退きに抵抗したゴードン・ヒラバヤシのような歴史的に著名な人物や従軍した二世のように「英雄」としてみなされてきた人々だけでなく、一般の日系人の戦争経験者や収容所で異議申し立てをしたり、徴兵を拒否したりした人々のインタビューも積極的に行っている。そうすることで、日系人の多様な経験の記憶を残すとともに、歴史の不正を正すことにもつながると考えるのである。

デンショウは教育や研究に活用されることも期待している。そのため、写真、新聞記事、文書などの一次史料も充実させている。デジタル化された資料を充実させるために、国立公文書館、ワシントン大学図書館、ウィング・ルーク博物館などから資料を得たり、全米日系人博物館やハワイの日系文化センターを含む他の日系人組織と連携したりしている。

デンショウのアーカイブにはさまざまな工夫がこらされている。キーワード等で検索しやすいように工夫されており、関連のインタビューを芋づる式に見つけることができる。インタビューの動画にはスクリプトも付いているため、英語の聞き取りが不安な人にも内容がわかる。事典機能もあり、日本人移民や日系アメリカ人の歴史に関連した用語や人名を調べることができる。日本人がアメリカに移民してから補償運動をへてその歴史を残すに至るまでの流れを追うことができるページや、日系人の戦時中の強制立ち退きや収容を題材として中学校や高校の教師が教えるためのオンライン・コースや教材を提供するページもある。これらはすべて無料で利用できる。なお、デンショウのサイト内には日本語のページもある。一部のインタビューは日本語の字幕付きで視聴でき、また、日本人移民が渡米してからの歴史や年表を日本語で読むことができるようになっている。

イケダは、「単に歴史的なできごとを記録するためではなく、拒絶や不当な扱いを受けた恥ずかしさや悲しみの感情を癒すためにこうしたストーリーを共有することが重要である」と言う。日系人の経験や感情の共有は、治安の維持という名目のもとで人種的、民族的、宗教的、性的マイノリティに対して行われている抑圧に対して抗議の声を上げようとする人々に力を与えている。イケダは、２０１９年４月のニューズレターで非合法移民収容施設に収容されている人々《第13章参照》との連帯を表明している。また、20年6月には反黒人感情や白人至上主義を根絶するために行動を起こす必要性を訴え、黒人コミュニティ組織の連合である「ムーブメント・フォー・ブラック・ライブズ」《第32章参照》への募金を呼びかけている。「平等や人種的公正に基づいた未来」を作るために討論会や研修会なども企画し、さらにデンショウのブログで差別に関する問題を取り上げている。デンショウは民主主義に反

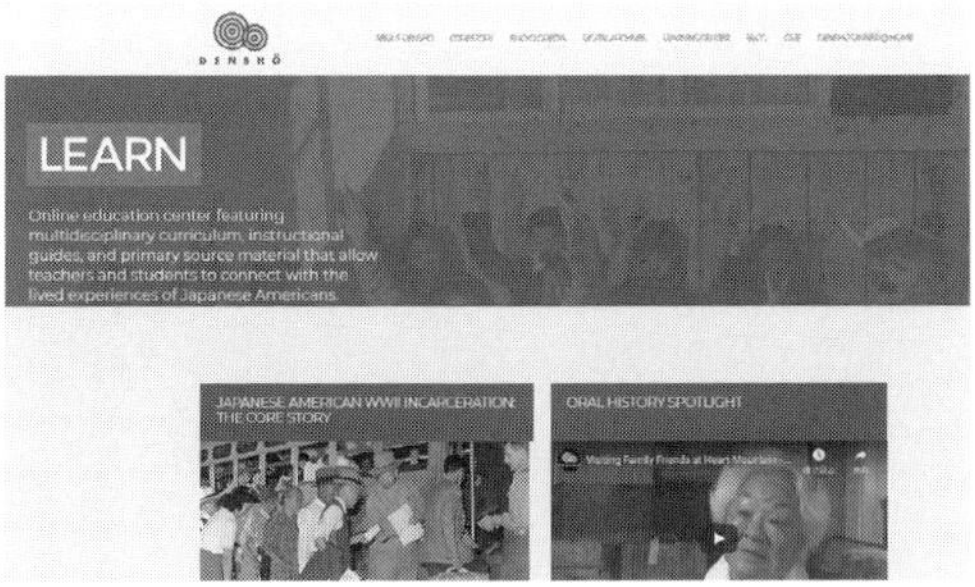

DENSHOのトップページ。About DENSHO, DISCOVER, EXPLORE, LEARNの４枚の写真が流れている。（https://densho.org/ よりDENSHOの許諾を得て掲載）

する不寛容や市民権侵害の問題を調査する手段となり得るオーラル・ヒストリーなどの資料を提供している。つまり日系人だけでなく他のマイノリティの権利をも守ることを重要視しているのである。

このようにデンショウは、第二次世界大戦中の日系人の経験を記憶するという本来の使命から「教育し、保存し、協力し、公正のための行動を鼓舞する使命」に発展した。２０２１年に設立25周年を迎えるデンショウは日系人の経験をさらに多くの人々と共有することを目指している。

（増田直子）

❖参考資料

辻本志郎「太平洋戦争中の日系人収容を後世に伝える『DENSHO』」『デジタルアーカイブ学会誌』４巻１号（２０２０年）、22～27頁［https://www.jstage.jst.go.jp/article/jsda/4/1/4_22/_pdf/-char/ja］

Ikeda, Tom. "Densho: The Japanese American Legacy Project," in Douglas A. Boyd and Mary A. Larson, ed. *Oral History and Digital Humanities: Voice, Access, and Engagement.* New York: Palgrave Macmillan, 2014, 133–143.

DENSHO ホームページ［https://densho.org/］

DENSHO 日本語版ホームページ　日系アメリカ人の歴史ポータル［http://nikkeijin.densho.org/］

47

読み継がれる短編小説「くじ」

★いじめ問題解決のヒントは「小さな石クズ」★

シャーリー・ジャクソン（1916〜65年）の短編小説「くじ」は、1948年、名だたる小説家を世に送り出した雑誌『ニューヨーカー』の6月26日号に掲載された。発表の季節を合わせたかのように、物語は夏休みに入ったばかりの朝の広場の風景から始まる。まず子どもたちが現われ、続いて大人の集団が登場する。男の子は石を拾い集める作業をしていて、女の子たちはそれを尻目におしゃべりをしている。父親たちは農作物の話をしながら、自分の子どもがいるか確認している。少し遅れて母親の集団がやって来て、それぞれ夫のところへ移動する。穏やかな場面設定であるが、最後は年中行事のくじ引きで当たりを引いてしまった女性が、広場に集まったすべての住民から石を投げられている残酷な描写で終わる。なぜ選ばれたか説明が付けられない、つまり誰もが犠牲者になり得る不条理が存在する。

一般的なアメリカの田舎町が舞台となっていたからか、生々しい戦争の記憶が残っていたからか、実話ととらえた読者も多く、『ニューヨーカー』誌には経験したことのない数の苦情や当惑を訴える手紙が届けられたという。しかし作品自体は評価され、翌年オー・ヘンリー賞が授与された。反響は一過性のものではなく、1950年代にはラジオやテレビでドラマ化され、68年には映画も製作された。伝統を歪める作品であるとの理由から、多くの教育機関が禁書扱いにしたとの報告もあるが、全米図書賞（1960年）およびエドガー・アラン・ポー賞（1961年）を受賞した作家による卓越した作品としての評価が揺らぐことはなく、「くじ」は20世紀を代表するアメリカ短編小説のひとつに数えられる。また、2020年にはジョセフィン・デッカー監督によって伝記映画『シャーリー（Shirley）』が製作され、サンダンス映画祭で審査員特別賞を受賞した。没後半世紀以上たった今も、現代人の生活のなかに潜む恐怖の実態を作品として昇華させたジャクソンの人気は衰えていないことがうかがえる。

作品が読み継がれるのは、さまざまな解釈を可能とするからである。英文学者のキャサリン・サスタナは「人間が生まれながら持つ暴力性」に着目し、その暴力性が「伝統」と「社会秩序」を盾に威力を増し、これが本作品の核をなしていると分析する。「伝統」はくじの入った黒い木箱に象徴され、くじ引きがコミュニティ建設当初から行われていたことが暗示される。その木箱は新しく作り変えられたものであるが、最初の木箱の木片が使われたと信じられているため、たとえその木箱を新しくしようという案が出されても実現に至ったことはない。

次に「社会秩序」であるが、男女の役割が明確で男性を中心とした規律が社会を支えている。「くじ」の儀式では、くじ引きが2回執行される。まずは家族が対象とされ1組が選ばれる。くじを引くのは男性の役割で、夫が不在の場合は息子が代理を務める。ただし16歳に満たない場合は妻でもよいという決まりになっている。1家族が選ばれると、その家族の人数分のくじが空になった同じ木箱に入れられる。そして選ばれた家族の一人ひとりが名前を呼び上げられ、くじを引く。そうして、最終的にひとりの犠牲者が生まれるという仕組みである。

このコミュニティではアメリカ合衆国の真髄である言論の自由は保障されており、民主国家として住民の総意であれば、伝統は覆せると示唆される。たとえば、他のコミュニティでは「くじ」の儀式は撤廃されたという情報を住民は持っている。夫の代わりにくじを引く女性に励ましの言葉を投げかける者もいる。くじ引きの執行はボランティアが担当し、権力者はいない。ただ変化につながるきっかけに対しては臆病で、習慣が残酷であると感じていてもそれを変えられずにいる集団である。

場面設定は17世紀アメリカ植民地時代のピューリタン社会を想起させる。アメリカの歴史のなかには聖書の解釈が正統的でないという理由でコミュニティから追放されたアン・ハッチンソンの事件があり、魔女狩りがある。その史実からアメリカ文学の古典『緋文字』（1850年）が生まれた。それからおよそ100年後には、同じく魔女狩りを題材に、アーサー・ミラーが戯曲『るつぼ』（1953年初演）を成功させた。ジャクソンの「くじ」も20世紀半ばの作品であるが、設定が同時代の社会であるだけに怖さが増す。

ジャクソンの作品がミステリーやゴシックに分類されてきた点に鑑みれば、人間の怖さに着目した分析は妥当だと言えよう。ただ、ここでは少し立ち止まり、暴力が行使される過程で垣間見える善の存在に着目したい。人間は暴力的になり得ると同時に、それを阻む力も内在させていることが暗示されているのである。

人はなぜ、暴力を必要とするのか。いったん決定がなされたら、逃れ得ない非情な事態が生まれるが、暴力が行使された後には穏やかな日常が戻ってくるという約束が「くじ」のコミュニティに存在する。ただし、これは終わりの始まりであることも、年中行事という設定により暗示される。ではこの悲劇に終わりはないのか。ささやかながら、1ヵ所存在する。犠牲者となった女性の幼い息子の手に握らされた小さな石クズ（a few pebbles）である。軽くて母親のところまで届くことはないであろう。届いたとしてもパラパラと撫でるほどか。これを握らせたのは近所に住む気心の知れた女性であった。残酷さのなかに見出せる一抹の優しさである。この行為が広がれば、致命傷には至らない。「ひとつの石が側頭部を直撃した（A stone hit her on the side of the head.）」という一文が暗示する死の瞬間は訪れずにすむ。

残酷な物語であるが、教材としての価値は高い。デモクラシーやジェンダーといったテーマでの議論も可能であろう。だが、ここではいじめ問題を考えるうえでの教材として提案したい。この短編のくじ引きのように、集団生活のなかではスケープゴートを生み出すプロセスが存在し得る。人は、スケープゴートのひとりにならないように集団のルールを読み取りながら行動するが、時に受動的積極性という造語で表されるような行動が強いられる場合がある。思考停止の状態で集団の動きに追従する危険性はつねに存在している。ただ、それを回避する能力も育てられるはずだ。「小さな石クズ」が母親に傷を負わせることはない。この一抹の希望が描かれているからこそ、本作品にはリアリティが加わり75年近くもの間、古さを感じさせることなく読み継がれているのだろう。

（増井由紀美）

❖参考資料

木村雅次「シャーリイ・ジャクソンの『籤引き』を巡って――教材として使用する場合のヒント」『人文論究』62号、北海道教育大学、1996年、1〜10頁

Jackson, Shirley. "The Lottery." *Twentieth-Century American Authors*. Kinseido, 1981, pp. 8–22.（『20世紀アメリカ短編集』金星堂、1981年、8〜22頁）First published in *The New Yorker*, June 26, 1948.

Sustana, Catherine. "Analysis of 'The Lottery' by Shirley Jackson." *ThoughtCo.*, October 31, 2019. [https://www.thoughtco.com/analysis-the-lottery-by-shirley-jackson-2990472]

48

脚光を浴びる奴隷制・南北戦争小説

★2010年代以降のアメリカ文学★

２０１０年代、アメリカ文学界では南北戦争および奴隷制を題材とした南北戦争期を描く小説が数多く輩出された。それらは文学賞受賞作品やベストセラーとなり、さらにはテレビドラマ化されるものも現れ、今脚光を浴びている。一部を紹介すれば、奴隷制廃止論者ジョン・ブラウンの旅に女性に扮して同行する黒人少年を描いた13年の全米図書賞受賞作、ジェイムズ・マクブライドの『グッド・ロード・バード（The Good Lord Bird）』（20年テレビドラマ化）、ピューリッツァー賞・全米図書賞などの賞を受賞した、コルソン・ホワイトヘッド作で黒人奴隷女性の逃亡を描いた『地下鉄道』（16年）（20年テレビドラマ化）、南北戦争中のリンカン大統領と彼の亡き息子の霊魂を描きブッカー賞を受賞した、ジョージ・ソーンダーズの小説『リンカーンとさまよえる霊魂たち』（17年）、そして２０７０年代の未来に起こる第二次南北戦争を描く衝撃作、オマル・エル＝アッカドの『アメリカン・ウォー』（17年）など、数多くの作品がある。

南北戦争や黒人奴隷を題材とする文学は、文学史においてけっして目新しいものではない。ハリエット・ビーチャー・ストウの『アンクル・トムの小屋』（１８５２年）や、マーガレット・ミッチェル作『風と共に去りぬ』（1936年）のような古典的作品がすぐに思い出されるだろう。だが、南北戦争や奴隷制を題材とする小説は、2010年代以降独創的な作品が数多く登場し、存在感を増している。奴隷制を描いたものでは、たとえば、ソロモン・ノーサップが自らの奴隷経験を記したスレイブ・ナラティブ『12イヤーズ・ア・スレーブ』（1853年）をヘンリー・ルイス・ゲイツ・ジュニア編集のもとで復刊した同名書は、12年のベストセラーとなった。翌年、同書を原作としたスティーブ・マックイーン監督映画『それでも夜は明ける』はアカデミー賞3部門ほか数々の賞を受賞し話題となった。

さらに、スレイブ・ナラティブにさまざまな視点や想像を加えた「ネオ・スレイブ・ナラティブ」のジャンルでは、前述の『地下鉄道』が、南部の奴隷を北部に逃亡させる秘密組織であった「地下鉄道」を実際の鉄道として創造し、黒人奴隷たちの緊迫感に満ちた逃亡を描き好評を博した。ほかにも、癒しを与える「ヒーラー」の女性たちを描くジョナサン・オデル作『ヒーリング（The Healing）』（2012年）、ナタシア・デオン作で逃亡奴隷の黒人女性が死後、霊となって娘を守ろうとする物語『グレイス（Grace）』（16年）、アフィア・アタコラ作で治癒や呪詛の力を持つ黒人母娘の物語『コンジャー・ウィメン（Conjure Women）』（20年）など高評価を得た作品がある。

南北戦争を題材とする小説では、前述の『アメリカン・ウォー』に加え『リンカーンとさまよえる霊魂たち』、そして男性を装い連邦軍（北軍）兵士として南北戦争に従軍した女性を描くレアード・ハント作『ネバーホーム』（2014年）などが、人気だけでなく高い文学的評価も得ている。『アメリカン・ウォー』は、気候変動により沿岸部地域が水没した2070年代のアメリカで、南北間の化石燃料の使用をめぐる対立から生じた第二次南北戦争を闘う少女を主人公とした物語である。『リンカーンとさまよえる霊魂たち』は、リンカン大統領の亡き息子の霊魂が墓地で出逢う、現世に未練を残した奇妙な霊魂たちを描く異色の作品である。これらの作品はそれぞれ独創性が高くひと括りにはできないが、登場人物たちが戦争をめぐって抱く愛郷心や使命感、葛藤といった複雑な心情を描き出している。そこからは戦争の大義に潜む矛盾や、南北の境界のあいまいさ、欲望や弱さといった人間性が浮かび上がり、現代の読者にあらためて南北戦争の意味を問い直させる。

重要なのは、これらの作品の舞台が南北戦争や奴隷制という過去にありながら、読者に現代のアメリカ社会を連想させる点である。奴隷制小説では、絶対化された白人優越思想による黒人差別が描かれるが、これは現代のアメリカ社会が抱える人種問題に直結している。『アメリカン・ウォー』の作者エル＝アッカドは、未来の第二次南北戦争は「変化に頑なに抵抗しようとする人間の破滅的な姿のアナロジー」だという。過去はつねに現在そして未来につながっている。言い換えれば、これら歴史小説は、過去が生み出した遺産として21世紀アメリカの「今」を痛烈に問う作品群なのである。

さらに、こうした奴隷制・南北戦争小説の発表が２０１０年代後半に集結した点は興味深い。11年は南北戦争勃発１５０周年にあたり、南北戦争があらためてアメリカの歴史的記憶として追想されたことが背景としてあるだろう。加えて、10年代はバラク・オバマ、ドナルド・トランプ両大統領が在任した時期である。史上初の非白人大統領の誕生は、国民の人種への関心を高めた。映画『それでも夜は明ける』のマックイーン監督は、黒人を描く近年の映画は「オバマが大統領でなかったら作られなかっただろうと思う」と述べている。しかし、オバマ政権は保守層の反発などから国内の分断を生み出し、その分断はトランプ大統領の登場を機に深刻化する。20年11月の大統領選挙時の混乱《第1章参照》は、アメリカの人種、階級、支持政党などによる分断が危険なまでの状況に達したことを示した。

近年の奴隷制・南北戦争小説は、19世紀アメリカと現在のアメリカの相似性、そして過去の分断や衝突による人々の憎しみや怒りがいかに後の「今」につながるかを突き付ける。言い換えれば、アメリカは南北戦争から150年をへてもなお、肌の色や思想のちがいへの差別や不寛容による衝突を繰り返していると言え、作者たちはそれぞれの作品を通して、こうしたアメリカの問題を読者に考えさ

奴隷制・南北戦争小説（筆者撮影）

- Natashia Deón. *Grace*. Berkeley, CA: Counterpoint, 2016.
- James McBride. *The Good Lord Bird*. New York: Riverhead Books, 2013.
- コルソン・ホワイドヘッド（谷崎由依訳）『地下鉄道』早川書房、2017年
- ジョージ・ソーンダーズ（上岡伸雄訳）『リンカーンとさまよえる霊魂たち』河出書房新社、2018年
- レアード・ハント（柴田元幸訳）『ネバーホーム』朝日新聞出版、2017年
- オマル・エル＝アッカド（黒原敏行訳）『アメリカン・ウォー』上・下巻、新潮社、2017年

せようとしているように思われる。ここで挙げた作家の多くが非白人であることはけっして偶然ではないだろう。南北戦争期の差別や不寛容と闘い苦しむ人々の姿を描くことで、現在同じ問題を繰り返す人間の弱さや愚かさ、矛盾を読者に認識させ考えさせる効果が、南北戦争小説にはあるだろう。そして分断と混乱の時代において、読者もまた、過去と現在の連続性に、「今」をとらえようとしているのではないだろうか。

（鈴木紀子）

❖参考資料

木下卓他編著『多文化主義で読む英米文学――あたらしいイズムによる文学の理解』ミネルヴァ書房、１９９９年
巽孝之『ニュー・アメリカニズム――米文学思想史の物語学』青土社、２０１９年
Blight, David W. *Race and Reunion: The Civil War in American Memory*. Cambridge: The Belknap Press of Harvard University Press, 2001.

49

移民・難民と英語文学

――★リンガフランカで伝えるアメリカのなかの世界史★――

アメリカに居住する「外国生まれ」の人は１９７０年以降急増し、２０１８年現在推計４４８０万人、総人口の13・7％を占める。背景には、65年移民帰化法の制定により移民の出身国別割り当て制度が廃止されて、世界各地からの移民に門戸が開かれたこと、90年移民法で、専門的技能を持つ移民の増加を見すえて、年間受け入れ数の上限を引き上げたことが挙げられる。

「外国生まれ」には、難民も含まれる。20世紀には、世界大戦、冷戦、その終結後に噴出した民族・宗教紛争などにより世界中で難民が生まれ、その数は21世紀も増加し続けている。アメリカは、第二次世界大戦後に難民の受け入れと法的整備を進め、１９８０年の難民法で難民の再定住を制度化した。冷戦終結後90年代初めには年間10万人を超える難民を受け入れ、現在も主要な難民受け入れ国である。なお、冷戦期以降アメリカが難民を生み出すことにも深くかかわってきた点を、合わせて指摘したい。

共和党ドナルド・トランプ政権は、移民入国への反対を言明し、それを政策に反映させることで、支持を固めてきた。そうした逆風のなかで、20世紀後半以降に移住しアメリカで生きる人々の声を届ける試みもある。そのひとつが2018年にエイブラムス社から出版された短編集『ザ・ディスプレイスト』である。「難民作家が語る難民の生活」という原書の副題が示すように、収録された短編の著者は全員が難民としての経歴を持つ。この本は、17年に発布されたイスラーム圏7ヵ国からの入国を禁ずる大統領令《第28、31章参照》への抗議の意を込めて、元難民の妻を持つ編集者が立案し、ピューリッツァー賞受賞作家で大学教授でもあるヴィエト・タン・ウェンに編集を依頼して編まれた。ウェンもまた、幼少時にボートピープルとしてベトナムを出た難民であった。

アメリカに住む難民作家の経歴は多彩である。シカゴ在住のアレクサンダル・ヘモンは、受賞歴を持つ多作な作家で、『ノーホエア・マン』（2002年）、『愛と障害』（2009年）など邦訳書もある。1964年、当時ユーゴスラビアの一部であったボスニア・ヘルツェゴビナの首都サラエボで生まれた。大学で文学を専攻し、卒業後はジャーナリストとして順風満帆な生活を送っていた。92年、アメリカ政府情報庁が後援する文化プログラムに招聘されてシカゴを訪問中に、ボスニア・ヘルツェゴビナでは共和国の独立宣言を契機に軍事衝突が起こり、サラエボが包囲された。ヘモンはアメリカに留まり、難民申請をすることになる。彼が戦争終結後のサラエボを訪れるのはその5年後で、変貌した故郷で「居場所の喪失」を覚えたという。

カオ・カリア・ヤンは、ラオスにルーツを持つモン系アメリカ人で、1980年にタイの難民キャンプで生まれた。ベトナム戦争中にアメリカに戦争協力をしたモン族は、75年にアメリカが敗退しラオスで左派政権が樹立すると、迫害を恐れてラオスを逃れた。アメリカで難民法が制定された後、87年に、カリアの両親は、ふたりの娘を伴って、ミネソタ州ミネアポリス－セントポール都市圏に作られたモン族難民定住地域に移住した。カリアは、アメリカで英語を学び、「書く」才能を見出され、後にコロンビア大学大学院で文芸創作の芸術学修士を修める。第一作『遅まきの帰郷者（The Latehomecomer）』（２００８年）は、モン系アメリカ人初の回想録として注目され、ミネソタ州図書賞を受賞した。彼女は、現在もミネソタに拠点をおき、執筆や講演に加えて、20年にはモン系アメリカ人のための大学進学奨学金を設立するなど教育活動にも力を入れている。

人権活動家ルオン・ウンは、１９７０年にカンボジアの首都プノンペンで将校の娘として生まれ、恵まれた生活を送っていた。しかし75年のアメリカ敗退を機にクメール・ルージュが政権を握ると、生活は一変した。ポル・ポト独裁政権下で強制労働を強いられ、父は殺され、母とふたりの姉も過酷な生活のなかで命を落とした。ベトナム軍による解放後、ウンは長兄夫妻に伴われてタイに逃れ、80年に難民としてアメリカのバーモント州に移住した。思春期を通じて抑鬱に悩まされながら、奨学金を得て大学で政治学を修め、卒業後は人権活動団体で地雷廃絶などの活動に携わる。回想録三部作の第一作『最初に父が殺された』（２０００年）は、アンジェリーナ・ジョリー監督により17年に映画化

アレクサンダル・ヘモン
(Slowking4, CC BY-SA 2.0)

カオ・カリア・ヤン
（カオ・カリア・ヤン提供）

ルオン・ウン（RogerK*）

レイナ・グランデ
（Larry D. Moore, CC BY-SA 4.0）

された。

メキシコ生まれのレイナ・グランデは、貧困ゆえに祖国を出た。経済難民は「正式な難民」になれず、非合法移民になったと語る。1985年、9歳半の時、アメリカで住まいを整えて迎えに来た父親に連れられて兄姉とともに、移民斡旋業者「コヨーテ」の手引きで国境を越えた。母親はメキシコに残り、両親は離婚した。家族は崩壊したが、越境に成功した父子は、86年に制定された移民改革・管理法により永住権を得て、後にアメリカ市民となる。グランデは、一族ではじめて大学教育を受けて、作家として成功し、夫とふたりの子どもに恵まれた。移住は家族の喪失というトラウマを強いたが、アメリカで自らの家族と仕事と名声を得られたのは、父が子どものために法を犯して国境を越えたおかげであると回想するグランデは、自伝『私たちの隔たり（The Distance between Us）』（2012年）を父に捧げている。グランデは、しかし、若くして父の家を出て以来父と心を通わせることはなかった。アメリカ人女性と再婚した父は、言語の壁と小学校卒の学歴に阻まれて、アルコールに依存し、不遇な一生を終えた。

作家たちの語りは多彩である。各人の体験はひとつずつ異なり、想像を絶するものも多い。全作品に共通するのは、生きてこの世に留まった者の語りという点である。作品を読むことは、この世に留まれなかった、語り手の家族や友人、多くの同胞の声を、行間に聴くことでもある。声なき者の声を届けることは、作家たちが自らに課した使命であろう。世界各地では人の数だけ歴史の語りが刻まれ、移民や難民の受け入れ国であるアメリカは、受け入れてきた人の数だけ世界史を内包する。それは、まちがいなくアメリカ文化を豊かにしている。

声を届ける媒体としての英語にも留意したい。ヘモンのように渡米前から英語を身に付けていた者もいるが、カリア、ウン、グランデのように幼少期に移住をして、アメリカで英語を学び、英語で語る作家となった者も多い。今日、世界には全人口の2割にあたる約18億人の英語話者がおり、その4分の3は英語を母語としないという。国境を越えた移民や難民が紡ぐ物語は、リンガフランカ（共通の言語）としての英語で語られることで、国を超えた英語文学として読み継がれていくのかもしれない。

（大類久恵）

❖参考資料
ヴィエト・タン・ウェン編（山田文訳）『ザ・ディスプレイスト――難民作家18人の自分と家族の物語』ポプラ社、2019年
大津留（北川）智恵子『アメリカが生む／受け入れる難民』関西大学出版部、2016年
Hutner, Gordon, ed. *Immigrant Voices*. Volume 2. New York: New American Library, 2015.

50

排日移民法と朝河貫一

★アメリカ社会を構成するコスモポリタン★

イェール大学図書館に『朝河貫一文書』が70箱以上所蔵されている。1895年東京専門学校（現早稲田大学）を卒業し、翌1月からダートマス大学の学生となった朝河貫一《あさかわかんいち》（1873〜1948年）は、99年イェール大学大学院へと進学し、1902年博士号を取得し、ダートマス大学で教員生活に入る。その後イェール大学に移り比較中世史の研究、東アジア関連の講義、東アジア図書館の発展・整理を自らの天職として務め上げ、48年8月アメリカの地で、日本人として74年間の人生を終えた。52年に成立する米国移民・帰化法へ向けての準備が始まった頃であった。つまり朝河は、帰化を選択することなく半世紀以上を異国であるアメリカで暮らしたことになる。

『朝河文書』には、早稲田大学時代の恩師による指導の跡が読み取れる論文も含まれているが、大半はアメリカ時代のもので、草稿、講義ノート、世界各国の知人や研究者との往復書簡、研究メモ、日記などが収められている。またこれらを資料にした研究は、とくに1990年以降進展を見せ、学際的な論考が発表され続けている。移民史からの朝河研究に関しては間宮國夫が先駆者で、論文「朝河貫一と移民問題」が『朝河貫一の世界』（1993年）に収録されている。朝河自身が日本人移民であったわけだが、朝河史学で「移民問題」はどのように説明され得るのか考えてみたい。

朝河貫一は日露戦争が勃発する1904年頃から東アジア関連の専門家として、数多くの講演を依頼されニューイングランドの小さな町に頻繁に出かけていた。また、専門書や論文の出版に加え、新聞や雑誌にも時評が掲載された。歴史家として世界に貢献しているという自負が芽生えたのはこの時期であった。

しかし1913年の西海岸における排日運動に関しては前面に出ることを避けた。たとえばウースター・エコノミック・クラブから講演依頼があった時は専門外であるという理由で断り、代わりにコロンビア大学の家永豊吉を紹介したというエピソードも残る。同年5月、とうとうカリフォルニア州議会による排日土地法が成立するが、これに関しても消極的な態度を取った。滞米日本人のグループが駐米大使とともに抗議声明を出そうと動き始め、朝河のもとにも協力依頼状が届いたが、朝河は、日本の対中政策への反省がないまま被害者としての立場を強調する訴えには賛同しかねるとの態度を貫いた。

朝河貫一（1940年）(Unknown Author*)

本件に関する朝河の文章を読むと、この法律を覆すためには、アメリカ国民の世論に訴えるのが賢明であると考えていたことがわかる。朝河はイェール大学の東アジア関連図書及び史料の責任者であり、日本から届く新聞・雑誌などで日本の論調を熟知していた。日本国内の世論が「条約違反論」「国民名誉論」

「人種優越論」「日本民族は蒙古人種ではないという説」に踊らされている限りは、アメリカ側の理解も同情も得られないと、母国の現状に対して厳しい眼差しを向けていた。

1924年5月の排日移民法成立をめぐっても、朝河は日本の論調に疑問を呈する。とくに徳富蘇《とくとみそ》峰《ほう》との往復書簡には顕著な意見の対立がうかがえる。蘇峰は朝河の渡米に際して財政的な支援を約束したひとりであり、朝河もそれに応えてダートマス時代には蘇峰の『國民新聞』にアメリカ便りの連載を寄稿した。しかし、政治思想には大きな隔たりが生まれていた。朝河は蘇峰宛の手紙で「国辱」(蘇峰が用いた言葉)などという大げさな感情論で訴えるのは無駄だと言い、移民法はアメリカ側の権利であることを認め、アメリカに移民する日本人の数は多くはないと伝えるのが賢明だと現実的な交渉術を示唆する。朝河は同書簡のなかで1907年の日米紳士協約制定の際にも、根底には同様な感情論があったと批判している。

排日移民法が議論される時、人種問題が焦点となってきた。とくにジャーナリズムが熱い議論を交わす傾向にあった。ただ、間宮が指摘するように、朝河は移民問題を人種論で解決するのは無理があると考えた。論理的に裏づけすることのできない主張は自ら避けていたと思われる。歴史家として後に弁明するような行動は取りたくないと日記に書いてある。この姿勢は日露戦争時にも見られた。前述したように、朝河は精力的に講演に出かけていたわけだが、日本人としてではなく歴史家として語ることを旨としていたのである。雑誌や新聞に自身の記事が掲載される時は、執筆者紹介文に「日本のために」とか「日本の代表団と密に連絡を取りながら」などの文言が入ると、見すごすことなく手紙や電報で抗議した。

第50章

排日移民法と朝河貫一

1989年、イェール大学図書館所蔵『朝河文書』から書簡を抽出して『朝河貫一書簡集』が完成した。そこに附録として「年頭の自戒」が収められている。朝河は年の初めに一年を振り返り、神に祈り、静寂の中これを記録するのを習慣としていた。オリジナルは英文で書かれていて、これを『書簡集』編集委員のひとりであった由良君美が翻訳している。朝河の思想を知るうえでは必須の資料である。翻訳とはそもそも解釈であるが、由良は『幻の米国大統領親書』（1989年）収録の「朝河史学の形成」で丁寧な解説を加えている。ここでは、本稿に関連するものとして、2点に言及したい。ひとつは、「より広い世界への貢献」を目指していた朝河は、自らを三人称で語ることによりこれが可能になると考えていたという点である。もうひとつは「Truth と truth の使い分けで、前者は信仰によって近づける真理であり、後者は歴史研究により見えてくる真実であったという指摘である。

朝河が日本人移民としてアメリカで生活していた時代に、「日米紳士協約」、「排日土地法」、そして「排日移民法」が成立した。朝河の時代もその後も、これら3つの排日法は人種問題と絡めて議論されてきた。当事者として語る時、客観性が薄れ感情論が優先される危険性をはらむ。朝河は法律が形成されるまでの社会情勢やデータ、および資料を探ることが、やがて問題解決につながると考えていた。真理に近づきたいと願い、歴史の真実をとらえようと文献と向き合い続けた朝河は、当時の言葉ではコスモポリタンとして生きたと言えよう。今日的にはグローバル市民という言葉が似合う。

（増井由紀美）

❖参考資料

朝河貫一書簡編集委員会編『朝河貫一書簡集』早稲田大学出版部、1990年
増井由紀美「ウィリアム・J・タッカーの大学改革と朝河貫一の役割――ダートマス大学から世界へ」海老澤衷他編『朝河貫一と人文学の形成』吉川弘文館、2019年、94～117頁
間宮國夫「朝河貫一と移民問題」朝河貫一研究会編『朝河貫一の世界』早稲田大学出版部、1993年、187～201頁
由良君美「朝河史学の形成――今に問うその意義」朝河貫一書簡集編集委員会編『幻の米国大統領新書――歴史家朝河貫一の人物と思想』北樹出版、1989年、89～105頁

51

歴史の証言者としてのエリ・ヴィーゼル

★『夜』を読み継ぎ未来を考える★

涙は真実と出会った時に流れる。「永遠の古典」と言われるエリ・ヴィーゼル著『夜』はどのページにもその真実が宿っている。これはアウシュビッツからの生還者による自伝的小説である。

1958年、『夜』はフランス語で出版された。その6年前にノーベル文学賞を受賞したフランソワ・モーリヤックが、その価値を見出したのであった。『アンネの日記』と同じように、世界中で読まれるべき歴史の「証言」だと考えた。『アンネの日記』は47年にオランダ語で出版され、5年後にはドイツ語、フランス語、英語、イタリア語、スペイン語、ロシア語、そして日本語に翻訳されていた。

『夜』の原稿はまず母語であるイディッシュ語で書かれたが、多くの読者を得るためにとフランス語でも著し、これがモーリヤックの目に止まることとなる。しかし、著名な作家の強い推しはあったにせよ、大手出版社は関心を示さなかった。アメリカでもフランスでも、ホロコーストの目撃者によるもうひとつの語りは求められてはいなかった、とヴィーゼルは振り返る。最終的にはモーリヤックが序を寄せるという条件で、パリの

アウシュビッツに移送された頃の写真、15歳。(Elie Wiesel, CC BY 3.0)

小さな出版社、レ・エディション・ドゥ・ミニュイが引き受けた。社主のジェローム・ランドンがその編集手腕を発揮し、かなりの部分を削り、これは後にヴィーゼル自身が評価することになるが、薄くて読みやすい小品として十分な読者を得た。そして2年後、ニューヨークの出版社からステラ・ロドウェイ訳で英訳版が出される。

さて、この3つの言語であるが、ヴィーゼルのアイデンティティを形成する三要素と言える。ヴィーゼルは1928年トランシルバニア地方（現ルーマニア）のシゲットでユダヤ人の両親のもと、3人目の子ども、長男として生まれた。数年後、妹も誕生する。民族の堅い絆で結ばれた村には、第一次世界大戦で未亡人となった祖母、そして叔父や叔母も住んでいた。生活の中心にはトーラー（モーゼ五書）があり、年ごとの祭りや週ごとの安息日が暮らしにリズムを与えていた。そしてここで交わされる言葉は、もちろんイディッシュ語であった。しかし、この平穏な日々はドイツ軍のハンガリー占領により断たれることになる。

1944年5月半ば、ヴィーゼル一家は、黄色い星印を付けられて、ゲトーに住む他のユダヤ人たちといっしょに移送車でシゲットを去る。駅で家畜列車に移され、数日後に、終着駅アウシュビッツに着く。そうして、翌年の1月27日まで収容所で過酷な体験をするわけだが、これを『夜』がリアルに再現している。なお、その後の人生については94年に出版された自伝に詳しい。

収容所で両親を失い孤児となったヴィーゼルは、戦後フランスに送られ、児童救済事業（L'Œuvre de Secours aux Enfants）の援助で学校教育の機会を与えられた。そして同事業の補助金でパリ大学（文学部）に進学する。カントやマルクスはすでにイディッシュ語で学んでいたが、大学ではダニエル・ラガシュやルイ・ラヴェルの講義を受け、哲学書や心理学書をむさぼり読んだ。サルトルやメルロ＝ポンティ、マルティン・ブーバーの講演を聴き実存主義に刺激を受けた。また、知的好奇心とともに、パレスチナの動向もつねに気がかりであった。

１９４７年11月29日、国連総会においてパレスチナ分割決議が採択される。ユダヤ民族が主権国家を持つという歴史的転換に関与したいという思いがヴィーゼルを動かし、ジャーナリストとしてこれを伝えるのが天職だと考え始める。論争的時評を新聞や雑誌に寄稿していたカミュやアルトマン、前述のモーリヤックのようになりたいとの希望を抱く19歳であった。こうして、学生の身分を維持しながらジャーナリストとして時事問題に取り組むようになる。

憧れのモーリヤックに対面できたのは１９５５年のことだった。ヴィーゼルは、イディッシュ語およびフランス語で記事を書き続け、文芸批評も行う記者になっていた。特派員の肩書でイスラエルにも住み、インド、スペイン、ロシアと、冒険的な取材旅行も経験し、56年イスラエルの『イェディオト』紙の特派員としてアメリカに渡る。そして63年アメリカ市民権を取得する。

１９４４年に故郷シゲットを奪われて以来、はじめて手にした国籍であった。ヴィーゼルは長年フランスに住んでいたが、無国籍のままになっていた。収容所からフランスに移送される列車のなかで、「フランス国籍を取りたい者は手を挙げるように」と聞かれたが、そのフランス語が理解できずに何もできなかったと回顧している。アメリカ国籍取得も、同様に単純であった。交通事故で入院している間にビザが切れた。再申請の手続きは簡単ではなく、フランス領事館と移民局との間を何往復もすることになった。それに同情した移民局の役人が、いっそアメリカ市民になってはどうかと提案してくれたのである。ヴィーゼルは、これは妙案だと考えた。こうしてフランスは偉大な作家を失うことになったが、アメリカには新しい才能が加わった。

ヴィーゼルは精力的に書き続け、ホロコーストをテーマにした作品は50冊を超えた。また、ニューヨーク市立大学（1972〜76年）、イェール大学（1982〜83年）、ボストン大学（1976〜2016年）で教鞭をとり、78年にはジミー・カーター大統領から合衆国ホロコースト記念博物館建設の責任者に任命された。これは93年に開館に至る。なお、国際的には86年ノーベル平和賞を受賞している。2016年、ヴィーゼルはアメリカ人として87年の生涯に幕を閉じたが、彼の功績は歴史研究にグローバルな視点を提供する。

本稿は『夜』を読んだときの衝撃を導入文としたが、読者を深い悲しみへと導く本作品はヴィーゼルにとっても特別な存在になった。初版からおよそ半世紀後の2007年、新版が出されたが、その序文は「もし私が生涯にただ1冊の本を書かなくてはならないのであったとしたら、それはこの本となるであろう」という一文で始まる。

（増井由紀美）

❖参考資料
ヴィーゼル、エリ（村上光彦訳）『そして全ての川は海へ』上巻下巻、朝日新聞社、1995年
ヴィーゼル、エリ（村上光彦訳）『夜』（新版）、みすず書房、2010年
"The Life and Work of Wiesel"（アメリカPBSウェブサイト内）[https://www.pbs.org/eliewiesel/life/]

52

アジアの歴史認識批判

――★アメリカの都市における慰安婦記念碑・像をめぐる政治★――

サンフランシスコ市の金融街に近い中華街にあるセント・メアリーズ・スクエアの一角に、背中合わせに手をつないで立つ中国・韓国・フィリピンの3人の少女たちと、彼女らを慈しむように見上げる年配の韓国人女性の銅像が立っている《写真参照》。第二次世界大戦中にいわゆる「従軍慰安婦」として日本軍兵士の性暴力の犠牲となったアジアの若い女性たちを追悼し、元従軍慰安婦であることを1991年に最初に名乗り出た金学順《キム・ハクスン》の勇気を称えて人々の記憶に残すため、同市の市民団体「従軍慰安婦正義連盟」が中心になって2017年に建立したものである。傍らの碑文には、英語・中国語・韓国語・ピリピノ語・日本語の5ヵ国語で「日本軍の性奴隷」にされた「何十万人の女性と少女」の大多数が「戦時中囚われの身のまま命を落とし」たことが記され、「加害国の政府が責任を負」うことが要求されている。

この従軍慰安婦像の建立の是非をめぐり2015年に行われたサンフランシスコ市議会公聴会では、賛否両方から多くの証言が行われて市民の注目を集めた。推進派の団体が元従軍慰安婦の李溶洙《イ・ヨンス》を韓国から歴史の証人として招き、戦時性暴力の非人道性を公的に記憶し二度と繰り返さぬための教育の必要性を主張した一方で、反対派の在米日本人らは真っ向から対立する歴史認識を主張し、目の前の李を「売春婦」呼ばわりして議員らの反発を買った。同市議会は全会一致で慰安婦像の設置を承認したが、17年、建立された像が市に寄贈されると、同市のもっとも古くからの姉妹都市である大阪市の吉村洋文市長（当時）は激しく抗議して姉妹都市関係の解消を宣言し、サンフランシスコ市民はもとより内外の批判を浴びた。

従軍慰安婦を記念する碑は、２０２０年末までに全米で10ヵ所、慰安婦像は7ヵ所建立された（うち2ヵ所は重複）。元来日韓の外交案件だった歴史問題が太平洋を渡り、アメリカ社会でアジア系市民団体に取り上げられるようになった背景には、アメリカのアジア系人口の増加と国際社会における人権意識の高まりがある。１９６５年移民帰化法の導入以降、アジア諸国からアメリカへの移民が急増し、多くは大都市に居住するようになった。現在もなおアジア系住民のかなりの割合を占めるアジア生まれの第一世代にとっては、第二次世界大戦での日本の侵略行為は自分や家族の実体験の一部であり、その子どもたちにも家族の歴史的記憶が受け継がれている。91年以降、韓国などアジア諸国と日本との間で従軍慰安婦問題が外交問題化すると、アメリカのアジア系市民の間にも関心が広まった。99年にはカリフォルニア州議会が、07年には連邦議会下院がそれぞれ日本政府に大戦中の犠牲者や従軍慰安婦への謝罪と補償を求める決議を採択したが、それらはアメリカでのアジア系市民の政治力が高まった結果である。その後日韓の外交交渉の停滞を反映してか、日本に圧力をかける形で慰安婦を記念する碑や像が建てられていった。

全米ではじめて建立された慰安婦の記念碑・像は、２０１０年にニュージャージー州バーゲン郡パ

サンフランシスコの従軍慰安婦記念像（筆者撮影）

リセイズパークの公立図書館前に設置された小さな記念碑である。この小さな町で韓国系人口が過半数を占めるようになり副市長も韓国系が務めるなど、韓国系市民の政治的発言権が拡大した結果であった。13年には、ロサンゼルス市近郊のグレンデール市に、ソウルの日本大使館前にある慰安婦像と同じ像が全米初の慰安婦像として建立されて注目を浴びた。同市は韓国系人口が全米一多いロサンゼルス市と隣接しており、この地域の韓国系市民団体とソウルの元慰安婦支援団体とが協力し、同じく帝国主義時代の暴力の犠牲の記憶を持つアルメニア系移民らの支持を得て実現したものである。また同じ慰安婦像が20年にイェール大学構内に設置されたが、その原動力となったのは同大学で歴史問題に取り組む韓国系学生団体であった。

一方、前述のサンフランシスコ市では像の建立の経緯は少し異なる。同市は世界最大の中華街を擁するだけでなく、その他のアジア系人口も多い。１９９０年代から中国系市民が「南京事件」の記憶保存運動を展開していたが、後に韓国系・フィリピン系市民団体や革新系団体とも連携して慰安婦問題に取り組み始めた。当時のエド・リー市長は中国系、市議会議員11名のうち4名がアジア系だったが、それ以外の議員も含め全会一致の支持を獲得した背景には同市に浸透するリベラルな気質があった。

しかしこうした運動は推進派の市民団体と在米日本人を中心とする反対派との間に対立を生み、訴訟や日本総領事も介入する政治問題に発展してきた。反対派の在米日本人らは、日米関係や日系の子どもたちへの悪影響を懸念したほか、慰安婦の歴史が学問的に十分解明されていないことを根拠として記念碑に刻まれる文言に反対し、アジアの外交問題にアメリカの地方都市が介入する権限はないと主張する。日本総領事が日本の立場や日韓交渉の経緯を公式非公式に説明することもある。しかし市民運動側は、日本人反対派を自分に都合の悪い歴史的事実を認めようとしない「歴史否定主義者」と厳しく糾弾し、慰安婦問題を普遍的な人道・戦時性暴力の問題と位置づけて現代の人々への教育の必要性を説くことで、幅広い支持を集めることに成功したと言えよう。

一方、日系アメリカ市民の多くは従軍慰安婦問題からは距離を置いているようである。しかし日系人強制収容問題と同様に、戦時中の国家による市民への不正義を正すべきと考え、運動に積極的に関与する人もいる。前述の連邦議会下院決議採択の中心となったマイク・ホンダ元議員もそのひとりである。

韓国系・中国系の市民運動家たちが語る歴史は、近代アジア国際関係についてのバランスの取れた歴史分析というよりは、むしろ集団的記憶が紡ぎ出す歴史観である。しかしこうした運動を単にアジア系による反日運動ととらえることには問題があろう。アメリカでの慰安婦問題は、すでにエスニック集団の枠組みを超え、人権問題・女性への戦時性暴力問題という普遍的な枠組みで社会に浸透しつつあるように思われる。日本政府にも韓国との外交問題として従軍慰安婦問題に対処するだけでなく、グローバルな人権意識に基づく対応が求められよう。

（伊藤裕子）

❖参考資料

熊谷奈緒子『慰安婦問題』筑摩書房、２０１４年
Ward, Thomas J. and William D. Lay. *Park Statue Politics: World War II Comfort Women Memorials in the United States*. Bristol, England: E-International Relations, 2019.

53

スペイン人征服者像の建立と撤去

――★承認の政治と社会的正義のはざまで揺れる記憶の承継★――

ジョージ・フロイド暴行死事件《第32章参照》が発生した2020年5月末から夏にかけて、全米各地で偉人像が撤去された。「ブラック・ライブズ・マター」支持者の怒りが、構造的な差別や搾取を象徴する像に集中したとも言える。南部連合像やクリストファー・コロンブス像の撤去が進むなかで《第26章参照》、ニューメキシコ州でも、リオアリバ郡アルカルデとアルバカーキ市オールドタウンに立っていたファン・デ・オニャーテの像2体の撤去を求める声が高まった。撤去の是非をめぐる対立から発砲事件まで起き、6月中旬、それぞれの像を所有する郡と市が治安維持の目的で急きょ像を撤去するに至った。

オニャーテは、ヌエバ・エスパーニャ（現在のメキシコ市を中心としたスペイン副王領）生まれのスペイン人（クリオーリョ）で（先住民との混血であるメスティーソとの説もあり）、「最後の征服者《コンキスタドール》」とも呼ばれる。1598年に約500人の兵士と入植者を率いて北へ向かい、現在のニューメキシコ州とその周辺地域を征服し、ヌエボ・メヒコ植民地を創設した。アルカルデ付近を首都と定め、プエブロ先住民へのキリスト教の布教も行った。従来の歴史学では、ミシシッピ川以西におけるヨーロッパ人初の恒久植民地建設として評価されてきた。しかし、オニャーテは残虐な暴君の顔も持つ。もっとも有名なのは、恭順しないアコマ族を襲撃した事件で、約800人を殺害後、生存者を奴隷身分に処し、とくに成年男子は右足を切断するよう命じたという。こうした行為は当時でさえ問題となり、オニャーテは1607年に有罪判決を受け、ヌエボ・メヒコから追放された。彼は晩年スペインに渡り、故郷に戻ることはなかった。

アルカルデのオニャーテ像が馬上の雄姿をとらえているのに対して、アルバカーキの方は入植団の群像で、オニャーテ像はその先頭に立つ。興味深いのは、前者が1994年、後者が2005年に建立された点である。コロンブスによる「新大陸発見」から500周年にあたった92年には、各地で

馬上のオニャーテの像（リオアリバ郡アルカルデ）（Advanced Source Productions, CC BY 2.0）

入植団の先頭に立つオニャーテの像（アルバカーキ市オールドタウン）（Chris English, CC BY-SA 3.0）

祝賀行事が催されたものの、ヨーロッパ系中心の歴史観を問い直す機運も高まった。そうした時期に、なぜスペイン人征服者像が建造されたのだろうか。

オニャーテ像の建立は、ヌエボ・メヒコ創設400周年記念として、おもに「イスパーノ」によって進められた。イスパーノとは、開拓初期の入植者の子孫、つまりスペイン系を自負する人々のことである。2000年国勢調査では、祖先の出自をスペインと回答した人が、ニューメキシコ州人口の約1割を占めた（メキシコ、ヒスパニックと回答した人はそれぞれ約1・6割、約1割）。イスパーノがオニャーテ像を望んだ背景には、米墨戦争後の米国による併合（1848年）以来、アングロ系白人が州の政治経済を支配し、非アングロ系は一様に非白人とみなされ、差別を被ってきた事情がある（アングロ系白人とは、スペイン系と区別しそれ以外の白人を指す、主にイギリス系）。それに対して、イスパーノは自らの白人性（スペイン性）を強調し、市民としての権利を主張してきた。また、1607年にバージニア英領植民地のジェームズタウンから北米開拓が始まったとする通説など、アングロ系中心の歴史観に対しても、不満を感じてきた。つまり、アングロ系からの非承認や歪んだ承認に対抗して然るべき承認を求めたイスパーノが、その承認の政治において論拠としたのが、不屈の精神で辺境地を開拓した祖先の象徴としてのオニャーテだった。

他方、紀元前の時代から同地域で定住型のプエブロ文化を築いてきた先住民にとって、オニャーテはヨーロッパ人がもたらした破壊や悲劇の象徴であった。アルカルデにオニャーテ像が建立された4年後の1998年、何者かが像の右足を切断する事件が起こる。犯行声明には、「アコマ族のために」挙行に及んだ経緯や、ヨーロッパ人の負の遺産を顧みない人々に対する批判が書かれていた。

第53章 スペイン人征服者像の建立と撤去

結局、犯人不明のままオニャーテ像の「右足」は修復されたが、この事件は、アルバカーキ市で進行中だったオニャーテ像の建立計画に影響を与えた。イスパーノ団体が提案していたオニャーテの胸像案に疑義が挟まれ、難航の末に市議会が承認したのは、ふたつの異なる像を建立するという折衷案であった。それに従い、イスパーノとアングロ系の芸術家が、オニャーテ率いるヌエバ・エスパーニャからの入植団の群像「ラ・ホルナーダ（旅路）」を制作し、先住民の芸術家が自生植物や近隣のプエブロから集めた石で表現したアースワーク「ナンビ・ワギ（私たちの直中《ただなか》）」を制作した。

イスパーノが「ラ・ホルナーダ」を高く評価した一方で、先住民とチカーノ（メキシコ人の出自と混血であることを自負）は、オニャーテ単独の胸像を阻止した成果を強調した。ある批評家は、人間の偉業を称賛する「ラ・ホルナーダ」と、母なる大地の偉大さを提示する「ナンビ・ワギ」の対照性が、人々の分断状態をまさに表していると指摘した。その反面、ヌエボ・メヒコの創設以来、イスパーノ、チカーノ、プエブロ先住民が、時には手を取り合ってアングロ系やほかの先住民部族と戦った史実や、3集団のいずれでも人々の混血性が高いなど、実は3集団の関係は複雑であることに、触れる者はいなかった。

いずれにせよ、緊急措置とはいえ、建立から20年もたたないうちに「ラ・ホルナーダ」の群像からオニャーテの像は撤去された。アルバカーキ市が撤去後に実施した世論調査によると、撤去支持が回答の過半数を占めた。今後は、市議会がさらなる意見聴収をし、最終的な判断を下す予定である。他方、リオアリバ郡では、緊急撤去以来、あらたな動きは見られない。

ニューメキシコ州知事ミシェル・ルハン・グリシャムは、イスパーノの出自でありながらも2020

年6月の緊急撤去直後からオニャーテ像の撤去を支持し、負の歴史にも触れた記念像の必要性を訴えた。とはいえ、アメリカを見渡せば、慰霊や教訓を刻んだ記念碑よりも、輝かしい成功物語を称揚する偉人像が圧倒的に多い。そのため、あらたに作られる像が、顕彰される人物の単なる入れ替えに終わってしまう危険性もある。

私たちは、記念像が史実の再現であるかのように錯覚しがちである。しかし、人物やできごとの一コマを切り取り、ほかの情報を取捨した記念像は、むしろ建立に携わった人々の想いや政治的な目的が反映された産物、つまり記憶の構築物であることを、忘れてはならないだろう。

（落合明子）

❖参考資料

加藤薫『ニューメキシコ――第四世界の多元文化』新評論、１９９８年

Mervosh, Sarah, Simon Romero, and Lucy Tompkins. "Reconsidering the Past, One Statue at a Time." *New York Times*, June 16, 2020.［電子版］

Pérez, Frank G., and Carlos F. Ortega. *Deconstructing Eurocentric Tourism and Heritage Narratives in Mexican American Communities: Juan de Oñate as a West Texas Icon*. New York: Routledge, 2020.

54

変わるアカデミー賞選考基準

★ステレオタイプから多様性へ★

映画芸術科学アカデミー（AMPAS）は、映画における技術と科学の発展を目的として、ハリウッド映画業界人により1927年に創立された。現在、ビバリーヒルズ市およびロサンゼルス市ハリウッドを拠点にさまざまな活動を展開するが、なかでもよく知られるのは、アカデミー賞の授与であろう。受賞者に贈られる小像の名をとってオスカーの別名でも親しまれる同賞は、カンヌ、ベネチア、ベルリンの国際映画祭において、その年の審査員が受賞作を選ぶのと異なり、投票資格を持つ会員（終身制）の投票で決まる。

AMPASの会員（2020年現在、約9000名）になるには、かつてオスカー候補であったか、または会員2名に推薦されることが必須条件である。会員の人種や性別、年齢は明かさない伝統であったが、12年、ロサンゼルス・タイムズ紙が、約6000名の会員（当時）のうち白人94％、男性77％であり、平均年齢は62歳であるとスクープした。この報道で多様性の欠如を指摘されたAMPASは、翌13年には坂本龍一（1988年に『ラストエンペラー』で作曲賞受賞）を含む非白人を会員に迎えたが、高齢の白人男性が多い傾向が解消されるには至らなかった。

アカデミー賞といえば、国民的な人気を誇る映画賞というイメージがある。その一方、AMPASは保守的で作品も監督も俳優も、白人男性好みのものばかりを選び、一般人の意識とかけ離れているとの批判があることも否定できない。こうしたAMPASの意識の「ずれ」は、黒人俳優が受賞する際に繰り返しクローズアップされてきた。

黒人ではじめてオスカー俳優となったのは、『風と共に去りぬ』（1939年）のハッティ・マクダニエル（助演女優賞）であったが、奴隷であることに満足している「陽気な乳母《マミー》」のステレオタイプそのものを演じたとして、一部の評論家や黒人新聞などからは非難の声が上がった。マクダニエルに対するAMPASの処遇も、授賞式で白人受賞者との同席を認めないなど、差別的であった。批判の声は現在まで続いており、2020年には動画配信サービスHBOMaxがブラック・ライブズ・マター（BLM）運動《第32章参照》の隆盛を受けて作品の配信を停止、後にシカゴ大学教授ジャクリーン・スチュワート（映画研究専門）による解説付きで再開するというできごとがあった。

黒人男優初のオスカー受賞者は、ディズニー映画『南部の唄』（1946年）に主演したジェームズ・バスケットであったが、主演男優賞ではなく特別賞（現・名誉賞）を与えられて終わった。彼もまた、白人に尽くす実直な奴隷または召使い「アンクル・トム」のステレオタイプを演じたとして、非難された。批判への配慮から、86年まで販売していた映像ソフトは、同年以降販売を自粛中である。さらにBLM運動の高まりを受けて、この作品をテーマとしたディズニーランドのアトラクション、スプラッシュマウンテンはテーマを別作品（ディズニー映画初となる黒人プリンセスの活躍を描いた『プリンセスと魔法のキス』）に切り替えると発表した。

その後も、ステレオタイプの黒人キャラクターを演じてのオスカー受賞は続く。たとえば『野のユリ』(1963年)でアンクル・トム的な好青年を演じたシドニー・ポワチエ(黒人初の主演男優賞)、『トレーニングデイ』(2001年)で暴力漢を演じたデンゼル・ワシントン(主演男優賞)、『チョコレート』(01年)で性的に放逸な混血女性を演じたハル・ベリー(黒人初の主演女優賞)、『プレシャス』(09年)で福祉に依存するシングル・マザーを演じたモニーク(助演女優賞)などである。「黒人俳優はステレオタイプでオスカーを取りに行く」というAMPASの負の伝統は、不動のものに思われた。

2010年代に入ると、AMPASは内部改革を推進していく。13年、シェリル・ブーン・アイザックスが黒人初の会長に就任し、約5年の在任期間中、非白人および女性会員の増加に向けまい進した。ボーラム・チャトウによると16年には会員の92%が白人、75%が男性だったが、翌17年には非白人41%、女性46%と大きく変化した。さらに20年までの4年間で、投票権を持つ会員は2000人以上増え、これに伴い非白人と女性の割合も増加した。

一方、2015年から2年続けてノミネート俳優20名すべてが白人だったことは、大規模な抗議行動を引き起こし、AMPASに改革を迫る大きな流れを形成していく。ツイッターに#OscarsSoWhite(オスカーは白人だらけ)が作られるとたちまち拡散し、スパイク・リー監督ら映画関係者による16年授賞式のボイコットにまで発展した。さらに17年には映画プロデューサーのハーベイ・ワインスタインが多数の女優にセクハラと性的暴行で訴えられ、実刑判決を受けてAMPASを追放された。これらの事件は、AMPASの保守的な牙城が崩れ始めたことを明示する。業界内の差別問題を暴き、権威を根底から覆したのは、#MeToo運動から「タイムズ・アップ」運動に至る

『クレイジー・リッチ！』の主演俳優はすべてアジア系だった。(MTV International, CC BY 3.0)

ＳＮＳの草の根パワーであった《第37章参照》。

この大きな流れは、オスカー受賞者の多様さとなって結実していく。２０１７年には監督、脚本、主要人物のすべてが黒人の『ムーンライト』が、作品賞を含む３部門で受賞。20年には韓国人監督ポン・ジュノの『パラサイト』が、作品賞を含む４部門受賞を達成した。さらに同年９月、ＡＭＰＡＳは24年からの作品賞選考において、非白人や女性、ＬＧＢＴＱといったマイノリティが一定数以上出演していることなどを必須条件とする新基準をホームページ上で発表した。

こうしたＡＭＰＡＳの進化は、新タイプの作品の登場とヒット作の番狂わせにより「変わらざるを得ない状況」に直面したからとも言える。『ドリーム』（２０１６年）、『ブラックパンサー』『クレイジー・リッチ！』（いずれも18年）など、主要人物の大部分が非白人という映画が次々とヒットし、白人ヒーローものの常勝説は覆された。一方、配信サービス会社ネットフリックスやアマゾン・スタジオなどが映画製作に進出し、オスカー候補作品を輩出するようになったのである。「いかにも」ＡＭＰＡＳ好みの作品ではオスカーを勝ち取れない時代が到来しつつある。

現在までにＡＭＰＡＳの不均衡がすべて是正されたわけではないものの、２０２１年には黒人俳優６名がオスカーにノミネート（うち1名が受賞）、長く女性を冷遇してきた監督賞は中国人女性クロエ・ジャオが獲得、という現象も起きている。また同年９月開館のアカデミー映画博物館は、前述のマクダニエルへの差別待遇や女性候補の少なさなどＡＭＰＡＳの「負の歴史」に注目する常設展示を予定している。他方、20年ベルリン国際映画祭は、今後「俳優賞」として性別を問わず選考すると発表。21年英アカデミー賞では監督ノミネート枠を増やし、史上初となる４名の女性が候補に上がった。同年のカンヌ映画祭では、前述のリー監督が黒人初の審査員長に選ばれるなど、世界的にも映画賞の選考は公正さと多様性に向け変化しつつある。ＡＭＰＡＳのさらなる公正な舵取りが期待される。

（赤尾千波）

❖参考資料

赤尾千波『アメリカ映画に見る黒人ステレオタイプ――『国民の創生』から『アバター』まで』富山大学出版会、２０１５年

生田綾「アカデミー賞、作品賞の新基準を発表『主要な役にアジアや黒人などの俳優』『女性やＬＧＢＴＱ、障がいを持つスタッフ起用』など」『ハフポスト日本版』２０２０年９月９日［電子版］

Chattoo, Borum. "Oscars So White: Gender, Racial, and Ethnic Diversity and Social Issues in U.S. Documentary Films (2008–2017)." [https://www.tandfonline.com/doi/full/10.1080/15205436.2017.1409356]

55

音楽で見るブラック・ライブズ・マター

★ラップとMV、その先は？★

ブラック・ライブズ・マター（BLM）運動《第32章参照》の前から、アメリカ黒人の主張と音楽のかかわりは深く、差別をテーマにした音楽作品は多数存在した。なかでもラップ・ミュージック（以下ラップ）は、もっとも直接的にアメリカ黒人の心の声を表現するジャンルと言える。

ラップは1970年代にヒップホップ文化の一要素として現れたが、80年代に入ると社会的・政治的メッセージを盛り込んだコンシャス・ラップが登場する。グランドマスター・フラッシュ＆フューリアス・ファイブの「メッセージ」（82年）は、このサブジャンルを世に知らしめた最初の曲である。ミュージック・ビデオ（MV）では、ストリートを歩きながら「ゲットーの暮らしは最悪だ」「まるでジャングルにいるみたい。いま無事でいるのが不思議だよ、ハハ！」と明るく歌う彼らのもとに突然パトカーが現れ、有無を言わさず全員を連行して終わる。この作品は、黒人をめぐる過酷な現実と理不尽な警察暴力を歌詞と映像で訴えたのであった。

コンシャス・ラップは、後進のパブリック・エネミーやKRS－ワンなどに引き継がれ、なかでも1980年代末に登場したギャングスタ（ギャングのラップ）の作品では攻撃的に実践された。たとえばN・W・Aの「ファック・ザ・ポリス」（88年）は、法廷をパロディ化し、警察の不正捜査と人種差別を怒涛のラップで「証言」する歌詞で物議を醸した。

続いて1990年代後半からダーティ・サウス（南部のラップ）が隆盛となり、ブラクスプロイテーション（黒人主人公が犯罪社会で活躍するアクション映画）を模した短編映画仕立てのMVが流行したが、抗議よりも、痛快さと娯楽性を強調したものが多かった。同時期に、コンシャス・ラップ、リズム・アンド・ブルーズ、ジャズなど多様なジャンルの混成メンバーによりソウルクエリアンズが結成された。その作品は、社会的・政治的テーマを掲げる作品からラブソングまで多岐に渡り、音楽的にもジャズ・フュージョンやネオ・ソウルなどを組み合わせ、洗練されていると評価された。代表的アルバムにコモンの『ライク・ウォーター・フォー・チョコレート』や、エリカ・バドゥの『ママズ・ガン』（いずれも2000年）がある。

2013年、BLM運動が広がると、音楽の分野も個性的なアーティストで活気づく。15年、ケンドリック・ラマーはアルバム『トゥ・ピンプ・ア・バタフライ』を発表し、グラミー賞（最優秀ラップ・アルバム部門）を受賞。収録曲「オールライト」は、黒人として差別社会を生きる厳しさを歌い、BLMの賛歌《アンセム》と評された。MVでは「みんな安心しろ、これからはオールライト！」と語りかけるラマーが白人警官に撃たれ、血しぶきをあげて高所から墜落するかに見える。そして、死に際に微笑むという衝撃的結末を迎える。収録曲「ブラッカー・ザ・ベリー」では、黒人少年トレイボン・マーティン殺害事件に触れるも、「なんで俺は泣いたんだ？　自分だってギャングと撃ち合いになれば黒

2016年ホワイトハウスで開催された独立記念日のコンサートに、ケンドリック・ラマーとジャネール・モネイが出演した。(U.S. Government, White House photographer*)

人を殺すくせに、偽善者！」と歌う。彼のラップは、自分を含むすべての人間の心の闇を見抜き、矛盾を突きつける。17年、ラマーはアルバム『ダム（DAMN.）』を発表。「アメリカ黒人の人生の複雑さを描いた作品」として、クラシックやジャズ以外の音楽ではじめて、ピューリッツァー賞（音楽部門）を受賞し、グラミー賞でも四冠を達成した。収録曲「ハンブル」のＭＶでは、フォトショップを用い自らの肌のシワやたるみを修整する黒人女性の姿などを次々と映し、見た目を取り繕うのは空しい、黒人よ謙虚《ハンブル》であれ、と歌う。前作よりいっそうジャーナリスティックで皮肉な視点から内省を迫る作品となっている。

ラマーの歌詞には本質を突く鋭さがあり、高い評価を得ている。バラク・オバマ元大統領はラマーのファンを自認し、ホワイトハウスに招いてコンサートを開催したこともあるほどである。その一方で、過激な表現と女性蔑視に満ちているのも事実であり、ラマー作品には賛否両論が渦巻いている。

チャイルディッシュ・ガンビーノ（別名ドナルド・グローバー）は２０１８年「ジス・イズ・アメリカ」を発表。日系人ヒロ・ムライ製作のＭＶでは、ガンビーノ本人が「パーティしよう！」と言うや否や、ミンストレル・ショー（19世紀アメリカで流行った人種差別的なライブ・ショー）のキャラクター、ジム・クロウのポーズを取り《イラスト参照》、黒人男性を背後からピストルで射殺。続いて自動小銃で黒人教会の聖歌隊を惨殺する。「これがアメリカだ」「油断すんな」「警察はイカレてる」「俺はすごい！」などとラップする彼の様子を黒人高校生が携帯《セリー》で撮影していく。最優秀MV賞を含むグラミー賞四冠を達成した作品（ラップが最優秀レコード賞と楽曲賞を受賞するのはこれが初）であるが、混沌としてアレゴリカルな表象と矛盾に満ちた歌詞に対しては、さまざまな解釈が寄せられた。

　最近のBLM関連作品は、総体としてメッセージ性の高い歌詞と記録映像風の動画でストレートに表現するものが多い。たとえばビック・メンサの「16ショッツ」（2016年）は、黒人男性が警官に16回銃撃されて死ぬ戦慄の映像（一部は実際の記録映像）をMVで提示している。ジャネール・モネイの「ターンテーブルズ」（20年の映画『すべてをかけて――民主主義を守る戦い』挿入歌）は、公民権運動やBLM関連の記録映像を背景に「アメリカは嘘だらけ」「でも世界が証言する時が来た」と歌い上げる。

ジム・クロウは19世紀ミンストレル・ショーのキャラクター。白人が黒塗りメイクで演じた。（Edward Williams Clay*）

　「非武装だった7名の最後の言葉」（2016年。20年にBLM運動の隆盛を受けて新バージョンを発表）は、黒人の作曲家・指揮者ジョエル・トンプソンの作品で、歌唱はミシガン大学男声合唱団による。タイトルは「十字架上のキリストの最後の7つの言葉」に由来する。「アイ・キャント・ブリーズ」（息ができない）など、殺された黒人7名が言い残した言葉を合唱する。時にオーケストラと組んだり、ソロ歌手をゲストに迎えるなど多様な形態で公演を続けている。

これらは動画サイトで視聴できるが、MV作品というより演奏活動の記録映像であり、演奏後の地元警官と演奏者とのパネルディスカッションを含むものもある。MV映像に重きを置く作品が多いなかで、ともに歌って解釈を述べ合い、心の垣根を越えて交流していこうという意欲的な取り組みである。白人の聖歌隊や市民合唱団によるオリジナル動画が作られるなどの広がりも生まれている。

（赤尾千波）

❖参考資料

「特集　ケンドリック・ラマー――USヒップホップ・キングの肖像」『ユリイカ』2018年8月号、35～216頁
「特集　ブラック・ライヴズ・マターとアフリカン・アメリカンの歴史」『ミュージックマガジン』2020年8月号、26～81頁
Miller, Hayley, 生田綾「チャイルディッシュ・ガンビーノ“This Is America”の衝撃――なぜ話題になったのか？　MVを解説」『ハフポスト日本版』2018年5月13日［電子版］

56

ホワイトウォッシュ

★偽装された白人優越主義★

ホワイトウォッシュ（whitewash）とはもともと「白漆喰《しっくい》を塗って見た目を白くする」という意味である。転じて、写真やポスターに写る人物の肌の色を画像編集ソフトなどを用いて明るめに修整することや、原作小説などで本来は非白人だった登場人物を映像・舞台化作品で白人俳優が演じることを指す。

ホワイトウォッシュには、「事実を覆い隠す」という意味もある。たとえば、ロックンロールはリズム・アンド・ブルーズなど黒人音楽が基にあり、白人のカントリー・ミュージックと融合して生まれたものであるが、それをあたかもエルビス・プレスリーら白人アーティストがゼロから創出したかのように語ってしまうと、歴史のホワイトウォッシュということになる。「白人は非白人より優秀であり、すべての偉業は白人によるもの」と考える白人優越主義が根強く残るアメリカにおいて、こうした行為はけっして珍しいことではない。

写真におけるホワイトウォッシュでわかりやすいのは、化粧品会社ロレアルの広告（２００８年）に掲載されたビヨンセをはじめ、リアーナ、ガボレイ・シディベなど黒人女性の肌の色を実際より明るめに修整した例である。ロレアルの広告については、マーク・スウェニーが英『ガーディアン』紙に修整あり／なしの2枚のカラー写真を並べて解説を加えている。アメリカのメディアには「肌の色は白いほど好ましい」という通念があり、そのような（白人に）好まれるイメージを提供したいファッション雑誌グラビアや化粧品広告に女性を起用する時、黒人の場合とくに明るめに色修整して当然、と考えられていることが示唆される。

肌の色を実際より黒く修整することもある。これは黒人男性に対してなされることが多く、よく知られる例として、バラク・オバマ元大統領、タイガー・ウッズ（白人女性とのスキャンダルを報道されたプロゴルファー）、O・J・シンプソン（白人女性の妻殺害容疑で逮捕された元プロ・アメリカンフットボール選手）がある。黒くする場合、目の隈《くま》や白目を強調して「悪人面《づら》」にする印象操作も同時に行われることが多い。このような修整の裏に透けて見えるのは、オバマの場合は、黒人（なのに）大統領になったことへのねたみであり、ウッズとシンプソンの場合は、白人女性絡みのスキャンダルで叩かれた人物を、よりいっそう「犯罪者然《ぜん》として」見せたいという悪意である（これらのカラー写真は、筆者の『論座』記事で見ることができる）。

映画の登場人物のホワイトウォッシュは、昔から大変多い。最近では、『ゲド戦記』のテレビ映画版『ゲド——戦いのはじまり』（２００４年）、『ハンガーゲーム』（12年）とその続編、『ゴースト・イン・ザ・シェル』（17年）などがある。これらの映画は、原作では非白人だった主人公が白人であったかのように、設定もストーリーも変更されている。このことは、「アメリカ映画のヒーロー・ヒロインは白人であるべき」という旧態依然とした考えに縛られ、非白人主人公の活躍を描いた原作はそのような修正を加えた方が望ましいと考えている映画製作者が多いことを示している。

逆に、近年ミュージカル『ハミルトン』(2015年初演)が話題となったが、「建国の父」のひとりアレクサンダー・ハミルトンのような実在した白人や原作では白人の人物を、非白人が演じることもある。ハミルトン役は、公演ごとに白人や黒人など異なる人種の俳優が演じている。このように、演じる人物の人種を史実や原作と一致させなくてもよしとする配役をカラー・ブラインド・キャスティングという。これを性別に当てはめるとジェンダー・ブラインドとなり、そうした自由な配役の総称をブラインド・キャスティングという。

『ハリー・ポッターと呪いの子』でハーマイオニーを演じたノーマ・ドゥメズウェニ (The Tony Awards. “Broadway in One Word | 2018 Tony Award Nominees.” *YouTube*, May 24, 2018, CC BY 3.0 [https://www.youtube.com/watch?v=qvpHfcZOZlQ] より)

ブラインド・キャスティングの実践は多彩である。たとえば、実写版『美女と野獣』(2017年)は、白人の人物しかいなかったアニメ版(1991年)と異なり、多数の非白人が活躍するほか、ディズニー映画初のゲイ男性も登場して話題となった。少女アニーと養父(原作ではともに白人)が主人公の新聞連載マンガ『アニー』は、何度か映画・ミュージカル化されているが、2014年の映画版では、このふたりを黒人が演じている。『ハリー・ポッター』シリーズも、映画では白人女性が演じた主人公の友人ハーマイオニー役を、舞台化作品『ハリー・ポッターと呪いの子』(16年)では黒人女性が演じた。『ドクター・ストレンジ』(16年)では、原作コミックで白人男性だった伯爵を黒人男性が演じる一方、原作ではチベット人男性の役を白人女性が演じている。このように、映画などエンターテイメント業界は、ホワイトウォッシュ一辺倒ではなくなりつつある。

日本でホワイトウォッシュという言葉が注目されたのは、2019年、日清食品のCMアニメでテニスの大坂なおみ選手の肌の色と目鼻立ちを白人のように描いた時である。「ホワイトウォッシュでは?」との批判が、欧米のメディアから上がった。その前年、全米オープンで大坂が優勝した際には、対戦相手のセリーナ・ウィリアムズを「感情の抑制ができない粗暴な黒人女性」のステレオタイプで描き、対照的に大坂を「大人しい金髪の女の子」として描いたマーク・ナイトの戯画（豪『ヘラルド・サン』紙掲載）に対し、人種差別であると欧米のメディアが批判していた。

欧米メディアは、肌の色にせよ目鼻立ちにせよ、本人の姿に忠実に描かないこと自体、敬意の欠如であると指摘したのであった。さらに日清食品CMに関しては、大坂が頭角を現すや否や、「優れた人物は皆白人」だったことにしようとするアメリカの白人優越主義に同社が追従したとの批判もあった。対照的に日本のメディアは静観する傾向があり、ふたつのできごとを介し、欧米と日本のメディアの温度差が露呈したのである。

アメリカでは、最近ホワイトウォッシュの亜種と言うべき表現が登場している。たとえば、環境破壊を疑われる企業などが環境への配慮を誇張して宣伝し、自社イメージを「盛る」ことをグリーンウォッシュという。同様にLGBTQの権利拡張に理解を示すことで、実は人種差別をしているなど負の一面を覆い隠そうとすることを、ピンクウォッシュという（ピンクはLGBTQのシンボル・カラーのひとつ）。「ウォッシュ」は、どれも本質を覆い隠して人の目をあざむくこと、つまりは偽装につながる。アメリカにはさまざまな偽装スキルに長ける者がいる一方、それを黙って見すごすことを許さない社会風土があるということかもしれない。

（赤尾千波）

❖参考資料
赤尾千波「大坂なおみのＣＭとホワイトウォッシュの底深い闇」『論座』２０１９年2月13日［電子版］
生田綾「日清、大坂なおみ選手のアニメＣＭを公開停止に『選手活動に影響があると判断』」『ハフポスト日本版』２０１９年1月24日［電子版］
Russell, John G. "Trading Races: Albescence, Staining, Xenoface, and Other Race-Switching Practices in American Popular Culture." *The Journal of American Culture*, Vol. 41, No. 3 (September, 2018), 267–78. [https://doi.org/10.1111/jacc.12935]
Sweney, Mark. "Beyoncé Knowles: L'Oreal Accused of 'Whitening' Singer in Cosmetics Ad." *The Guardian*, August 8, 2008.［電子版］

57

観光業と継承者が支えるフラ

★コロナ禍が浮き彫りにするハワイ文化★

フラ（hula）はハワイ語で「踊ること」を意味する。このため、日本で「フラダンス」の名で知られるハワイの伝統舞踊を、原語に則して表現するならば「フラ」となる。ハワイの人々は、古くから神話や伝承、神々への祈り、ハワイ王国の王族への称賛を、詠唱と打楽器に合わせた踊りで表現してきた。これが古典フラと呼ばれているもので、ハワイアン・ミュージックに合わせて踊る現代フラとは性質を異にする。

現代フラを中心としたフラに親しむ日本人の数は数十万人とも100万人とも言われるが、とりわけ熱心なフラ愛好者にとっての憧れの舞台は、「メリーモナーク・フェスティバル」である。同フェスティバルはフラの世界最高峰を決定する、いわばフラ界のオリンピックで、ハワイ島ヒロで毎年イースターの時期に開催される。第7代ハワイ国王カラカウアのニックネーム「メリーモナーク」（陽気な王様の意）を冠したこの催しは、古典フラの復興に努めたカラカウアの功績の顕彰と、ハワイ文化の継承を目的としている。1週間開催されるフェスティバルでは、予選を勝ち抜いたハーラウ（フラの教室）が、男女別の部門でカヒコ（古典フラ）とアウアナ（現代フラ）の競技を繰り広げる。そして、厳正な審査の末、それぞれの部門でもっとも技巧のすぐれたハーラウが表彰される。

そもそも、このフェスティバルは、津波被害で不況に陥ったハワイ島ヒロの街の復興と、ハワイ文化の振興を目的として１９６３年にスタートし、71年からはフラの競技大会へと姿を変えた。同フェスティバル開催中のヒロは、一年でもっとも活気に満ち溢れる。日本やアメリカ本土などからヒロに押し寄せる人々は、日中ハワイ島の観光を、夜はスタジアムでのフラ競技観戦を楽しむ。フェスティバルを堪能した人たちの多くは、その後オアフ島で観光やショッピングを楽しんでハワイを後にする。

「本物のフラを本場で観たい」というフラ愛好者の需要に応えるべく、日本の旅行代理店各社は２０００年頃から「メリーモナーク観戦ツアー」を売り出すようになった。４泊から５泊のハワイ島ヒロでの宿泊料金、航空運賃、フェスティバルの観戦チケット料金、日中のオプショナルツアー参加料金等を含めて約40万円、というのが相場である。やや高額の価格設定ではあるが、個人で観戦チケットを入手するのはむずかしいことから、観戦ツアーには毎年申し込みが殺到する。

２０２０年３月、その翌月に開催予定だった「第57回メリーモナーク・フェスティバル」の中止がフェスティバル事務局によって発表された。新型コロナウイルス感染症の拡大防止のためだった。21年の開催については、開催時期を例年よりも２ヵ月程度延期し、規模も大幅に縮小して無観客で行い、競技の様子をオンラインで配信する形を取った。メリーモナーク・フェスティバル事務局の代表を務めるルアナ・カヴェルは20年３月に行った中止発表に際し、「われわれにはハワイ文化に対する責任とコミュニティに対する道徳的責任がある」と苦しい胸の内を明かした。新型コロナウイルスの感染

メリーモナーク・フェスティバル（2016年4月）（著者撮影）

拡大は、同フェスティバルをはじめフラを披露するさまざまな機会を奪った。

さらに、２０２０年に生じたアメリカの社会的混乱が、思わぬ形でフラ継承を望む人々の間に動揺をもたらした。同年5月末、クムフラ（フラの師匠）であるマーク・ケアリイ・ホオマルが主宰するカリフォルニア州オークランドにあるハーラウ「アカデミー・オブ・ハワイアン・アーツ」のレッスン・スタジオに、ブラック・ライブズ・マター（ＢＬＭ）運動《第32章参照》に参加して暴徒化した一部の人々が押し入り、窓ガラスの破壊行為やスタジオ内のウクレレの窃盗などを働いた。被害額は総額で3万ドルに上った。このハーラウは「メリーモナーク・フェスティバル」の常連で、世界的な人気を誇る。ＢＬＭ運動を支持するハワイの多くのハーラウ、クムフラと同様に、ホオマルもまたハワイアンの立場からこの運動に共感を示していた。それゆえ、マイノリティ同士の連帯感を高める可能性を秘めた同運動が、ハワイの文化継承の場を攻撃の対象とした事実は、ハワイの人々に大きな衝撃を与えた。ここに見るようにＢＬＭ運動は、黒人にとどまらずアメリカ社会におけるマイノリティそれぞれが自身のアイデンティティをあらためて意識する契機となった。ハワイアンの場合、そのエスニック・アイデンティティは、支配の歴史に対する抵抗の感情と強く結びつく。

１８９８年にアメリカに併合される以前のハワイは、先住民の国王を戴く独立国家だった。ハワイ王国時代のフラ（古典フラ）は、王権の象徴として国民を統合する役割を果たしていた。しかしながら、アメリカ人宣教師とその子孫がハワイで権勢を拡大していった１８２０年以降、宣教師勢力によってフラは文明の対極にある「野蛮な」文化とみなされるようになり、衰退の一途をたどった。その後フラが本格的に復活したのは、先住民権利回復運動の機運が高まった１９７０年代である。この運動のなかで、フラはハワイアンの主体性とアメリカ本土の勢力による支配への抵抗を示すための文化的手段として位置づけられた。こうしてハワイアンにとってのフラは、政治的色彩を帯びるようになった。

筆者はかつて「メリーモナーク・フェスティバル」の会場で印象深い光景を目にした。開会式でのアメリカ国歌の斉唱の際に、多くの観客が斉唱を拒否したのである。これとは対照的に、ハワイ州歌である「ハワイ・ポノイ」の斉唱では、観客が総立ちとなって大合唱となった。「ハワイ・ポノイ」は第７代ハワイ国王カラカウアが作詞したもので、その歌詞は国王のもとでハワイアンが団結するよう呼びかける内容となっている。ここからわかるのは、エスニック・アイデンティティに根差した矜持と抵抗が、フラ継承の原動力となっていることである。

フラを支えているのはハワイの人々の文化継承に対する使命感と責任感である。とはいえ、フラが観光ビジネスを介してグローバルな規模で普及し、人気を博していることからわかるように、今日のフラは、観光業と文化継承を追求するハワイの人々との共存関係のなかで存続している。その事実が、コロナ禍でより鮮明になったといえよう。

（目黒志帆美）

❖参考資料

目黒志帆美『フラのハワイ王国史』御茶の水書房、2020年
矢口祐人『ハワイの歴史と文化――悲劇と誇りのモザイクの中で』中央公論新社、2002年
山本真鳥、山田亨編『ハワイを知るための60章』明石書店、2013年

58

eスポーツ

★アメリカZ世代の象徴★

eスポーツとは、アメリカでは広くは競争的なビデオゲーム全体を包含する概念であり、より具体的には賞金の獲得を目指した、あるいは参加することで報酬が支払われる競争的なビデオゲームであると定義される。その起源は1972年にスタンフォード大学で開催された「スペースウォー（宇宙戦争をモチーフとした対戦型コンピュータゲーム）」大会とされる。もはや野球やサッカーは「伝統スポーツ」で、eスポーツが「スポーツ」であるとするほど、社会に定着したとする見方もある。

eスポーツの経済規模は2020年に15億ドル市場に拡大し、22年には30億ドルに達するとの予想もある。FPS（ファースト・パーソン・シューター。一人称視点によって行われるガンシューティング）、バトルロイヤル（多人数で入り乱れて行うバトル）、MOBA（マルチプレイヤー・オンライン・バトルアリーナ。複数プレイヤーがチームを組み相手陣地の破壊を目指す）、RTS（リアルタイムストラテジー。1対1の戦略ゲーム）、デジタルカードゲーム、スポーツゲーム、格闘ゲームなど7種類に分類され、日本では政府が提唱するソサイエティ5・0ビジョンの一翼を担うことが期待されている。

20世紀のアメリカは近代スポーツの中枢であったうえに、インターネットの開発やコンピュータ技術の発展においても主導的な役割を担ってきた。また大衆文化の発信国として、新しい娯楽にはつねに敏感であり続けてきた。こうした条件が交わった延長上に、現在のeスポーツブームは位置づけられる。しかし他方、国際eスポーツ連盟が本部を置く韓国や中国などの東アジア勢、インドやパキスタンなどの南アジア勢の新興いちじるしい今日、覇権の行方は非常に不透明である。それでも最近の数年間にアメリカでは、プロフェッショナル、大学、高校の各レベルで、eスポーツをめぐって大きな変化が起こり、メディアはその話題で持ちきりだった。

2019年、eスポーツへの参画がもっとも遅れていたメジャーリーグで、コミッショナーのロブ・マンフレッドは中国でMLBeスポーツリーグを開催する予定であると宣言した。コロナ禍にあって計画は中断しているが、これで、18年以来テイク・ツー・インタラクティブ社とのベンチャーでNBA2Kリーグ《写真参照》を運営しているバスケットボール（NBA）、およびビデオゲーム「マッデンNFL」（1988年発売）の実績に基づき、エレクトロニック・アーツ社とのパートナーシップを結んでマッデン・チャンピオンシップシリーズを16年に立ち上げたアメリカンフットボール（NFL）と並んだことになる。三大プロスポーツリーグは、eスポーツ市場にそろい踏みを果たしたのである。

高等教育レベルでは、120以上もの大学でeスポーツの代表チームが組織され、現在200あまりの大学がeスポーツ関連奨学金を給付している。カリフォルニア大学アーバイン校はとくに力を入れていることで知られ、カリキュラムに取り込み、キャンパスの中心に競技センターを設置している。

熱戦を繰りひろげるNBA2Kリーグ（2019年）(Tampamann, CC BY-SA 4.0)

同校では、ｅスポーツ関連のふたつのクラブが学部生の部員を多数集めている。大学間の交流を活性化するために、２０１７年北米学術ｅスポーツ連盟（ＮＡＳＥＦ）が設立された。ＮＡＳＥＦは、指導者を各キャンパスに派遣し、学生たち自身が自立してチームを作り、リーグを運営できるよう指導を継続している。

中等教育レベルでは、２０１８年に全米州立高校協会（ＮＦＨＳ）がｅスポーツを公式に認可した。ＮＦＨＳ代表によると、19年1月のシーズン中に18〜20州の高校がｅスポーツ州チャンピオン大会を開催し、２万５０００人の生徒が参加したという。弱冠20代のＣＥＯダレン・パーネル率いるプレイ・バーサス社は、高校生向けｅスポーツの公式プラットフォームの提供に乗り出している。高校キャンパスでのｅスポーツ人気は、大学からの奨学金の充実に後押しされて高まる一方で、伝統スポーツに迫る勢いの学校もあると言われる。

発展を続けるeスポーツについて、さまざまな角度から検討がなされている。一般的にゲーマーの「おたく」イメージは払拭されておらず、eスポーツにおいても競技者に男女の不均衡が生じている。トップチームはほとんど男性によって構成されている。あるキャンパス調査では男子学生の92・8％がプレイ経験ありと答え、女子学生は58・9％に留まった。他方、eスポーツが公式に認知されることで、これまで部活動に縁遠かった生徒や学生の参加が可能となるうえに、設備や機器にかかわる経済的負担も従来の活動よりも少なくなるとの期待もある。学業成績との関係について、極端に熱中している一部の生徒・学生を除けば、大きな負の影響はないとの調査報告が出されている。しかしその一方で、ある運動生理学に関する論文は、eスポーツによるゲーマーの心拍数増加を裏づけ、ストレスの増大を懸念している、という具合である。

法律関係者によるeスポーツ関連の学術論文も近年増加している。ギャンブルに関しては、スポーツ賭博の規制を緩和する州が増え、eスポーツでの賭け事を容認する風潮が広まってきている。パフォーマンス向上のための、アンフェタミンやリタリンのような脳機能改善薬の服用がドーピングに当たるか否かをめぐって検討が進められている。大学キャンパスでのeスポーツがアメフトやバスケのような巨額の収入源になる前に、メディアとの交渉や契約に備えるべきだとの声や、教育改正法第九編（通称タイトル・ナイン）《第38章参照》の規定に抵触しないように、eスポーツ環境をもっと女性に優しくすべきだとの声もある。著作権をめぐる国家間利害の調整の必要性や、eスポーツ選手の出入国に伴う査証のタイプをどうするかなど、国際的な問題にまで議論は及んでいる。

こうしたeスポーツをめぐる動向は、eスポーツがいまだ未成熟であるとはいえ、制度として、文化として大きな可能性を有していることを示唆している。アメフトがX世代にとって、バスケがミレニアル世代にとってそうであったように、eスポーツがZ世代にとって世代を象徴するスポーツになることに議論の余地はない《第23章参照》。

（川島浩平）

❖参考資料

「アメリカの高校がeスポーツに期待する背景――『居場所がない』生徒の生活変えるきっかけに」『ニューズウィーク日本版』２０１９年2月11日［電子版］
「特集　テクノロジーとスポーツの変容」『現代スポーツ評論』41号、２０１９年
山本敦久『ポスト・スポーツの時代』岩波書店、２０２０年
Holden, John T. Holden, Marc Edelman, and Thomas A. Baker, III. "A Short Treatise on Esports and the Law: How America Regulates Its Next National Pastime." *University of Illinois Law Review*, Vol. 2020, No. 2 (2020), 509–581.

59

「セサミストリート」放送開始50周年

★世界中の子どもの笑顔のために★

2019年5月1日、ニューヨーク市マンハッタンの中心部にある交差点に、ビッグバードやエルモ、クッキーモンスターなど、幼児向けテレビ番組「セサミストリート」でお馴染みのマペット（人形）や歴代の出演者が、ビル・デブラシオ市長や大勢のファンといっしょに集まった。同番組の放送開始50周年を記念して、ニューヨーク市が、セントラルパーク西側の63ストリートとブロードウェーが交わる交差点を正式にセサミストリートと命名し、そのお披露目の記念式典が行われたのである。子どもや大人、カラフルなモンスターたちが見守るなか、セサミストリートは実在する地名になった。

放送が開始された1960年代後半のアメリカは、ベトナム戦争拡大に伴う反戦運動の激化に加え、64年の公民権法成立以降も根強く続く人種差別へ抗議した暴動が全米で発生するなど、社会全体に重苦しい雰囲気が漂っていた。また、都市部では貧困層の子ども、とくに黒人家庭の子どもたちが就学前に適切な教育を受ける機会を得られず、そのことが後の学校教育でのつまずきに大きく影響していることが問題になっていた。

そのような状況のなか、良質な教育をすべての未就学児に分

「セサミストリート」の放送開始50周年を記念して、セサミストリートはニューヨーク市の実在の地名になった。（大類久恵撮影）

け隔てなく届けるために選び出された媒体が、テレビだった。6歳までの子どもたちが、起きている時間の大半をテレビに釘づけになって過ごしているという報告を受けての決定だった。しかし、当時テレビを教育媒体として使うことは、実験と言ってよいほどの、まったく新しい試みだった。

制作は教育、心理学、テレビ番組制作のプロたちが結集した非営利の番組制作会社「チルドレンズ・テレビジョン・ワークショップ」（現在の「セサミワークショップ」）が行い、同様に非営利の公共放送ネットワークであるPBSが、1969年11月10日に放送を開始した。

番組作りにあたっては、都市部の貧困家庭の子どもはもちろん、全米の子どもたちが、みずから進んで見たくなるような楽しいものにすることが目指された。そのため、特別なできごとではなく、子どもたちに身近な、等身大の日常を描くことに主眼が置かれた。そして、大人が作った台本通りの番組進行ではなく、マペットとのやり取りのなかで自然に生まれる子どもの反応や表情をカメラでじっくりとらえることが心がけられた。

また、文字や数字、言葉だけではなく、「人間として大切なこと」を教えたいという願いも、番組が誕生した時から込められている。お互いのちがいを尊重することに価値が置かれ、多様な人種、文化背景の人物に加え、障害を持つ子どもも出演者として起用された。マペットの方では、自閉症の女の子のジュリアや、ホームレスの女の子のリリー、そのほか、シングルペアレントや服役中の親を持つ子どものキャラクターも登場する。また、親の離婚や人種差別、身近な人の死などをエピソードとして取り上げて、困難な状況に直面した時に抱く怒りや悲しみ、不安や孤独感といった感情に、どのように対処したらよいかをともに考え、アドバイスを与えるような機会も、折に触れて設けてきた。

現在ではアメリカのオリジナル版に加えて、160以上の国と地域で、その土地ならではの文化やニーズが反映されたプログラムも制作されており、使用言語は70に及んでいる。

たとえば、南アフリカとナイジェリアではHIVとAIDSについての理解を深めるために、生まれつきHIVに感染している女の子のマペット、カミが登場し、アフガニスタンでは、ザリという女の子のマペットが女性の権利拡大の重要性を訴えている。また、シリア難民の子どもたちのために、セサミワークショップは国際救済委員会と共同でアラビア語の「セサミストリート」を立ち上げ、教育の機会を提供するとともに、心に深い傷を負っている子どもたちのケアにも力を注いでいる。

日本では1971年から2004年まで、アメリカのオリジナル版が英語教育番組としてNHK

第59章
「セサミストリート」放送開始50周年

で放送された。現在はセサミワークショップの日本法人「セサミストリート・ジャパン」の公式ユーチューブチャンネルで見られるほか、多様性や相互理解について学ぶための、「セサミストリート」を教材としたプログラムが小学校などで導入されつつある。

放送開始50周年を祝った翌年の２０２０年、アメリカ社会は子どもたちの心や生活に大きな影響を及ぼすふたつの大きなできごとに直面した。新型コロナウイルスの蔓延と、黒人差別に対する大規模な抗議運動（ブラック・ライブズ・マター）《第32章参照》である。

セサミワークショップは、ニュース専門チャンネルのCNNと共同で、人種差別と新型コロナウイルスそれぞれについて、特別番組を制作して放送した。番組のなかでは、CNNの司会者と「セサミストリート」のマペットとのやり取りを交えながら、さまざまな分野の専門家が、子どもや保護者の疑問に答えていった。子どもからは、「どうしていろいろな色の皮膚の人間がいるのか」「ハグをしないで挨拶する方法はあるか」などの質問が、また、保護者からは、「子どもに人種差別について、いつから、どのように説明すればよいのか」「オンライン授業のなか、子どもに社会性を身に付けさせる方法を知りたい」などの相談が寄せられた。

セサミワークショップはさらに、コロナ禍で自宅生活を余儀なくされた子どもと保護者の不安を和らげ、少しでも楽しく過ごせるようにと、「ケアリング・フォー・イーチ・アザー（思いやり）」運動と題したコンテンツのインターネット配信を始め、心身両面についての専門家のアドバイスや、家で実践できる遊びや学び、マペットを活用した「モンスター・ヨガ」などを紹介している。

「セサミストリート」が半世紀を超えてなお世界中の人々に愛されているのは、「子どもたちに健康で幸せな人生の一歩を踏み出してほしい」という、放送開始当初の制作者たちの願いが、今も変わることなく受け継がれているからだろう。心優しいモンスターたちは、これからも世界中の子どもの笑顔のために、子どもと、子どもにかかわるすべての大人に寄り添いながら歩み続けていくことだろう。

（畔柳章枝）

❖参考資料

「ひらけセサミの多様性　番組50年　ＴＶの枠超え学校教育に」『朝日新聞』２０１９年６月８日（夕刊）
Lesser, Gerald S. *Children and Television: Lessons from Sesame Street.* New York: Vintage Books, 1975.
セサミストリート・ジャパンのホームページ［http://www.sesamestreetjapan.org/］

60

アポロ11号 有人月面着陸50周年

★アメリカの宇宙開発の行方とその意味★

２０１９年は、アポロ11号有人月面着陸50周年を迎え、人々は宇宙への意識を再燃させた。翌年には、企業家イーロン・マスク率いる米宇宙ベンチャーのスペースXが、宇宙船「クルードラゴン」の打ち上げに成功し、宇宙開発における民間企業の本格的参入を印象づけた。

ここにきて各国の宇宙事業が一気に加速している。中国は２０１８年に無人探査機による月の裏側への着陸を成功させ、21年５月には、火星探査機の火星着陸に成功した。28年頃には火星のサンプルを地球に持ち帰る予定であり、火星の後には木星探査も睨んでいる。一方、ロシアは19年９月、中国と月探査で協力する協定に調印した。

「アメリカを再び偉大な国に」をスローガンとしたドナルド・トランプ政権は、２０１７年６月には国家宇宙会議を、マイク・ペンス副大統領を議長として24年ぶりに復活させ、ホワイトハウス主導で宇宙開発に取り組む姿勢を示した。ペンス副大統領はスピーチでアメリカが再び宇宙分野でリーダーシップを取ることを全世界に宣言した。スピーチの前日は、旧ソビエト連邦によるスプートニク打ち上げ60周年の日であった。スプートニク・ショックをバネに、アメリカはアポロ月面有人着陸を成功させたが、いまやその栄光も過去のものとなった。アメリカは宇宙探検での優位性を失い、他国が無限の宇宙フロンティアで権利を主張し始めているなか、アポロ月面着陸以降、次の目標を明確に打ち出せないままである。

２０１１年にはスペース・シャトル計画を終了し、その後はロシアに多額の資金を投じ宇宙飛行士を宇宙船に同乗させるロシア依存が今日まで続いている。その一方、ロシアと中国は人工衛星攻撃技術を向上させ、アメリカの軍事能力を低減させているのである。

そこで、１９５７年のスプートニク・ショックの時と同様に、トランプ大統領の指導力のもとで、宇宙開発を強力に押し進め、二度と遅れはとらないと決意したのであった。国家宇宙会議の明確な目的は再び月に宇宙飛行士を送ること、月面基地を築いてさらなる火星への足掛かりを得ること、西部開拓時代のように宇宙にアメリカの価値観を広めることである、とペンス副大統領は語った。

今日のアメリカの宇宙開発に対する姿勢を、アポロ月面着陸を計画した50年前と比べると、冷戦期と冷戦後、ロシアに加え中国のあらたな参入など国際環境の大きな変化はあるものの、宇宙開発競争を「自由主義国家」対「専制国家」としてとらえる構図は基本的に変わらない。ジョン・Ｆ・ケネディが大統領となった１９６１年当時、ソ連の宇宙分野でのリードは明白で、就任直後4月にユーリイ・ガガーリンが人類史上初の有人宇宙飛行を達成したことにショックを受け、翌月にはアポロ有人月面着陸計画を決定した。60年代が終わる前にアメリカ人を月に送り、帰還させる計画であった。当時の社会の受け止め方は、宇宙を制する者は地球を制するという帝国主義的な見方もあれば、北極や南極探検のように純粋に「探検」ととらえる見方もあった。より現実的な見方をすれば、大統領就任直後のピッグズ湾事件（亡命キューバ人によるカストロ政権転覆を狙ったキューバ侵攻をケネディ政権が後押しするが失敗）から国民の注意を逸らす効果もあったであろう。アポロ1号の訓練中の火災による乗員3名の死亡事故の悲劇をへて、68年10月アポロ7号によるアメリカ初の有人宇宙飛行は成功し、そして11号の月面着陸となった。最終的に23人の宇宙飛行士を月の軌道に送り、そのうち12人を月面に降り立たせたアポロ計画は72年の17号をもって終了した。

アポロ計画にはかつてない莫大な資金が投じられ（254億ドル。2020年現在の価値では1460億ドル［約16兆円］）、推計40万人の科学者、エンジニアを動員したアメリカ史上最大規模の公共事業となった。それに匹敵するのは、パナマ運河建設と原子爆弾開発のマンハッタン計画くらいである、とポール・ディクソンは50周年版『アポロ　月面への探査』（2019年）の序文で述べている。しかしながら、人類を月に送り込む計画には費用に見合うだけの直接的な軍事的効果はなかった。青砥吉隆は、それを正当化したのは、「自由」対「専制」の「自由」の勝利を意味するとケネディが国民を説得したから、つまりきわめてアメリカ的な世界とのかかわり方に対するひとつの答えだったからという興味深い指摘をしている。宇宙競争でアメリカが勝利して終わったために、皮肉にもその後、宇宙開発は勢いを失った。

ディクソンは、宇宙飛行士の健康被害も含め生身の人間を送ることはリスクが高く、有人飛行はアポロで終わりであり、これからはロボットが主体となるだろうと序文を締めくくっている。とはいえ、トランプ政権下で、月に再び人を、とくに女性を送るアルテミス計画が日本も含めた複数国を巻き込み始動している。

「アース・ライズ」または「地球の出」（Bill Anders*）

「ザ・ブルー・マーブル」（Apollo 17 crew*）

では、アポロ計画の意義は何だったのだろう。アメリカが人類史上はじめて人を月面に送り帰還させたことは、洗練されたエレクトロニクス、精緻な機器、高水準の品質管理などアメリカが誇る技術を結集させてこそ可能であったとの自負があることは確かである。その成果を世界に示し、国の威信をおおいに高めたことはまちがいない。

しかし、それと同じように、あるいはそれ以上に大きなインパクトは、本来の目的の外にあったのではないだろうか。それは、宇宙から地球の姿をとらえた写真である。地理学者のデニス・コスグローブは、地球が実際に宇宙から眺められ、そのイメージが写真を通じて広く普及したことは、それ以前の想像のなかの「地球（globe）」が果たせなかった大きな影響を人々に与えたと述べている。そもそもアポロ計画では地球の写真撮影が公式な任務に入れられたことはなく、無重力状態での手動によるカメラ撮影は困難をきわめたという。地球を離れて宇宙への探検を目指した宇宙飛行計画が産み出したもっとも大きな文化的影響が地球それ自体のイメージであったことは、きわめて示唆に富む発見である。

われわれのよく知っている地球の写真は2枚あり、ひとつは1968年アポロ8号が撮影した「アース・ライズ」（「日の出」のように地球が天空に昇る様子）であり、もうひとつは72年にアポロ17号が月への最後のミッションで撮影した地球全体の写真「ザ・ブルー・マーブル」である。これらの芸術的な写真がその後教育から商業まであらゆる分野で使われ、宇宙時代のアイコンとなったこと、これこそがアポロ計画が残した大きな文化的遺産ではないだろうか。地球はついに宇宙に浮かぶ島となったのである。

（黒沢眞里子）

❖参考資料

青砥吉隆「信念とヴィジョンの証――ケネディ大統領による二つの「月」演説の分析」『ＩＣＵ比較文化』46号、２０１４年、47～63頁
黒沢眞里子「宇宙時代の移動と定住――地球は島である」専修大学人文科学研究所編『移動と定住の文化誌――人はなぜ移動するのか』彩流社、２０１１年、２０９～２４７頁
Cortright, Edgar M., ed. *Apollo Expeditions to the Moon: the NASA History, 50th Anniversary Edition*. Mineola, New York: Dover Publications, 2019.
Cosgrove, Denis. *Apollo's Eye: A Cartographic Genealogy of the Earth in the Western Imagination*. Baltimore: Johns Hopkins University Press, 2003.

61

現代アメリカの都市空間

★ガラスのユートピアはどこに向かうのか★

建築評論家のルイス・マンフォードは、都市ユートピアのひとつは、「街全体をガラスの建物でうずめる夢」であると述べている。その原点は、1851年ロンドン大博覧会の水晶宮である。鉄骨造りで総ガラス張りの大建造物の内部には熱帯・亜熱帯地方から運ばれてきた棕櫚《シュロ》や椰子《ヤシ》、観葉植物などが配置され、それはイギリスの産業力を誇示する光と緑のスペクタクルであった。楽園の植物オレンジを栽培する「オランジェリー」から始まったヨーロッパ人の楽園願望がひとつに集約されたガラス張りの「大温室」は、それ以降の理想都市に必須のものとなった。

それから1世紀たった1950年代、ニューヨークに登場したふたつの総ガラス張りのビルについても、マンフォードは論評している。ひとつはミッドタウンのリーバ・ハウスという、ガラスカーテン工法で建てられた「ガラスの箱」である。世界最初の総ガラス張りの建物ではないが（先の水晶宮と、ロンドンのデイリー・エクスプレス・ビルが先行）、近代的資材、工法、機能が近代的設計と結びついた最初のオフィス・ビルであり、目下の建築技術がなし得る最高のものであるとマンフォードは述べている。ふたつ目は、５番街のマニュファクチャラーズ・トラスト・カンパニーの、およそ銀行にはふさわしくない総ガラス張りの新オフィスである。銀行といえば、重い石造りの古典主義的な建造物と決まっていたが、その堅固なイメージをもってしても耐えることのできなかった大恐慌をへて、はじめて実現した「革新」であった。さらに、屋内には多くの植物が取り込まれ、ガラスのいわば「大温室」さながらであった。現代では、光と緑は近代建築の必須要素となっている。

さらに半世紀以上たった21世紀初頭のマンハッタンには、総ガラス張りの高層建築が次々と建てられている。そのなかで現在もっとも注目を集めているのは、ウエストサイドに伸びる空中庭園ハイラインと、それにつながるハドソン・ヤードである。ハドソン・ヤードは、民間都市開発事業としてはアメリカ史上最大規模であり、地域一帯の総事業費２５０億ドル（約２兆７８００億円）を投じた複合施設である。高架の緑道ハイラインの上にそびえる青いガラスのビルは、奇妙なカットやアングルが目を引く。そのひとつが、ビルの１００階部分から突き出た、三角形の展望台「エッジ」である《写真参照》。周囲をガラスパネルで囲んだ展望台の床の一部がガラス張りで、周囲の景色はもちろんのこと、ガラスの床から眼下のマンハッタンを眺めることができる。

ハドソン・ヤードのガラスのビル群
(Rhododendrites, CC BY-SA 4.0)

最新技術の粋を集めて建設されたガラスのビル群であるが、そこに効果的に配置された緑の空間も同様に最新技術を誇る。200本の高木と2万8000本の灌木が植えられた緑のスペースは、鉄道車両基地の上に作られた空中庭園で、高度な技術に支えられた「最強のスマート・パーク」である。車両基地から上る熱風から根を守るためにジェット・エンジンを使って下に冷気を送るシステム、雨水を再利用する高度な灌漑設備と、冷水が流れるチューブで根や土の温度を管理する「スーパー・チルド・ルーツ」や「スーパー・ソイル」など、高度な技術が緑を支えている。隣接するハイラインも最新技術を駆使した空中庭園であるが、枯れた植物すら愛でる循環型自然とは対照的に、こちらは完全な人工楽園である。たとえ嵐などで停電になっても自家発電システムが完備しているので、ハドソン・ヤード全体がその影響を受けることはないという。

現代版ガラスのユートピアのもうひとつの例は、西海岸のアマゾン本社キャンパス内のガラスドーム「ザ・スフィア」である《カバー表紙側袖の写真参照》。3個の球体からなる奇抜なドームは、40億ドルを投じたアマゾン本社キャンパスの新社屋で、従業員用のラウンジ、会議場およびクリエイティブな発想の場として建設された。ここではオフィスと緑の関係はさらに進化し、仕事場であると同時に、30ヵ国以上の雲霧林（標高の高い山地の低い気温が生む雲や霧がつねに立ち込める熱帯高地植物林）より取り寄せた4万以上の植物（絶滅危惧種も含む）からなる温室、文字通り稀少植物を保存する「コンサーバトリー」でもある。高い湿度で滴が垂れるコンサーバトリーは当然仕事の場には不向きである。自然に浸りながら仕事のできる環境は、ハイテク技術と単純な発想で実現した。つまり、昼間は、室内の温度を摂氏20～22度程度、湿度を62％（シアトルの平均よりやや高め）に保って快適な仕事環境を維持する一方で、夜間は温度を13度まで下げ、湿度を85～90％まで上げることにより熱帯高地植物に適した環境を保つようにしている。

ザ・スフィアは、最近注目されるバイオフィリック・デザインを採用したもっとも大胆で斬新な建造物である。「バイオフィリア（biophilia）」とは、人間は先天的に自然とのつながりを求めるもので、自然のなかに浸ると、人はよりクリエイティブな発想、クリアな思考になるという考え方のもと、建築に積極的に自然を取り込むアプローチである。ザ・スフィアは仕事場に緑を取り入れただけでなく、高密度の高層ビルが立ち並ぶ都心のアマゾン本社キャンパスに、有機的自然を加える働きもしているのである。

巨大テック企業がその権勢を革新的なオフィスビル建設で表現する潮流のなか、郊外を本拠地としたマイクロソフトやグーグルなどとは異なり、アマゾンはあえて拠点を都心に集中させている。そのために、シアトルの家賃が高騰してホームレスが増えるなど、市に利益だけでなく問題ももたらしている。もともと住んでいた住民は、より通勤時間がかかる場所へと移動を余儀なくされ、その一方、アマゾン社員には家賃補助や自社バスが提供されている。アマゾン・コミュニティとその外部との分断を問題視する声もある。このような「分断」はハドソン・ヤードでもささやかれ、ハイラインと直結した都市の公園機能の拡大を公約していたにもかかわらず、見えない壁を作って富裕層向けの擬似ゲイテッド・コミュニティを構想しているのではないかとの疑惑が浮上してきた。

今日のガラスのユートピアは、かつての王侯貴族の夢に代わる世界最大級の富豪の夢と化したことはまちがいない。ロンドンの水晶宮から始まった西洋のガラスのユートピアは今後どこに向かうのだろう。アメリカ国内を見ても、その方向性を示唆するものはなかなか見つからない。世界に目を転じると、その歴史は大転換期を迎えていることはあきらかだ。シンガポールの世界最大規模の植物園ガーデンズ・バイ・ザ・ベイでは温室ならぬ「冷室」が設けられ、なかには涼しい気候を好む地中海性気候の植物が植えられている。「西洋」から「東洋」へ、「温室」から「冷室」へ、西洋のガラスのユートピアは大きく方向転換をしている。さらに、中国ではその経済・技術力を背景として、北京郊外の世界最大の「宙に浮く」ガラスの展望橋、湖南省張家界の世界最長、世界最高度を誇るガラスの吊り橋をはじめ、ガラスの建造物が次から次へと建設されている。かつては技術・経済大国アメリカの専売特許であったガラスのユートピアは、アジアに舞台を移し、アメリカよりさらに大胆にスケールアップして追求されている。今後アメリカの都市は、どのようなユートピア空間を出現させるのだろうか。

（黒沢眞里子）

❖参考資料

黒沢眞里子「ニューヨークの空中庭園ハイライン」『専修人文論集』104号、2019年、1～19頁
マンフォード、ルイス（磯村英一監訳）『多層空間都市――アメリカに見るその明暗と未来』ぺりかん社、1970年
Ilyin, Natalia. “A Seattleite Reflects on the City in the Age of Amazon.” *Common Edge*, February 27, 2018. [https://commonedge.org/a-seattle-native-reflects-on-the-city-in-the-age-of-amazon/]
Kimmelman, Michael. “Hudson Yards Is Manhattan's Biggest, Newest, Slickest Gated Community.” *New York Times*, March 14, 2019. [電子版]

62

トニ・モリスン

★次世代へのメッセージ★

1993年にアメリカ黒人女性としてはじめてノーベル文学賞を受賞したトニ・モリスンが2019年8月5日に亡くなると、大手メディアを中心におびただしい数の追悼記事が配信された。8月7日付『ニューヨーク・タイムズ』紙は「彼女は私たちを最高の時も最悪の時も愛してくれた」というタイトルのもと、ハーバード大学教授ヘンリー・ゲイツ・ジュニアや作家のマーガレット・アトウッド、サルマン・ラシュディ、文芸評論家のミチコ・カクタニら20余名の哀悼文を大きく掲載した。アメリカの有力紙が大きな紙面を割いてモリスン追悼特集を組んだことからも、モリスンが文学界に留まらず現代社会に大きな影響を与えた作家として位置づけられていることがわかる。

文学離れが進むなかで、モリスンはなぜ多くの人々の心をつかむことができたのだろうか。その理由のひとつとして、彼女がアフリカ系アメリカ人女性としての出自に根差した、ある意味で特殊なテーマを扱う一方で、人種やジェンダーの差異を超越した人間性の本質を問う作品を著していることが挙げられる。モリスンは2008年4月にニューヨークで開催されたペンクラブの文学功労賞授賞式のスピーチ「危機（Peril）」において、人間を苦しめるトラウマの深さや残酷さに言及し、作家だけがそのようなトラウマを、意味あるものや高潔な想像力に転換できると述べている。モリスンは作品を通じて、人々が目を背けたくなるようなトラウマに真っ向から取り組み、沈黙を強いられ闇に葬られた人々の存在を復活させ、最後に一縷《いちる》の希望を描くことで、多くの読者を励まし、そして力づける。

モリスンの生い立ちをたどると、彼女自身が人種差別の痛みというトラウマと無縁ではなかったことがうかがえる。1931年にオハイオ州ロレインで生まれたモリスンは、暴力的な人種差別にさらされたわけではなかったが、彼女の両親は20世紀初頭の南部のむごい人種差別の生き証人だった。父ジョージ・ウォフォードは生まれ故郷のジョージア州カーターズビルで、黒人男性がリンチされるのを目撃して北部への移住を決意した。母方の祖母は、娘たちが白人の性的対象になることを恐れ安全と自由を求めて、アラバマ州グリーンビルから北部に移住した。両親や親戚からこうした南部の人種差別の話を伝え聞いてモリスンは育った。

第一作『青い眼がほしい』(1970年)の舞台のモデルともなったロレインでは、公民権運動時代に至るまで、作品でも示されているように、ダウンタウンの映画館や風光明媚なエリー湖湖畔の公立公園などで人種隔離がまかり通っていた。モリスン自身もロレインの人種差別を身をもって体験している。現在ではモリスンは、地元の誇りとなる作家であり、ロレイン公立図書館には、モリスンの名前を冠したリーディングルームが設けられ、モリスンの作品や研究書、ノーベル賞受賞式の思い出の品々などが展示されている。また、ロレイン歴史協会には、彼女の出生記録から高校生時代の写真や地元紙『モーニング・ジャーナル』に掲載されたモリスン関連の記事など貴重な資料が大切に保管されている。しかし、モリスンの幼少期はアメリカ社会全体を白人優越主義のベールが覆っていたのだ。

昨今SNSを中心として急速にグローバルに広まった黒人に向けられる暴力に抗議するブラック・ライブズ・マター運動《第32章参照》をきっかけとして、理不尽な人種差別の実態が知られるようになったが、その根幹にあるアメリカ史における白人優越性と暴力性をモリスンは文学を通して再現している。なかでも1988年にピューリッツァー賞を受賞した『ビラヴド』（87年）は、逃亡奴隷マーガレット・ガーナーが1856年に起こした子殺し事件を基に奴隷の視点から奴隷制の非情さを描いた作品である。マーガレットをモデルとした主人公セサは、残忍な「先生」が支配するケンタッキー州のプランテーションから子連れで命からがらオハイオ州シンシナティに逃れる。だが、追っ手が迫ってきた時にわが子が奴隷制に戻される恐怖に駆られたセサは、とっさに自分の子どもを殺めてしまう。子殺しの結果、自分の殻に閉じこもり、また周囲から非難の目で見られ孤立したセサはどのようにして回復していったのか。そのきっかけを与えてくれたのは、妻を白人主人に奪われ、その後、逃亡奴隷を組織的に支援した地下組織「地下鉄道」のメンバーとして活躍したスタンプ・ペイドや、かつてのプランテーションの仲間でチェイン・ギャン

ロレイン公立図書館のトニ・モリスン・リーディングルームの展示（森保宏撮影）

グ（鎖につながれて過酷な労働に従事させられる囚人）を経験したポールD、そして白人から性的虐待を受けた経験を持つエラを中心とした共同体の女性たちの存在であった。物語の最後には傷を負った人々がともに助け合い、それぞれが少しずつ自分らしさを取り戻す救済の可能性が示唆されており、その根底にあるのはモリスンが人々に向ける惜しみない「愛」である。

エッセイ集『他者の起源』（２０１６年）においてモリスンは、奴隷制が終わって１５０年以上がたった現在では、グローバリゼーションという名のもとに、宗教、政治、階級、ジェンダーなど、異なった背景を持つ他者に対して、搾取と排除のメカニズムが働き、それが正当化されていくことを危惧している。モリスンは、「生まれながらの人種差別主義者はいない。胎児のときから性差別主義的傾向があるわけでもない」と述べ、「『人種』とは、種の分類のひとつであり、私たちは人間という種なのだ」と力説する。つまり人類はすべて「人間」というひとつの種に属している。異質な存在を排除するのではなく、他者との連帯を促し、共生していくことの重要性を説くモリスンの言葉は、危機の時代を生きる次世代の人々に遺されたメッセージである。

（森あおい）

❖参考資料

「特集　トニ・モリスン」『ユリイカ』２０１９年10月号、29〜２２３頁
モリスン、トニ（荒このみ訳）『他者の起源』集英社、２０１９年

63

ソローの思想に学ぶ

★持続可能な社会に向けて★

2015年9月、国連サミットにおいて「持続可能な開発目標（SDGs）」が採択された。天然資源の乱開発による地球温暖化など、開発という言葉から連想される環境問題はもちろんのこと、17の目標と169の具体的なターゲットからなるSDGsは、「誰ひとり取り残さない」というスローガンのもと、貧困や教育、健康、平等や平和など、人々の日常生活全般にかかわる問題を視野に入れている。

この章で取り上げるヘンリー・デイビッド・ソロー（1817〜62年）は、アメリカがまだ奴隷制を有していた時代に、自然との調和のなかで人間らしく生きる道を模索し、自分の信条を生活のなかに実践しようとした思想家である。奴隷制の是非が国を二分する危機と、産業革命による生活の大きな変化に直面していた時代に、ソローがどのように自分自身と、そして社会と向き合ったかを考察することは、今日、気候変動や新型コロナウイルス感染症の蔓延など人類共通の課題を抱えながら、地球上のすべての人が生きがいを持って安心して暮らせる社会の実現を目指している私たちに、多くの示唆を与えてくれるように思われる。

ソローは、19世紀前半から中頃にかけてアメリカ北東部のニューイングランド地方で興隆した、超越主義（トランセンデンタリズム）と呼ばれる哲学的運動のメンバーだった。超越主義は初のアメリカ生まれの思想運動で、ソローの師であり親友でもあったラルフ・ウォルドー・エマソン（1803～82年）を中心に発展した宗教的・ロマン主義的な思想である。目に見える物質的な世界を超えたところに普遍的な真理があるとするその思想は、すべての人間に神性を認め、経験よりも内なる声としての直観を重視した。また、人間を自然の法則のなかの存在としてとらえ、人間精神と自然の間に深い結びつきを見出した。確立された体系も社会的組織も持たなかったが、慣習や既存の価値観から個人を解放する新しい考え方は、文学や教育、社会改革、さらに奴隷制廃止運動にも大きな影響を与えた。

産業革命がもたらした物質的繁栄、鉄道の開通、機械的な工場労働の出現などを背景に、人々が何かに追われるようにせわしなく生活している姿に疑問を感じていたソローは、その新しい思想を実践するために、マサチューセッツ州コンコード郊外の森のなかにある、ウォールデン・ポンドという湖《カバー裏表紙側袖の写真参照》のほとりに自分で小屋を建て、1845年7月4日から2年2ヵ月にわたって、自給自足の生活をした。

ウォールデンの森で生活を始めて1年ほどたったある日、ソローは出向いたコンコードで、州の人頭税の支払いを求められる。ソローは奴隷制を認める連邦政府に抗議するため、すでに数年にわたって人頭税を支払わずにいたが、この時はさらに、連邦政府がアメリカへのテキサス併合を目的として米墨戦争（1846～48年）を始めたことへの抗議も、不払いの理由に加えられていた。当時メキシコ領だったテキサスには、アメリカからの入植者によって奴隷制が持ち込まれていた。そのテキサスを併合することは、アメリカにおける奴隷制の拡大を意味していたのである。

税の支払いを拒否したソローはついに投獄され、町の牢獄で一夜を明かすことになる。その時の経験を記した論文が、「市民の反抗」（1849年）である。そのなかでソローは言う――「不当に人民を投獄するような政府のもとでは、正義を主張する者にとっての居場所もまた、獄中しかない」（筆者訳）。一人ひとりが正しい選択をすれば国の政策にも大きな影響を与え得るというソローの考え方は、後に、インドの独立運動を指揮したマハトマ・ガンジーや、黒人の平等を求めた公民権運動の指導者、マーティン・ルーサー・キング牧師、さらにベトナム反戦運動や南アフリカのアパルトヘイト廃止運動などにも大きな影響を与えた。

ウォールデン・ポンドのほとりにはソローの小屋が復元され、近くにはソローの像が立っている。
(RhythmicQuietude at en.wikipedia, CC BY-SA 3.0)

ウォールデンの森での実験的な生活を詳細に記録した『ウォールデン――あるいは、森の生活』（1854年）のなかで、ソローは次のように語っている。「私は森へ行った。なぜなら私は思慮深く丁寧に生きることを望み、人生において本当に大切なことだけに向き合いたいと思ったから」（筆者訳）。ウォールデンの自然はソローに生きることの尊さをあらためて認識させ、奴隷制や戦争がどれほど不自然な行為であるかをいっそう鮮明に印象づけた。森を後にしたソローは奴隷制廃止運動に、より積極的にかかわるようになり、講演活動に加えて、南部からの逃亡奴隷を安全な土地へ導く活動にも身を投じていく。

ソローにとっての豊かさとは、物心ともに必要なものを最小限にまで減らすことで得られるものだった。だから、利己心や偏見、批判なき他者への追従などを捨て、本来の自分ともいえる本性（nature）が解放された時にこそ、人はその人らしく豊かに生きることができ、その結果として、よりよい社会が実現されるとソローは信じていた。そして、自然（nature）が人間の自己実現のために大切なインスピレーションを与えてくれるということも。

ソローにとって奴隷制や戦争に反対することは、朝もやのたち込める湖で身を清め、内なる声に耳を傾けることの延長線上にあり、どちらも心を込めて行うべき、大切かつ自然な行為だったのである。

現代の私たちがソローのように豊かな自然のなかでの暮らしを体験することは、むずかしいかもしれない。それでも、故郷の風景や旅先で出会った自然、あるいは身近な公園や街路樹であっても、折に触れて自然とのつながりを意識することは、自分自身を客観的に見つめるよい機会になるだろう。

今日、ＳＤＧｓには世界中の国や企業、さまざまな団体が参画しているが、心の独立を得ることに

実際にソローの小屋があった場所の近くには、世界中から訪れたファンが記念に置いて行った石が積み上がる。文章は、『ウォールデン』のなかの「私は森へ行った。なぜなら……」の一節。小屋は、右奥の石柱と鎖で囲まれたところに建っていた。（Hnromney, CC BY-SA 4.0）

よって本当に大切なものを見きわめ、人と自然に敬意を払いつつ丁寧に生きることを大切にしたソローの思想は、どのような組織であれ、それを動かしているのは構成員一人ひとりの選択なのだということにあらためて気づかせてくれる。自分の選択が地球上すべての人と自然の未来につながっているという自覚を持って、自分にできる目の前のことを一つひとつ丁寧にしていくことの延長線上にこそ、「誰ひとり取り残さない」持続可能な社会があるのではないだろうか。

（畔柳章枝）

❖参考資料

ソロー、H・D（飯田実訳）『市民の反抗　他五篇』岩波書店、1997年
ソロー、H・D（飯田実訳）『森の生活――ウォールデン』（上・下巻）岩波書店、1995年
Thoreau, Henry David. *The Portable Thoreau*. Edited by Jeffrey S. Cramer. New York: Penguin Books, 2012.
「持続可能な開発目標（SDGs）」国連広報センターのホームページ［https://www.unic.or.jp/activities/economic_social_development/sustainable_development/2030agenda/］

あとがき

「まえがき」で紹介されているように、本書は、同時代のアメリカ社会全般を扱ったエリア・スタディーズ叢書の4冊目にあたる。書名『現代アメリカ社会を知るための63章【2020年代】』が示すように、2020年代のアメリカ社会を見すえて、最新情報を盛り込み、前書から内容を一新して編んだ書籍である。

明石書店の大江道雅氏から、前書『新時代アメリカ社会を知るための60章』の監修者と編者宛てに、本書刊行のご提案をいただいたのは、2019年4月のことであった。当時は、ドナルド・トランプ前政権の3年目であり、また20年には国勢調査も控えていたため、大統領選挙と国勢調査をある程度見きわめた時点での刊行を提案し、ご快諾をいただいた。監修を明石紀雄先生にお願いし、編集には編者3名があたるという、前書と同じ体制で、本書の編纂作業が始まった。

刊行までの流れも、前書をほぼ踏襲した。まず執筆者とテーマ（執筆項目）の選定については、何度かのメール審議の後、2019年6月に開催された学会の機会を利用して、監修者と編者で会合を持ち案にまとめた。これに基づき、本書の出版企画を各執筆候補者にお伝えし、ご意向をうかがった。執筆の内諾をいただいた後には、各人の専門領域において本書にふさわしいテーマを募った。執筆陣は大方が前3書からの旧知の研究者であるが、今回あらたに3名に加わっていただき、さらなる内容の充実を図った。他方で、悲しいことに、前書、前々書にご執筆いただいた長澤克治氏の訃報に接した。共同通信社で記者を務めておられた長澤氏は、ジャーナリストとしての知見と経験に裏打ちされた示唆に富む章を、前2書にいくつも寄せてくださった。字数削減など編者の依頼にいとも速やかに応じてくださり、さすがとの思いを抱いた記憶がある。今回も執筆をお願いできるものと思っていたが、かなわぬこととなった。長澤氏のご冥福を心よりお祈りしたい。

執筆者とテーマの案が固まったところで、2019年9月に、監修者と編者3名が明石書店を訪問し、編集会議を持った。会議では、執筆者・項目案、および刊行までの大まかなタイムラインについて確認するとともに、大江氏よりあらためて出版社側の意向をうかがい、担当編集者として長島遥氏をご紹介いただいた。この会議をへて同年秋に、執筆者と執筆項目を決定し、執筆者に正式な依頼をした。

原稿の締め切りを2020年の大統領選挙後の同年12月に定めたため、執筆期間は前書より長い1年あまりとなった。この間、同時代のアメリカ社会を考えるうえで欠かすことのできないふたつの出来事を、アメリカと世界は体験することになった。ひとつは、新型コロナウイルス感染症の蔓延という、世界を襲った災禍である。20年に入り11月の大統領選挙を控えたアメリカにもコロナ禍は甚大な影響を及ぼし、同年夏にはパンデミックを扱う一章を本書に加えることになった。今なお続くコロナ禍は、日本での日常生活をも大きく変え、前書までは対面で行ってきた編集会議は、すべてオンラインによる開催となった。当初こそ試行錯誤であったが、慣れてくるとオンライン会議は、北陸、関西、関東に離れて住む編者3名にとっては案外と利便性が高いことがわかり、新しい作業形態として定着しつつある。

もうひとつの出来事は、2020年5月25日にミネアポリスで起きたジョージ・フロイド氏殺害事件に端を発し、大きなうねりとなったブラック・ライブズ・マター（BLM）運動である。BLMは企画の段階から本書のテーマに含まれていたが、運動の規模拡大に鑑みて、独立した一章を設けることになった。本書全体を通してBLM運動を扱った章とのクロスレファレンスがもっとも多く、この運動が、今日のアメリカ社会にさまざまな形で影響を与えていることを如実に物語っている。

進行中の事象も含めたアメリカ社会の趨勢を睨みつつ、本書は、最終的に63章の構成となった。各執筆者には、2020年12月に、まず監修者と編者に原稿を提出していただいた。編者はすべての原稿に目を通し、21年1月半ばから末にかけて複数回の編集会議を持ち、全体的な調整を行った後、必要に応じて執筆者に原稿への加筆・修正を依頼した。並行して、全63章を「基層」「社会」「文化」に三分類し、章の配列を決めた。アメリカの基層を成す情報から、アメリカ社会で起きている事象、そしてアメリカ文化の深層へと誘う本書構成の意図は、監修者による「まえがき」のとおりである。

2月末に、監修者・編者を含むすべての執筆者が原稿を明石書店に提出した。同時代のアメリカ社会を扱うという本書の性質上、刻々と変わる社会情勢をどこまで原稿に含めるか、含めることが可能であるかは、執筆者を悩ませる課題である。本書全体としては、入稿期限であった2021年2月28日時点までの情報を含めるという線引きをした。ただし、各章のテーマに関連した特筆すべきできごとや、2020年代のアメリカ社会を大きく左右しそうな事件が入稿時以降に起きた場合には、執筆者の任意で、初校や二校の時点で加筆がなされている。

アメリカ研究の初学者である大学1〜2年生や、アメリカ社会の動向に広く関心を抱く人々に向けた概説書としての本書の性格は、第1作の時から変わらない。各章の分量は、前3書よりやや多くなっており、内容に関連する写真やグラフなども多数掲載できた。9年前に刊行された前書と比較すると、全般にインターネットによる情報の利用が増えたことが目を引く。そこで、前3書では「参考文献」としてまとめていた各章末の一覧名を、「参考資料」にあらためた次第である。コロナ禍にあって、インターネットによる情報量は格段に増えた。本書のように同時代の社会を扱う書籍において、インターネット資料の重要性が減じることはないと思われるが、同時にインターネット情報のリテラシーを高めることの重要性も強く再認識している。

本書の監修者である明石紀雄先生に、この場を借りてあらためて御礼を申し上げたい。明石先生は、編者を含め執筆者の多くにとって共通の恩師であるが、先生が結んでくださったご縁により、それぞれ異なる専門領域を持ちつつアメリカ社会への関心をともにする執筆者による、共同作業が可能になった。第1作が刊行された1998年から四半世紀近く、同時代のアメリカ社会を分析する共同作業を行ってきたことになる。これほどの長きにわたる共同作業が可能であったのは、監修者として、そしてアメリカ研究の師として明石先生がいつも中心に居てくださるからであると思う。

本書の出版を可能にしてくださった明石書店代表取締役大江道雅氏に、記して御礼を申し上げたい。また丁寧な編集作業をしてくださった同社の長島遥氏にも、謝意をお伝えしたい。

2021年盛夏

編者一同

執筆者紹介

増井由紀美（ますい・ゆきみ）［47, 50, 51］
敬愛大学国際学部教授。専攻・専門：アメリカ文化・文学・歴史・社会。主要著作：「ウィリアム・タッカーの大学改革と朝河貫一の役割――ダートマス大学から世界へ」（単著，海老澤衷ほか編『朝河貫一と人文学の形成』吉川弘文館，2019年），「英語学習教材としての英語文学――語彙力，作文力，描写・表現力強化のための指導法」（単著，『敬愛大学国際学部創設20周年記念論文集』，2018年）。

増田直子（ますだ・なおこ）［35, 37, 46］
日本女子大学非常勤講師。専攻・専門：アメリカ史，移民研究。主要著作：「日系アメリカ人収容所の外から見た再定住――チャールズ・キクチの日記を中心に」（単著，『津田塾大学紀要』51号，2019年3月）『エスニック・アメリカを問う――「多からなる一つ」への多角的アプローチ』（共著，彩流社，2015年）。

宮井勢都子（みやい・せつこ）［2, 29］
津田塾大学言語文化研究所特任研究員。専攻・専門：アメリカ社会史，人種関係史。主要著作：『ジョン・ブラウンの屍を越えて――南北戦争とその時代』（共著，金星堂，2016年），『個人と国家のあいだ〈家族・団体・運動〉』（共著，ミネルヴァ書房，2007年）。

目黒志帆美（めぐろ・しほみ）［19, 57］
石巻専修大学人間学部准教授。専攻・専門：アメリカ研究，ハワイ史。主要著作：『フラのハワイ王国史：王権と先住民文化の比較検証を通じた19世紀ハワイ史像』（単著，御茶の水書房，2020年），「ハワイ王国に写し出されるアメリカ――マーク・トウェインの『ハワイ通信』にみる『自国認識』」（単著，『インターカルチュラル』第16号，2018年）。

森あおい（もり・あおい）［62］
明治学院大学国際学部教授。専攻・専門：アメリカ文学，アメリカ文化研究。主要著作：『ハーレム・ルネサンス――〈ニュー・ニグロ〉の文化社会批評』（共著，明石書店，2021年），「『青い眼がほしい』再読――時空を超えて甦るある少女の物語」（単著，『ユリイカ』第748号，青土社，2019年），『新たなるトニ・モリスン――その小説世界を拓く』（共編著，金星堂，2017年），『トニ・モリスン「パラダイス」を読む』（単著，彩流社，2009年）。

吉岡宏祐（よしおか・こうゆう）［16, 18, 21］
徳島大学総合科学部准教授。専攻・専門：アメリカ合衆国現代史。主要著作：「現代アメリカ合衆国におけるアファーマティブ・アクション理論分析――経済界と大学による『多様性』の『相互』構築議論を中心として」（単著，『国際文化研究』17号，2011年），『新時代アメリカ社会を知るための60章』（共著，明石書店，2013年）。

畔柳章枝（くろやなぎ・あきえ）［59, 63］
神奈川大学非常勤講師。専攻・専門：初期アメリカ史，思想。主要著作：『新時代アメリカ社会を知るための 60 章』（共著，明石書店，2013 年），「R. W. エマソンの『自己信頼』思想──教育的視点から」（単著，『カリタス女子短期大学研究紀要』44 号，2010 年），『21 世紀アメリカ社会を知るための 67 章』（共著，明石書店，2002 年）。

鈴木紀子（すずき・のりこ）［40, 48］
大妻女子大学文学部准教授。専攻・専門：アメリカ研究。主要著作：『冷戦とアメリカ──覇権国家の文化装置』（共著，臨川書店，2014 年），「思想教育と文学の政治学──GHQ/SCAP の日本民主化政策とアメリカ西部フロンティア言説の関係性」（単著，『論叢現代語・現代文化』4 号，2010 年），*The Re-Invention of the American West: Women's Periodicals and Gendered Geography in the Late Nineteenth-Century United States*（単著，Edwin Mellen Press, 2009 年）。

髙橋裕子（たかはし・ゆうこ）［36, 39］
津田塾大学学長・学芸学部教授。専攻・専門：アメリカ社会史（女性・家族・教育），ジェンダー論。主要著作：『家族と教育』〈ジェンダー史叢書第 2 巻〉（共編著，明石書店，2011 年），『津田梅子の社会史』（単著，玉川大学出版部，2002 年）。

武井　寛（たけい・ひろし）［5, 8, 25］
岐阜聖徳学園大学外国語学部准教授。専攻・専門：アメリカ史，20 世紀人種関係史。主要著作：「キャサリン・バウアー・ウースターの人種観と住宅政策」（単著，『立命館言語文化研究』31 巻 1 号，2019 年），「トランブル・パーク・ホームズ騒動と『共同体の暴力』」（単著，『アメリカ史研究』28 号，2005 年）。

中川正紀（なかがわ・まさのり）［13, 14, 27］
フェリス女学院大学文学部教授。専攻・専門：アメリカ研究，ラティーノ研究。主要著作：『国境を越えるラテンアメリカの女性たち──ジェンダーの視点から見た国際労働移動の諸相』（共著，晃洋書房，2019 年），『浸透するアメリカ，拒まれるアメリカ──世界史のなかのアメリカニゼーション』（共著，東京大学出版会，2003 年）。マニュエル・G・ゴンサレス『メキシコ系米国人・移民の歴史』（単訳，明石書店，2003 年）。

西川裕子（にしかわ・ゆうこ）［15, 23, 42］
岐阜大学非常勤講師。専攻・専門：アメリカ移民史，日系アメリカ人史。主要著作：「第一次世界大戦時の移民一世とアメリカ選抜徴兵制──徴兵制への対応と帰化に対する考え方」（単著，『多文化共生研究年報』4 号，2007 年），「アメリカ選抜徴兵制と日系アメリカ人──第一次世界大戦参戦時の本土とハワイの比較」（単著，『史境』47 号，2003 年）。

菱田幸子（ひしだ・さちこ）［3, 4, 6］
武蔵大学非常勤講師。専攻・専門：アメリカ黒人史。主要著作：「人種間協力への期待と挫折──1930 年代の反リンチ運動を事例に」（単著，『アメリカ・カナダ研究』23 号，2005 年），「イングラム事件（1947 年）支援活動にみる黒人エリートによるリスペクタビリティの表象」（単著，『アメリカ研究』38 号，2004 年）。

〈執筆者紹介〉（五十音順。＊は監修者・編著者。［　］内は担当章）

＊赤尾千波（あかお・ちなみ）［54, 55, 56］
編著者紹介参照。

＊明石紀雄（あかし・のりお）［7, 9, 44, 45］
監修者紹介参照。

伊藤裕子（いとう・ゆうこ）［1, 11, 12, 52］
亜細亜大学国際関係学部教授，専門・専攻：アメリカ政治外交史，米比関係史。主要著作：「フィリピン・ドゥテルテ政権の『国家安全保障』観と対中・対米政策」（単著，日本国際問題研究所『中国の対外政策と諸外国の対中政策』，2020年），『原子力と冷戦――日本とアジアの原発導入』（共著，花伝社，2013年）。

＊大類久恵（おおるい・ひさえ）［24, 28, 49］
編著者紹介参照。

小塩和人（おしお・かずと）［10, 22, 43］
上智大学外国語学部教授。専攻・専門：環境史，北米地域研究。主要著作：『アメリカ環境史』（単著，上智大学出版，2014年），『グローバルヒストリーズ』（分担，上智大学出版，2018年），『北米研究入門　2』（編著，上智大学出版，2019年）。

＊落合明子（おちあい・あきこ）［17, 20, 26, 53］
編著者紹介参照。

川島浩平（かわしま・こうへい）［33, 34, 38, 58］
早稲田大学スポーツ科学学術院教授。専攻・専門：アメリカ史，アメリカ研究。主要著作：『アメリカ文化事典』（共編，丸善，2018年），『スポーツの世界史』（共著，一色出版，2018年），『人種とスポーツ』（単著，中央公論新社，2012年）。

黒﨑　真（くろさき・まこと）［30, 31, 32］
神田外語大学外国語学部教授。専攻・専門：アメリカ黒人史，アメリカ研究。主要著作：『ハーレム・ルネサンス――〈ニュー・ニグロ〉の文化社会批評』（共著，明石書店，2021年），『マーティン・ルーサー・キング――非暴力の闘士』（単著，岩波書店，2018年），『アメリカ黒人とキリスト教――葛藤の歴史とスピリチュアリティの諸相』（単著，神田外語大学出版局，2015年），『アメリカのエスニシティ――人種融和を目指す多民族国家』（共訳，明石書店，2013年）。

黒沢眞里子（くろさわ・まりこ）［41, 60, 61］
専修大学文学部教授。専攻・専門：アメリカ研究。主要著作：『ナポレオンの柳――西洋人と柳，墓地，ピクチャレスク』（単著，2021年，彩流社），『〈風景〉のアメリカ文化学』（共著，ミネルヴァ書房，2011年），『アメリカ田園墓地の研究――生と死の景観論』（単著，玉川大学出版部，2000年）。

〈監修者紹介〉

明石紀雄（あかし・のりお）
筑波大学名誉教授。専攻・専門：初期アメリカ合衆国史，アメリカ研究。主要著作：『エスニック・アメリカ』第3版（共著，有斐閣，2011年），『ルイス＝クラーク探検――アメリカ西部開拓の原初的物語』（単著，世界思想社，2004年），『モンティチェロのジェファソン――アメリカ建国の父祖の内面史』（単著，ミネルヴァ書房，2003年），『トマス・ジェファソンと「自由の帝国」の理念――アメリカ合衆国建国史序説』（単著，ミネルヴァ書房，1993年），『現代アメリカ社会を知るための60章』（共編著，明石書店，1998年）。

〈編著者紹介〉

大類久恵（おおるい・ひさえ）
津田塾大学学芸学部教授。専攻・専門：アメリカ合衆国史，アメリカ地域研究。主要著作：『ハーレム・ルネサンス――〈ニュー・ニグロ〉の文化社会批評』（共著，明石書店，2021年）『新時代アメリカ社会を知るための60章』（共編著，明石書店，2013年），『アメリカの中のイスラーム』（単著，子どもの未来社，2006年），『アメリカ黒人女性とフェミニズム――ベル・フックスの「私は女ではないの？」』（監訳書，明石書店，2010年），『20世紀のアメリカ黒人指導者』（共訳書，明石書店，2005年）。

落合明子（おちあい・あきこ）
同志社大学グローバル地域文化学部教授。専攻・専門：アメリカ黒人の歴史と文化。主要著作：『ジョン・ブラウンの屍を越えて――南北戦争とその時代』（共著，金星堂，2016年），『新時代アメリカ社会を知るための60章』（共編著，明石書店，2013年），*Harvesting Freedom: African American Agrarianism in Civil War Era South Carolina*（単著，Praeger, 2004），『アメリカの奴隷解放と黒人――百年越しの闘争史』（共訳書，明石書店，近刊）。

赤尾千波（あかお・ちなみ）
富山大学人文学部教授。専攻・専門：アメリカ文学，アメリカ文化研究。主要著作：『アメリカ映画に見る黒人ステレオタイプ――「国民の創生」から「アバター」まで』（単著，富山大学出版会（梧桐書院発売），2015年），「最新アメリカ映画に見るマイノリティ像の多様化――ディズニー実写版『美女と野獣』から『ドリーム』までの4作品をめぐって」（単著，富山大学人文学部編『人文知のカレイドスコープ』〈富山大学人文学部叢書1〉，桂書房，2018年，96～106頁），『アメリカ文化事典』（共著，丸善出版，2018年），「ビッチに突きつけるヒューストン・プライド――DJスクリューからビヨンセに至るチョップ＆スクリューの伝統」（共著，『黒人研究』83号，2014年）。

エリア・スタディーズ　184
現代アメリカ社会を知るための63章【2020年代】

2021年　9月11日　初版第1刷発行

監修者　明石紀雄
編著者　大類久恵
落合明子
赤尾千波
発行者　大江道雅
発行所　株式会社 明石書店
〒101-0021 東京都千代田区外神田 6-9-5
電話　03-5818-1171
FAX　03-5818-1174
振替　00100-7-24505
https://www.akashi.co.jp/

装幀　明石書店デザイン室
印刷／製本　モリモト印刷株式会社

（定価はカバーに表示してあります）　ISBN978-4-7503-5245-9

エリア・スタディーズ

1 現代アメリカ社会を知るための60章
明石紀雄、川島浩平 編著

2 イタリアを知るための62章【第2版】
村上義和 編著

3 イギリスを旅する35章
辻野功 編著

4 モンゴルを知るための65章【第2版】
金岡秀郎 著

5 パリ・フランスを知るための44章
梅本洋一、大里俊晴、木下長宏 編著

6 現代韓国を知るための60章【第2版】
石坂浩一、福島みのり 編著

7 オーストラリアを知るための58章【第3版】
越智道雄 著

8 現代中国を知るための52章【第6版】
藤野彰 編著

9 ネパールを知るための60章
日本ネパール協会 編

10 アメリカの歴史を知るための63章【第3版】
富田虎男、鵜月裕典、佐藤円 編著

11 現代フィリピンを知るための61章【第2版】
大野拓司、寺田勇文 編著

12 ポルトガルを知るための55章【第2版】
村上義和、池俊介 編著

13 北欧を知るための43章
武田龍夫 著

14 ブラジルを知るための56章【第2版】
アンジェロ・イシ 著

15 ドイツを知るための60章
早川東三、工藤幹巳 編著

16 ポーランドを知るための60章
渡辺克義 編著

17 シンガポールを知るための65章【第4版】
田村慶子 編著

18 現代ドイツを知るための67章【第3版】
浜本隆志、髙橋憲 編著

19 ウィーン・オーストリアを知るための57章【第2版】
広瀬佳一、今井顕 編著

20 ハンガリーを知るための60章【第2版】 ドナウの宝石
羽場久美子 編著

21 現代ロシアを知るための60章【第2版】
下斗米伸夫、島田博 編著

22 21世紀アメリカ社会を知るための67章
明石紀雄 監修 赤尾千波、大類久恵、小塩和人、落合明子、川島浩平、高野泰 編

23 スペインを知るための60章
野々山真輝帆 著

24 キューバを知るための52章
後藤政子、樋口聡 編著

25 カナダを知るための60章
綾部恒雄、飯野正子 編著

26 中央アジアを知るための60章【第2版】
宇山智彦 編著

27 チェコとスロヴァキアを知るための56章【第2版】
薩摩秀登 編著

28 現代ドイツの社会・文化を知るための48章
田村光彰、村上和光、岩淵正明 編著

29 インドを知るための50章
重松伸司、三田昌彦 編著

30 タイを知るための72章【第2版】
綾部真雄 編著

31 パキスタンを知るための60章
広瀬崇子、山根聡、小田尚也 編著

32 バングラデシュを知るための66章【第3版】
大橋正明、村山真弓、日下部尚徳、安達淳哉 編著

33 イギリスを知るための65章【第2版】
近藤久雄、細川祐子、阿部美春 編著

34 現代台湾を知るための60章【第2版】
亜洲奈みづほ 著

35 ペルーを知るための66章【第2版】
細谷広美 編著

36 マラウィを知るための45章【第2版】
栗田和明 著

37 コスタリカを知るための60章【第2版】
国本伊代 編著

38 チベットを知るための50章
石濱裕美子 編著

エリア・スタディーズ

39 **現代ベトナムを知るための60章【第2版】**
今井昭夫、岩井美佐紀 編著

40 **インドネシアを知るための50章**
村井吉敬、佐伯奈津子 編著

41 **エルサルバドル、ホンジュラス、ニカラグアを知るための45章**
田中高 編著

42 **パナマを知るための70章【第2版】**
国本伊代 編著

43 **イランを知るための65章**
岡田恵美子、北原圭一、鈴木珠里 編著

44 **アイルランドを知るための70章【第3版】**
海老島均、山下理恵子 編著

45 **メキシコを知るための60章**
吉田栄人 編著

46 **中国の暮らしと文化を知るための40章**
東洋文化研究会 編

47 **現代ブータンを知るための60章【第2版】**
平山修一 著

48 **バルカンを知るための66章【第2版】**
柴宜弘 編著

49 **現代イタリアを知るための44章**
村上義和 編著

50 **アルゼンチンを知るための54章**
アルベルト松本 著

51 **ミクロネシアを知るための60章【第2版】**
印東道子 編著

52 **アメリカのヒスパニック＝ラティーノ社会を知るための55章**
大泉光一、牛島万 編著

53 **北朝鮮を知るための55章【第2版】**
石坂浩一 編著

54 **ボリビアを知るための73章【第2版】**
眞鍋周三 編著

55 **コーカサスを知るための60章**
北川誠一、前田弘毅、廣瀬陽子、吉村貴之 編著

56 **カンボジアを知るための62章【第2版】**
上田広美、岡田知子 編著

57 **エクアドルを知るための60章【第2版】**
新木秀和 編著

58 **タンザニアを知るための60章【第2版】**
栗田和明、根本利通 編著

59 **リビアを知るための60章【第2版】**
塩尻和子 編著

60 **東ティモールを知るための50章**
山田満 編著

61 **グアテマラを知るための67章【第2版】**
桜井三枝子 編著

62 **オランダを知るための60章**
長坂寿久 著

63 **モロッコを知るための65章**
私市正年、佐藤健太郎 編著

64 **サウジアラビアを知るための63章【第2版】**
中村覚 編著

65 **韓国の歴史を知るための66章**
金両基 編著

66 **ルーマニアを知るための60章**
六鹿茂夫 編著

67 **現代インドを知るための60章**
広瀬崇子、近藤正規、井上恭子、南埜猛 編著

68 **エチオピアを知るための50章**
岡倉登志 編著

69 **フィンランドを知るための44章**
百瀬宏、石野裕子 編著

70 **ニュージーランドを知るための63章**
青柳まちこ 編著

71 **ベルギーを知るための52章**
小川秀樹 編著

72 **ケベックを知るための54章**
小畑精和、竹中豊 編著

73 **アルジェリアを知るための62章**
私市正年 編著

74 **アルメニアを知るための65章**
中島偉晴、メラニア・バグダサリヤン 編著

75 **スウェーデンを知るための60章**
村井誠人 編著

76 **デンマークを知るための68章**
村井誠人 編著

77 **最新ドイツ事情を知るための50章**
浜本隆志、柳原初樹 著

エリア・スタディーズ

78 **セネガルとカーボベルデを知るための60章**
小川了 編著

79 **南アフリカを知るための60章**
峯陽一 編著

80 **エルサルバドルを知るための55章**
細野昭雄、田中高 編著

81 **チュニジアを知るための60章**
鷹木恵子 編著

82 **南太平洋を知るための58章** メラネシア ポリネシア
吉岡政德、石森大知 編著

83 **現代カナダを知るための60章【第2版】**
飯野正子、竹中豊 総監修 日本カナダ学会 編

84 **現代フランス社会を知るための62章**
三浦信孝、西山教行 編著

85 **ラオスを知るための60章**
菊池陽子、鈴木玲子、阿部健一 編著

86 **パラグアイを知るための50章**
田島久歳、武田和久 編著

87 **中国の歴史を知るための60章**
並木頼壽、杉山文彦 編著

88 **スペインのガリシアを知るための50章**
坂東省次、桑原真夫、浅香武和 編著

89 **アラブ首長国連邦（UAE）を知るための60章**
細井長 編著

90 **コロンビアを知るための60章**
二村久則 編著

91 **現代メキシコを知るための70章【第2版】**
国本伊代 編著

92 **ガーナを知るための47章**
高根務、山田肖子 編著

93 **ウガンダを知るための53章**
吉田昌夫、白石壮一郎 編著

94 **ケルトを旅する52章** イギリス・アイルランド
永田喜文 著

95 **トルコを知るための53章**
大村幸弘、永田雄三、内藤正典 編著

96 **イタリアを旅する24章**
内田俊秀 編著

97 **大統領選からアメリカを知るための57章**
越智道雄 著

98 **現代バスクを知るための50章**
萩尾生、吉田浩美 編著

99 **ボツワナを知るための52章**
池谷和信 編著

100 **ロンドンを旅する60章**
川成洋、石原孝哉 編著

101 **ケニアを知るための55章**
松田素二、津田みわ 編著

102 **ニューヨークからアメリカを知るための76章**
越智道雄 著

103 **カリフォルニアからアメリカを知るための54章**
越智道雄 著

104 **イスラエルを知るための62章【第2版】**
立山良司 編著

105 **グアム・サイパン・マリアナ諸島を知るための54章**
中山京子 編著

106 **中国のムスリムを知るための60章**
中国ムスリム研究会 編

107 **現代エジプトを知るための60章**
鈴木恵美 編著

108 **カーストから現代インドを知るための30章**
金基淑 編著

109 **カナダを旅する37章**
飯野正子、竹中豊 編著

110 **アンダルシアを知るための53章**
立石博高、塩見千加子 編著

111 **エストニアを知るための59章**
小森宏美 編著

112 **韓国の暮らしと文化を知るための70章**
舘野晳 編著

113 **現代インドネシアを知るための60章**
村井吉敬、佐伯奈津子、間瀬朋子 編著

エリア・スタディーズ

150 イギリスの歴史を知るための50章
川成洋 編著

151 ドイツの歴史を知るための50章
森井裕一 編著

152 ロシアの歴史を知るための50章
下斗米伸夫 編著

153 スペインの歴史を知るための50章
立石博高、内村俊太 編著

154 フィリピンを知るための64章
大野拓司、鈴木伸隆、日下渉 編著

155 バルト海を旅する40章 7つの島の物語
小柏葉子 著

156 カナダの歴史を知るための50章
細川道久 編著

157 カリブ海世界を知るための70章
国本伊代 編著

158 ベラルーシを知るための50章
服部倫卓、越野剛 編著

159 スロヴェニアを知るための60章
柴宜弘、アンドレイ・ベケシュ、山崎信一 編著

160 北京を知るための52章
櫻井澄夫、人見豊、森田憲司 編著

161 イタリアの歴史を知るための50章
高橋進、村上義和 編著

162 ケルトを知るための65章
木村正俊 編著

163 オマーンを知るための55章
松尾昌樹 編著

164 ウズベキスタンを知るための60章
帯谷知可 編著

165 アゼルバイジャンを知るための67章
廣瀬陽子 編著

166 済州島を知るための55章
梁聖宗、金良淑、伊地知紀子 編著

167 イギリス文学を旅する60章
石原孝哉、市川仁 編著

168 フランス文学を旅する60章
野崎歓 編著

169 ウクライナを知るための65章
服部倫卓、原田義也 編著

170 クルド人を知るための55章
山口昭彦 編著

171 ルクセンブルクを知るための50章
田原憲和、木戸紗織 編著

172 地中海を旅する62章 歴史と文化の都市探訪
松原康介 編著

173 ボスニア・ヘルツェゴヴィナを知るための60章
柴宜弘、山崎信一 編著

174 チリを知るための60章
細野昭雄、工藤章、桑山幹夫 編著

175 ウェールズを知るための60章
吉賀憲夫 編著

176 太平洋諸島の歴史を知るための60章 日本とのかかわり
石森大知、丹羽典生 編著

177 リトアニアを知るための60章
櫻井映子 編著

178 現代ネパールを知るための60章
公益社団法人 日本ネパール協会 編

179 フランスの歴史を知るための50章
中野隆生、加藤玄 編著

180 ザンビアを知るための55章
島田周平、大山修一 編著

181 ポーランドの歴史を知るための55章
渡辺克義 編著

182 韓国文学を旅する60章
波田野節子、斎藤真理子、きむ ふな 編著

183 インドを旅する55章
宮本久義、小西公大 編著

184 現代アメリカ社会を知るための63章【2020年代】
明石紀雄 監修 大類久恵、落合明子、赤尾千波 編著

——以下続刊 ◎各巻2000円（一部1800円）

〈価格は本体価格です〉

◆世界の教科書シリーズ◆

⑱ ブータンの歴史
ブータン小・中学校歴史教科書
ブータン王国教育省教育部 編　平山修一 監訳
大久保ひとみ 訳
◎3800円

⑲ イタリアの歴史【現代史】
イタリア高校歴史教科書
ロザリオ・ヴィッラリ 著　村上義和、阪上眞千子 訳
◎4800円

⑳ インドネシアの歴史
インドネシア高校歴史教科書
イ・ワヤン・バドリカ 著　石井和子 監訳
桾沢英雄、菅原由美、田中正臣、山本肇 訳
◎4500円

㉑ ベトナムの歴史
ベトナム中学校歴史教科書
ファン・ゴク・リエン 監修　今井昭夫 監訳
伊藤悦子、小川有子、坪井未来子 訳
◎5800円

㉒ イランのシーア派 イスラーム学教科書
イラン高校国定宗教教科書
富田健次 訳
◎4000円

㉓ ドイツ・フランス 共通歴史教科書【現代史】
1945年以後のヨーロッパと世界
ペーター・ガイス、ギヨーム・ル・カントレック 監修
福井憲彦、近藤孝弘 監訳
◎4800円

㉔ 韓国近現代の歴史
検定韓国高等学校近現代史教科書
韓哲昊、金基承 ほか著　三橋広夫 訳
◎3800円

㉕ メキシコの歴史
メキシコ高校歴史教科書
ホセ＝デ＝ヘスス・ニエト＝ロペス ほか著
国本伊代 監訳　島津寛 共訳
◎6800円

㉖ 中国の歴史と社会
中国中学校新設歴史教科書
課程教材研究所 綜合文科課程教材研究開発中心 編著
並木頼寿 監訳
◎4800円

㉗ スイスの歴史
スイス高校現代史教科書〈中立国とナチズム〉
バルバラ・ボンハーゲ、ペーター・ガウチ ほか著
スイス文学研究会 訳
◎3800円

㉘ キューバの歴史
キューバ中学校歴史教科書
先史時代から現代まで
キューバ教育省 編　後藤政子 訳
◎4800円

㉙ フィンランド 中学校現代社会教科書
15歳 市民社会へのたびだち
タルヤ・ホンカネン ほか著　高橋睦子 監訳
ペトリ・ニエメラ、藤井ニエメラみどり 訳
◎4000円

㉚ フランスの歴史【近現代史】
フランス高校歴史教科書
19世紀中頃から現代まで
マリエル・シュヴァリエ、ギヨーム・ブレル 監修
福井憲彦 監訳　遠藤ゆかり、藤田真利子 訳
◎9500円

㉛ ロシアの歴史
【上】古代から19世紀前半まで
ロシア中学・高校歴史教科書
A・ダニロフ ほか著　吉田衆一、A・クラフツェヴィチ 監修
◎6800円

㉜ ロシアの歴史
【下】19世紀後半から現代まで
ロシア中学・高校歴史教科書
A・ダニロフ ほか著　吉田衆一、A・クラフツェヴィチ 監修
◎6800円

〈価格は本体価格です〉